SHERRILYN KENYON

KRONIKI NICKA

nieskończoność

PRZEŁOŻYŁA ANNA BŁASIAK

Tytuł oryginału: *Chronicles of Nick. Infinity*

Redakcja: Paweł Gabryś- Kurowski
Korekta: Aneta Szeliga
Skład i łamanie: EKART
Projekt okładki: Magdalena Zawadzka/Aureusart
Zdjęcie na okładce: © Oleg Gekman | Dreamstime.com

Copyright © 2010 by Sherrilyn Kenyon. All rights reserved
Polish language translation copyright © 2015 by Wydawnictwo
Jaguar Sp. Jawna

ISBN 978-83-7686-310-8

Wydanie pierwsze, Wydawnictwo Jaguar, Warszawa 2015

Adres do korespondencji:
Wydawnictwo Jaguar Sp. Jawna
ul. Kazimierzowska 52 lok. 104
02-546 Warszawa
www.wydawnictwo-jaguar.pl

Druk i oprawa: Opolgraf

Fanom, którzy byli od początku z Mrocznymi Łowcami, dziękuję za wsparcie, za wspólną zabawę i za to, że tak ochoczo wyczekiwali kolejnych części. Jestem też wdzięczna życiu za Monikę, która ma niewyczerpaną energię i która tyle zrobiła, by ta seria powstała, jak również za Mrocznych Łowców oraz za mangę. Za moich przyjaciół, którzy nie dają mi zwariować, a zwłaszcza za Kim, która czytała wszystko prosto z „prasy drukarskiej" i podsunęła książkę do akceptacji naszym nastoletnim specjalistom od „zimnego odczytu".

Mojemu cudownemu mężowi za przygotowanie licznych kolacji (no, dobrze, dobrze, powinnam raczej dziękować restauracjom LOL), gdy ja pracowałam z oddaniem nad tą książką, a najbardziej moim synom za to, że codziennie dostarczali mi inspiracji. Szczególnie dziękuję Madaugowi, który pomógł mi wymyślić pierwszą linijkę: „Jestem świrem z marginesu społecznego", i który uprzejmie pozwolił mi nadać jednemu z bohaterów swoje imię. Oraz Ianowi, który chciał zadźgać zombie ołówkiem. Kocham Was wszystkich i codziennie dziękuję losowi za to, że jesteście.

A na koniec dziękuję Casey Woods, która wygrała konkurs i została bohaterką książki. W drugiej części będzie Cię jeszcze więcej ☺.

PODZIĘKOWANIA

Jestem i zawsze byłam wielką fanką zombie, ale chciałabym podziękować dwóm wyjątkowym osobom, które podpytywałam podczas pisania książki.

Mojemu specjaliście od zombie i koledze od filmowych horrorów Evyl Edowi, który zgodził się również zagrać Bubbę w kilku *Bubbizodach*. Dzięki za bezcenną wiedzę oraz wnikliwe uwagi.

Oraz mojej ulubionej egzorcystce, Mamie Lisie, która codziennie toczy słuszną walkę. Mało kto rozumie demonologię lepiej niż ona.

Bardzo wam obojgu dziękuję.

PROLOG

Wolna wola.

Niektórzy mówią, że to największy dar, jaki otrzymała ludzkość. To nasza zdolność kontrolowania tego, co się wydarza i jak się to wydarza. Jesteśmy panami swojego losu, nikt nie może narzucić nam swojej woli bez naszego przyzwolenia.

Inni twierdzą, że to wszystko totalna bzdura. Nasz los jest z góry przesądzony i bez względu na to, jak się staramy, jak mocno z nim walczymy, nasze życie i tak potoczy się dokładnie tak, jak miało się potoczyć. Jesteśmy tylko pionkami w rękach siły wyższej, której nasze mizerne ludzkie umysły nie są w stanie pojąć.

Mój najlepszy kumpel, Acheron, wyjaśnił mi to kiedyś w ten sposób. Przeznaczenie jest jak pociąg towarowy ustawiony na torze, którego trasę zna tylko motorniczy. Gdy dojedziesz samochodem na przejazd kolejowy, możesz się zatrzymać i poczekać, aż pociąg przejedzie, albo próbować przejechać przez przejazd przed nim.

Ten wybór to właśnie wolna wola.

Jeśli postanowisz jechać, samochód może utknąć na torach. Wtedy masz do wyboru próbować na nowo odpalić silnik albo czekać, aż pociąg cię zmiecie. Możesz też wyskoczyć zza kierownicy i uciekać, walczyć z przeznaczeniem, czyli śmiercią pod kołami rozpędzonej maszyny. Jeśli zdecydujesz się uciekać, noga może ci utknąć w szparze między torami albo możesz się poślizgnąć i upaść.

Możesz też uznać, że głupotą jest próbować ścigać się z pociągiem, i w bezpiecznej odległości spokojnie czekać, aż przejedzie. Tylko że wtedy od tyłu może najechać na ciebie ciężarówka, która zepchnie cię prosto pod pociąg.

Jeśli jest ci przeznaczone, że rozjedzie cię pociąg, to rozjedzie cię pociąg. Wpływ mamy tylko na to, w jaki sposób zostaniemy zgnieceni na miazgę.

Osobiście nie wierzę w te bzdury. Uważam, że panuję nad swoim przeznaczeniem i życiem.

Nie, nic nie ma nade mną kontroli.

Nigdy.

Jestem, kim jestem, w związku z ingerencjami i sekretami pewnej istoty. Gdyby sprawy potoczyły się inaczej, moje życie wyglądałoby jak zupełnie inna talia kart. Byłbym gdzie indziej, niż jestem dzisiaj, i miałbym sensowne życie zamiast tego koszmaru, w jaki się przemieniło.

Ale nic z tego. Nie zdradziłem największej tajemnicy mojego najlepszego przyjaciela, ale on mnie oszukał i wciągnął w ciemność, z którą teraz muszę się nauczyć żyć. Dziwne zrządzenie losu, do którego doszło, gdy byłem jeszcze mały, połączyło nasze losy i przeznaczenie. Przeklinam dzień, w którym nazwałem Acherona Partenopajosa przyjacielem.

Nazywam się Nick Gautier.

Oto moje życie, oto jak powinno wyglądać...

ROZDZIAŁ 1

Przez ciebie jestem świrem z marginesu społecznego.

– Nicholasie Ambrosiusie Gautier! Co za język!

Nick westchnął w odpowiedzi na ostry ton głosu matki. Stał w ich maleńkiej kuchni i wpatrywał się w jaskrawopomarańczową koszulę hawajską. Jakby sam kolor i fason nie były wystarczająco koszmarne, koszula była ozdobiona DUŻYMI różowymi, szarymi i białymi pstrągami (a może to łososie?).

– Mamo, nie mogę tego włożyć do szkoły. To... – przerwał, żeby się dobrze zastanowić nad doborem słów. Nie chciał powiedzieć czegoś, za co mógłby dostać szlaban do końca życia. – To jest szkaradne. Jak mnie ktoś w tym zobaczy, to zostanę wyrzutkiem relegowanym do najdalszego kąta szkolnej stołówki.

Jak zawsze wyśmiała jego protest.

– Oj, bądźże cicho. To całkiem fajna koszula. Wanda ze sklepu charytatywnego mówiła mi, że pochodzi z donacji z jednej z tych wielkich posiadłości w Garden District. Tę koszulę nosił pewnie syn jakiegoś prawego człowieka. A ponieważ ja cię na takiego wychowuję...

Nick zagryzł zęby.

– Już bym wolał być młodocianym przestępcą, którego nikt się nie czepia.

Matka westchnęła poirytowana i przerzuciła na drugą stronę smażony na patelni boczek.

– Nikt nie będzie się ciebie czepiał, Nicky. W twojej szkole obowiązuje ścisły zakaz znęcania się nad innymi.

Akurat! Ta zasada niewarta była nawet papieru, na którym została spisana. Szczególnie że łobuzy to idioci i analfabeci, którzy i tak nie potrafią czytać.

Raaany! Czemu ona go nie słucha? Ostatecznie to on codziennie wchodzi do jaskini lwa i musi zmagać się z brutalnością szkolnego życia, które przypominało siedzenie na tykającej bombie zegarowej. No naprawdę miał już tego powyżej dziurek w nosie. Co więcej, nic nie był w stanie na to poradzić.

Był największym na świecie mięczakiem i palantem. Ludzie w szkole nigdy o tym nie zapomną. Ani nauczyciele, ani dyrektor, ani – tym bardziej – inni uczniowie.

Gdybym tak mógł przenieść się w przyszłość i mieć już z głowy ten cały szkolny koszmar...!

Matka by mu na to nie pozwoliła. Szkołę rzucają tylko chuligani, a ona nie po to tak ciężko pracuje, żeby wychować kolejnego śmiecia. Tyle razy słyszał tę śpiewkę, że miał ją wyrytą w mózgu. Towarzyszyła jej kolejna: *Bądź dobry, Nick. Skończ szkołę. Idź na studia. Znajdź porządną pracę. Ożeń się z porządną dziewczyną. Daj mi mnóstwo wnuczków. W niedziele zawsze chodź do kościoła.*

Matka zaplanowała całą jego przyszłość. I nie przewidywała żadnych objazdów ani postojów.

W sumie jednak kochał swoją mamę i doceniał wszystko, co dla niego robiła. Poza tym całym: „Rób, co ci każę, Nicky. Nie słucham, co mówisz, bo i tak wiem lepiej", którego wiecznie musiał wysłuchiwać.

Nie był głupi, więc nie sprawiał matce kłopotów. Nie miała nawet pojęcia, przez co przechodził w szkole. Zresztą za każdym razem, gdy próbował jej to wytłumaczyć, nie chciała słuchać. Bardzo go to frustrowało.

Czemu nie złapię świńskiej grypy czy czegoś w tym rodzaju? Niechby trwała ze cztery lata, aż opuści szkołę i będzie mógł rozpocząć życie pozbawione wiecznych poniżeń. Ostatecznie miliony ludzi zmarło na świńską grypę w 1918 roku i potem w latach 70. i 80. Czy to rzeczywiście wygórowane oczekiwanie, żeby kolejny zmutowany wirus zatrzymał go w łóżku na parę lat?

Albo może jakiś mały atak parwowirozy*...

Nick, przecież nie jesteś psem.

Prawda, pies za nic nie założyłby takiej koszuli. Za to obsikanie jej to co innego...

Westchnął bezradnie. Opuścił wzrok na koszmarną koszulę i wpadł w popłoch. Najchętniej by ją spalił. No ale trudno. Zrobi to, co robi zawsze, gdy matka zmusza go do włożenia czegoś, w czym wygląda jak ostatni dupek.

I będzie to nosił z dumą.

Wcale nie chcę tego nosić. Będę w tym wyglądał jak kompletny idiota.

Weź się w garść, Nick. Dasz radę. Nie takie rzeczy już zniosłeś.

No, dobra. Niech będzie. Niech się z niego śmieją. I tak nic na to nie poradzi. Jak nie koszula, znajdzie się coś innego, z czego będą się mogli nabijać. Na przykład buty. Albo fryzura. A jak już do niczego innego nie będą się mogli przyczepić, to zajmą się jego nazwiskiem. Cokolwiek powie lub zrobi, im to wystarczy. Niektórzy ludzie po prostu tak już mają i nie potrafią żyć bez znęcania się nad innymi.

Ciocia Menyara zawsze powtarza, że nikt nie jest w stanie sprawić, by Nick czuł się jak śmieć, jeśli on sam na to nie pozwoli.

---

* parwowiroza – inaczej „psi tyfus”, poważna choroba atakująca psy zwykle w wieku szczenięcym (*przyp. red.*)

Rzecz w tym, że pozwalał dużo częściej, niż by chciał.

Matka postawiła obtłuczony niebieski talerz obok przerdzewiałej kuchenki.

– Siadaj, kochanie. Zjedź coś. Czytałam w magazynie, który ktoś zostawił w klubie, że dzieci dużo lepiej sobie radzą na egzaminach i w ogóle lepiej im idzie w szkole, jeśli jedzą porządne śniadania. – Uśmiechnęła się i podsunęła mu opakowanie boczku pod nos. – Popatrz. Tym razem nie jest nawet przeterminowany.

Zaśmiał się, choć wcale nie było to śmieszne. Do klubu mamy przychodził właściciel lokalnego sklepu spożywczego i czasem dawał im przeterminowane mięso, które inaczej powędrowałoby na śmietnik.

Jeśli szybko to zjemy, to się nie pochorujemy.

Kolejna śpiewka, której nie znosił.

Dziubał usmażony na chrupko boczek i rozglądał się po ciasnym mieszkanku, które stanowiło ich dom. Było jednym z czterech, na jakie podzielono stary, zniszczony budynek. Mieszkanie składało się z trzech pomieszczeń: dużego pokoju z kuchnią, sypialni mamy oraz łazienki. Niewiele, ale przynajmniej należało do nich. Matka była bardzo z tego mieszkania dumna, więc on też próbował być dumny.

Na ogół.

Skrzywił się, zerkając w stronę kąta, gdzie przed jego ostatnimi urodzinami mama zrobiła przegrodę z granatowych koców, by w ten sposób wydzielić dla niego pokój. Ciuchy trzymał w starym koszu na brudną bieliznę stojącym koło materaca zarzuconego pościelą z motywem z *Gwiezdnych wojen*. Miał ją, odkąd skończył dziewięć lat. Kolejny prezent od matki wypatrzony na wyprzedaży garażowej.

– Kiedyś kupię dla nas naprawdę ładny dom, mamo. Pełen naprawdę ładnych rzeczy.

Uśmiechnęła się, choć po oczach było widać, że nie wierzy w ani jedno jego słowo.

– Wiem, wiem, kochanie. A teraz jedz szybko i zbieraj się do wyjścia. Nie chcę, żebyś wyleciał ze szkoły tak jak ja. – Umilkła. Przez jej twarz przemknął wyraz cierpienia. – Sam widzisz, jak to się kończy.

Targnęło nim poczucie winy. To przez niego mama przerwała szkołę. Gdy tylko jej rodzice dowiedzieli się, że jest w ciąży, nie pozostawili jej wyboru.

Albo dziecko, albo miły dom w dzielnicy Kenner, edukacja i rodzina.

Nick dotąd nie potrafił zrozumieć, dlaczego wybrała jego. I nigdy nie pozwalał sobie o tym zapomnieć. Postanowił, że pewnego dnia wszystko to dla niej odzyska. Zasługiwała na to. Dla niej był gotów włożyć nawet tę szkaradną koszulę.

Nawet jeśli miałby przez to zginąć...

Będzie się uśmiechał mimo bólu, gdy Stone i jego banda wybiją mu zęby kopniakami.

W milczeniu zjadł boczek, starając się nie myśleć o skopaniu tyłka, które niechybnie go czekało. A może Stone nie przyjdzie dziś do szkoły? Może dopadła go malaria, dżuma, wścieklizna albo coś w tym rodzaju?

Tak, niechby ten zadufany oszołom dostał pryszczy w miejscach intymnych.

Na tę myśl Nick się uśmiechnął. Wpakował sobie do ust porcję ziarnistych jajek w proszku i przełknął. Siłą woli powstrzymał się przed wzdrygnięciem się, takie to było okropne. Jednak tylko na to mogli sobie pozwolić.

Zerknął na zegar na ścianie i zerwał się od stołu.

– Muszę lecieć. Spóźnię się.

Złapała go i mocno uścisnęła.

Nick skrzywił się.

– Przestań mnie napastować seksualnie, mamo. Muszę lecieć, bo znowu dostanę uwagę za spóźnienie.

Klepnęła go w tyłek i wypuściła z objęć.

– Napastowanie seksualne? Rany, nie masz o niczym pojęcia.

Gdy schylił się po swój plecak, potargała mu włosy.

Nick założył ramiączka plecaka na barki i wypadł za drzwi. Zeskoczył z rozsypującej się werandy i pobiegł ulicą w stronę przystanku tramwajowego, mijając rozkraczone samochody i kosze na śmieci.

– Błagam, tylko mi nie ucieknij...

Bo inaczej będzie skazany na kolejne kazanie od pana Petersa z gatunku: *Nick? Co my z tobą poczniemy, ty biały śmieciu*? Facet go nie znosił. Fakt, że Nick dostał stypendium za naukę w jego ważniackiej, na wyrost uprzywilejowanej szkole, mocno irytował Petersa. Z ochotą wywaliłby chłopaka ze szkoły, żeby nie „korumpował" uczniów z dobrych rodzin.

Nick skrzywił się i spróbował odsunąć od siebie myśli o tym, że ci „przyzwoici" ludzie mieli go za nic. Ponad połowa tatusiów innych uczniów była stałymi bywalcami klubu, gdzie pracowała jego mama, a jednak uchodzili za elitę, podczas gdy on i jego matka za śmieci.

Ta hipokryzja była dla niego trudna do przełknięcia. No, ale jest, jak jest. Nie był w stanie zmienić niczyjego sposobu myślenia poza własnym.

Pochylił głowę i popędził ile sił w nogach, bo właśnie zobaczył tramwaj podjeżdżający do przystanku.

Rany...

Przyśpieszył jeszcze bardziej, tak że omal nie stracił tchu. Dopadł do przystanku w ostatniej chwili.

Zadyszany i zgrzany w wilgotnym, jesiennym powietrzu Nowego Orleanu, zrzucił plecak i przywitał się z motorniczym.

– Dzień dobry, panie Clemmons.

Starszy Afroamerykanin uśmiechnął się do niego. To był ulubiony motorniczy Nicka.

– Dzień dobry, panie Gautier.

Zawsze przekręcał nazwisko Nicka. Wypowiadał je jako „Goa-czej" zamiast – jak należało – „Go-szej". Różnica polegała na tym, że „Goa-czej" zwykle miało literę „h" po „t", a oni, jak często powtarzała mama Nicka, byli zbyt biedni i nie stać ich było na jakiekolwiek dodatkowe litery. Nie wspominając już o tym, że krewniak mamy, Fernando Upton Gautier, założył małe miasteczko w stanie Mississippi, które nazywało się tak samo – i w obu przypadkach wymawiało się to „Go-szej".

– Znowu się pan spóźnił przez mamę?

– Skąd pan wie?

Nick wygrzebał pieniądze z kieszeni i szybko zapłacił za bilet, po czym zajął miejsce. Ledwo dyszał, cały zlany potem. Opadł na siedzenie i wypuścił powietrze z płuc. Dobrze, że zdążył.

Niestety, gdy dotarł do szkoły, nadal był cały mokry. Tak wygląda życie w mieście, gdzie nawet w październiku o ósmej rano może być 32 stopnie. Miał już serdecznie dość tych późnych upałów, które ich ostatnio nękały.

Nos do góry, Nick. Przynajmniej się dziś nie spóźniłeś. Jest dobrze.

No, tak, tylko zaraz zacznie się robienie jaj.

Wygładził sobie włosy, wytarł pot z czoła i zarzucił plecak na lewe ramię.

Ignorując docinki i komentarze na temat koszuli i przepocenia, przeszedł przez teren przed szkołą i wszedł do środka z podniesioną głową. Przynajmniej na tyle mógł się zdobyć.

– Błe! Co za ohyda! Z niego aż się leje. Nie stać go na ręcznik? Biedacy się nie kąpią?

– Wygląda na to, że wybrał się na ryby nad jezioro Pontchartrain i zamiast prawdziwych ryb przywiózł sobie tę paskudną koszulę.

– Czegoś takiego nie da się przeoczyć. Założę się, że świeci w ciemnościach.

– Jakiś goły bezdomny chciałby pewnie wiedzieć, kto mu zwędził ciuchy, jak spał na ławce. A te buty? Od jak dawna je nosi, co? Mój stary miał takie chyba w latach osiemdziesiątych.

Nick udawał, że tego wszystkiego nie słyszy, i powtarzał sobie w myślach, że to prawdziwi idioci. Nie chodziliby do tej szkoły, gdyby ich rodzice nie byli tacy dziani. A on dostał stypendium za wyniki w nauce. Koledzy ze szkoły pewnie nie poradziliby sobie nawet z przeliterowaniem własnych nazwisk na egzaminie, na którym on zabłysnął.

To właśnie liczy się najbardziej. Mózgownica, a nie kasa.

Z drugiej strony w tym momencie nie pogardziłby też wyrzutnią rakietową. Nie mógł tego jednak powiedzieć na głos, bo kadra nauczycielska zapewne uznałaby takie pomysły za niestosowne i zadzwoniła po policję.

Jego zuchwałość wypaliła się, gdy tylko dotarł do swojej szafki, gdzie czekał na niego Stone ze swoją bandą.

Super, po prostu super. Nie mogliby dla odmiany poznęcać się nad kimś innym?

Stone Blakemoor należał do typów, którym szkolne osiłki zawdzięczają złą sławę. Nick dobrze wiedział, że nie wszyscy sportowcy są tacy. Miał nawet kilku przyjaciół w drużynie piłkarskiej, i to takich, którzy grali, a nie siedzieli na ławce jak Stone.

Słowo „stone" oznacza skałę. Nick zawsze uważał, że jeśli idzie o aroganckich, tępych jak kamień mięśniaków, Stone miał naprawdę odpowiednie imię. Jego rodzice wiedzieli, co robią. Pewnie jak jego matka była jeszcze w ciąży, dotarło do niej, że urodzi cholernego kretyna.

Stone prychnął, gdy Nick stanął koło jego grupki, by otworzyć swoją szafkę.

– Hej, Gautier? Widziałem wczoraj twoją mamę nago. Kręciła tyłkiem mojemu staremu przed nosem, żeby wsadził jej dolara za stringi. Nieźle ją wymacał. Mówi, że ma fajną parę...

Nie zastanawiając się wiele, Nick zdzielił go plecakiem w głowę. I to z całych sił.

A potem było już jak w „Donkey Kong"*.

– Biją się! – rozległ się krzyk, gdy Nick złapał Stone'a za szyję i zaczął go okładać.

---

* Donkey Kong – gra komputerowa, wydana w 1981 r.; chodzi w niej o uratowanie *Lady* z łap goryla *Donkey Konga*; małpa stara się utrudnić to graczowi, rzucając mu pod nogi beczki, które ten musi przeskakiwać (*przyp. red.*)

Dookoła zebrał się tłumek uczniów skandujących:

– Bi-ją-się, bi-ją-się, bi-ją-się.

Stone'owi jakoś udało się uwolnić i uderzył Nicka w mostek z taką siłą, że aż temu zabrakło tchu. W mordę jeża, Stone był dużo silniejszy, niż się zdawało. Walił jak młot pneumatyczny.

Rozwścieczony Nick zrobił krok w stronę przeciwnika, ale nagle między nimi wyrósł przedstawiciel ciała nauczycielskiego.

Pani Pantall.

Na widok jej drobnej sylwetki Nick natychmiast się uspokoił. Nie miał zamiaru uderzyć niewinnej osoby, a już zwłaszcza kobiety. Spojrzała na niego ostro i wskazała w dół korytarza.

– Do dyrektora, Gautier. Natychmiast!

Nick zaklął pod nosem, podniósł swój plecak z pokrytej beżowymi kafelkami podłogi i posłał zabójcze spojrzenie Stone'owi. Przynajmniej rozwalił mu wargę.

No i to by było na tyle w kwestii niepakowania się w kłopoty.

Ale co miał zrobić? Miał pozwolić, by ta wredna szumowina obrażała jego matkę?

Zdegustowany wszedł do sekretariatu i usiadł w rogu na krześle tuż przy drzwiach gabinetu dyrektora. Szkoda, że życie nie jest wyposażone w guzik, którym można wszystko cofnąć.

– Przepraszam.

Nick podniósł głowę na dźwięk najdelikatniejszego, najsłodszego głosu, jaki kiedykolwiek słyszał. Żołądek podjechał mu do gardła.

Ubrana na różowo, śliczna, z jedwabistymi, ciemnymi włosami i zielonymi oczami, które praktycznie lśniły.

O. Mój. Boże.

Nick chciał coś odpowiedzieć, ale był w stanie się zdobyć jedynie na to, by próbować jej nie zaślinić.

Wyciągnęła do niego rękę.

– Nazywam się Nekoda Kennedy, ale ludzie zwykle mówią na mnie Kody. Jestem nowa w tej szkole i trochę się denerwuję. Kazali mi tu czekać, ale była jakaś bójka i nikt po mnie nie wrócił... Przepraszam, plotę z nerwów jak opętana.

– Nick. Nick Gautier.

Aż się skrzywił, gdy do niego dotarło, jak głupio to zabrzmiało i ile ma do nadrobienia w sztuce konwersacji.

Roześmiała się niczym anioł. Piękna, idealna... *Zakochałem się w tobie po uszy...*

Weź się w garść, Nick. Weź się w garść...

– Od dawna się tu uczysz? – zapytała Kody.

No, dalej, języku, bierz się do roboty. W końcu wydusił z siebie odpowiedź:

– Od trzech lat.

– Lubisz tę szkołę?

Nick spojrzał na Stone'a i pozostałych, którzy właśnie weszli do sekretariatu.

– Dzisiaj nie bardzo.

Otworzyła usta, by coś na to powiedzieć, ale otoczyli ją Stone i jego banda.

– Cześć, skarbie. – Stone uśmiechnął się od ucha do ucha. – Mamy w szkole nową laskę?

Kody skrzywiła się i zrobiła unik.

– Zostawcie mnie w spokoju, zwierzaki. Śmierdzi od was. – Spojrzała z odrazą na Stone'a i wykrzywiła wargę. – Nie jesteś już trochę za duży na to, żeby ci mama wybierała ciuchy? Poważnie, zakupy w dziale dziecięcym w twoim wieku? Jakiś trzecioklasista pewnie się wścieka, że mu sprzątnąłeś sprzed nosa ostatnią koszulkę z dinozaurem.

Nick zdusił śmiech. Naprawdę, ale to naprawdę mu się ta dziewczyna podobała.

Podeszła i stanęła koło Nicka. Oparła się plecami o ścianę i cały czas nie spuszczała Stone'a z oczu.

– Przepraszam, przerwano nam.

Stone udał, że wymiotuje.

– Gadasz z Królem Mięczaków i Palantów? Ha, brzydkie ciuchy, co? No to popatrz, co on ma na sobie.

Nick aż się wzdrygnął, a Kody przyjrzała się rękawowi jego koszuli.

– Lubię facetów, którzy nie boją się garderobianego ryzyka. To wyróżnik kogoś, kto żyje według własnych zasad. Buntownika. – Posłała miażdżące spojrzenie Stone'owi. – Prawdziwy wilk samotnik jest dużo seksowniejszy od stada zwierząt, które tylko wykonują czyjeś rozkazy i nie mają zdania na żaden temat, no, chyba że ktoś im je podsunie.

– Uuu – wyrwało się kolegom Stone'a.

– Zamknijcie się! – wrzasnął Stone. – Ktoś was o coś pytał?

– Nekoda? – zawołała sekretarka. – Musimy dokończyć ustalanie twojego planu lekcji.

Kody uśmiechnęła się do Nicka.

– Jestem w dziewiątej klasie.

– Ja też.

Uśmiechnęła się jeszcze szerzej.

– Mam nadzieję, że będziemy mieli jakieś zajęcia razem. Miło było cię poznać, Nick.

Gdy przechodziła koło Stone'a, nie omieszkała nadepnąć mu na nogę.

Stone pisnął i wymamrotał coś obraźliwego pod jej adresem. Następnie usiadł razem z kolesiami na krzesełkach naprzeciwko Nicka.

Minęła ich pani Pantall, która poszła porozmawiać z panem Petersem.

Nieźle mi za to dadzą popalić...

Gdy tylko nauczycielka zniknęła z horyzontu, Stone rzucił w Nicka kulką z papieru.

– Skąd masz tę koszulę, Gautier? Z darów czy ze śmietnika? Nie, założę się, że zdarłeś ją z jakiegoś menela. Bo przecież ciebie nie stać nawet na taką tandetę.

Tym razem Nick nie dał się sprowokować. Zresztą z docinkami skierowanymi do siebie umiał sobie poradzić. Wściekał się tylko, gdy ktoś obrzucał nimi jego matkę.

Właśnie dlatego w większości szkół prywatnych obowiązują mundurki. Rzecz w tym, że Stone nie miał ochoty nosić mundurka, a ponieważ jego ojciec był praktycznie właścicielem tej szkoły, to...

Nick regularnie był obiektem drwin w związku z ciuchami, które – zdaniem jego mamy – były zupełnie w porządku.

Mamo, czemu ty mnie nigdy nie słuchasz? Chociaż raz byś mogła...

– I co? Nie odgryziesz się?

Nick pokazał mu środkowy palec... Właśnie w tym momencie Peters wyszedł ze swojego gabinetu.

Ach, szczęście mi dzisiaj zdecydowanie nie sprzyja.

– Gautier – warknął Peters. – Do środka. Ale już!

Nick westchnął ciężko, wstał i wszedł do gabinetu, który znał jak własną kieszeń. Peters został w sekretariacie, pewnie rozmawiał ze Stone'em, gdy Nick na niego czekał. Chłopak zajął krzesło po prawej. Spojrzał na zdjęcia przedstawiające żonę Petersa i jego dzieci. Mieli ładny dom z ogrodem, a na jednej z fotek córki bawiły się z białym szczeniakiem.

Nick długo gapił się na fotografie. Jak to jest, gdy prowadzi się takie życie? Zawsze chciał mieć psa, ale ledwie byli w stanie wykarmić samych siebie, więc czworonóg nie wchodził w grę. Nie wspominając już o właścicielu ich wynajmowanego mieszkania, który chyba padłby trupem, gdyby chcieli trzymać tam psa. Jakby tę zniszczoną budę można było jeszcze bardziej zdewastować...!

Kilka minut później Peters wrócił do gabinetu i usiadł za swoim biurkiem. Bez słowa podniósł słuchawkę telefonu.

Nick wpadł w panikę.

– Co pan robi?

– Dzwonię do twojej matki.

Przeraził się śmiertelnie.

– Błagam, panie Peters, proszę tego nie robić. Mama przepracowała wczoraj w nocy dwie zmiany. I dzisiaj będzie tak samo. Musi się trochę przespać, a ma na to tylko jakieś cztery godziny. Nie chcę jej niczym martwić.

Nie wspominając o tym, że na pewno nieźle mu natrze uszu.

Dyrektor dalej wykręcał ich numer.

Nick zagryzł zęby ze złości. Bał się do bólu.

– *Panna* Gautier? – Czy w jego głosie mogłoby zabrzmieć więcej odrazy? Czy dyrektor za każdym razem musi podkreślać fakt, że jego mama nie była mężatką? Wprawiało ją to zawsze w ogromne zażenowanie. – Chciałbym panią poinformować, że Nick jest zawieszony w prawach ucznia na resztę tygodnia.

Aż go ścisnęło w żołądku. Jak tylko wróci do domu, mama go zabije. Czemu Peters go po prostu nie zastrzeli? Oszczędziłby mu przynajmniej cierpienia.

Peters spojrzał na niego bez litości.

– Nie, znów się pobił. Mam już tego dość. Jemu się zdaje, że może przychodzić do szkoły i, gdy tylko go najdzie ochota, rzucać się bez powodu na przyzwoitych ludzi. Chłopak musi się nauczyć panować nad swoimi humorami. Szczerze mówiąc, kusi mnie, żeby wezwać policję. Moim zdaniem powinien trafić do szkoły publicznej, gdzie umieją sobie radzić z trudnymi dziećmi, takimi jak on. On tu nie pasuje.

Nick umierał przy każdym słowie dyrektora. *Dziećmi takimi jak on...*

Wyłączył się, żeby nie słyszeć reszty tyrady Petersa na temat tego, jakim jest śmieciem. Sam to w głębi ducha wiedział. Nie miał ochoty słyszeć, jak ktoś inny ubiera to w słowa.

Kilku minut później Peters odłożył słuchawkę.

Nick wbił w niego posępne spojrzenie.

– Nie ja zacząłem.

Peters skrzywił się.

– Nie tego dowiedziałem się od innych. Komu mam wierzyć, Gautier? Chuliganowi, takiemu jak ty, czy czwórce dobrych uczniów?

Powinien uwierzyć temu, kto mówi prawdę. Czyli, w tym przypadku, chuliganowi.

– Obraził moją matkę.

– To nie usprawiedliwia przemocy.

Aż zadygotał na te słowa. Co za świętoszkowata świnia – tego Nick nie mógł zostawić bez odpowiedzi.

– Naprawdę? A wie pan, panie Peters, wczoraj widziałem pana matkę nago i jak na taką starą dziwkę ma naprawdę niezłe...

– Jak śmiesz! – wrzasnął, zerwał się na równe nogi i złapał Nicka za koszulę. – Masz niewyparzoną gębę...

– Wydawało mi się, że powiedział pan, iż obrażanie czyjejś matki nie usprawiedliwia przemocy.

Peters aż się trząsł z wściekłości. Na szyi wystąpiły mu plamy, jeszcze mocniej zacisnął dłonie na koszuli Nicka. Żyła nabrzmiała mu na skroni.

– Moja matka nie jest striptizerką z Bourbon Street! To dobra, bogobojna kobieta. – Odepchnął od siebie Nicka. – Zabieraj swoje rzeczy i wynoś się!

Bogobojna? A to ciekawe. Nick z mamą chodzili na mszę co niedzielę i przynajmniej dwa razy w tygodniu, a Petersa i jego mamę widywali tam tylko w święta.

Akurat...

Hipokryta do szpiku kości. Nick nie znosił takich ludzi.

Podniósł swój plecak z podłogi i wyszedł. Przed sekretariatem czekał już na niego strażnik, żeby odeskortować go do szafki. Niczym jakiegoś kryminalistę.

Nick stwierdził, że równie dobrze może się zacząć do tego przyzwyczajać. Ostatecznie miał to we krwi. *Dobrze, że nie zakuł mnie w kajdanki.*

Na razie.

Zwiesił nisko głowę i starał się na nikogo nie patrzeć. Inni uczniowie naśmiewali się i szeptali za jego plecami.

– Tak to jest, jak się jest śmieciem.

– Mam nadzieję, że nie wpuszczą go z powrotem.

– Dobrze mu tak.

Nick zagryzł zęby ze złości. Podszedł do szafki i sięgnął do zamka szyfrowego.

O dwie szafki od niego Brynna Addams wyjmowała właśnie swoje książki. Wysoka, ciemnowłosa, bardzo ładna. Należała do niewielu osób zadających się ze Stone'em i jego bandą, które Nick był w stanie znieść.

Podniosła głowę i zmarszczyła brwi. Zmarszczyła je jeszcze bardziej, gdy zobaczyła, że Nickowi towarzyszy strażnik.

– Co jest, Nick?

– Zawiesili mnie w prawach ucznia. – Przerwał, schował dumę do kieszeni i dodał: – Zrobisz coś dla mnie?

Odpowiedziała bez wahania.

– Pewnie.

– Weźmiesz dla mnie zadania domowe, żebym nie narobił sobie zaległości?

– Nie ma sprawy. Przysłać ci je mailem?

A ja, jak ten głupek, myślałem, że już gorzej nie mogę się poczuć.

– Ale ja nie mam komputera w domu.

Jej policzki pociemniały.

– Och, przepraszam. Eee, to gdzie mam ci je podrzucić?

Nicka ogarnęła wdzięczność za to, że potrafiła się tak przyzwoicie zachować, w odróżnieniu od reszty dupków, z którymi się zadawała.

– Wpadnę do ciebie do domu po szkole, żeby je odebrać.

Zapisała mu swój adres, gdy pakował książki.

– Będę w domu koło czwartej.

– Dzięki, Brynna. Naprawdę jestem ci wdzięczny.

Wsadził sobie kartkę do kieszeni, po czym pozwolił strażnikowi wyprowadzić się ze szkolnego kampusu.

Z przerażeniem myślał o spotkaniu z matką. Ruszył do domu, do getta, w którym mieszkali. Każdy krok, który go tam przybliżał, był jak tortura.

W ich gównianym domu czekała już na niego matka z surową miną. Miała na sobie sfatygowaną, różową podomkę. Robiła wrażenie zmęczonej i chyba nigdy w życiu nie widział jej tak mocno wkurzonej.

Rzucił swój plecak na podłogę.

– Powinnaś spać, mamo.

Posłała mu ostre spojrzenie. Poczuł się jeszcze gorzej niż u Petersa w gabinecie.

– Jak mam spać, gdy mojego dzieciaka wyrzucają ze szkoły za bójkę? Kto jak kto, ale ty chyba wiesz, jaki to wysiłek posyłać cię do tej szkoły? Ile to kosztuje? Ile wykładam na twoje książki i szkolne obiady? Co z ciebie za idiota, by zaprzepaścić taką szansę? Coś ty sobie myślał?

Nick nic na to nie powiedział, bo prawda by ją zabiła. Nie chciał, by czuła się tak źle, jak on. I tak nic nie można było w tej sprawie zrobić.

Jestem głową rodziny. Opieka nad nią należała do jego obowiązków. Inaczej nie potrafił.

Opiekuj się mamą, chłopcze, albo mnie popamiętasz. Jeśli będziesz jej pyskował, to ci obetnę język. Jeśli będzie przez ciebie płakać, to własnoręcznie cię zabiję.

Jego ojciec był nic nie wart, ale jedno było pewne – jego groźby nie pozostawały bez pokrycia. Co do jednej. Jak dotąd już dwanaście osób zginęło z jego ręki. Nick nie miał wątpliwości, że nie zawahałby się, by i jego zabić. Ostatecznie ojciec nie pałał do niego gorącym uczuciem.

Powściągnął więc gniew i nie powiedział nic, co mogłoby urazić jej uczucia.

Niestety, nie zamierzała mu odpuścić.

– Tylko mi tu nie odgrywaj obrażonego. Przejadła mi się już ta twoja mina. Masz mi powiedzieć, dlaczego zaatakowałeś tego chłopaka. I to już.

Nick zacisnął szczękę.

– Odpowiadaj, Nick. Albo, przysięgam, stłukę cię na kwaśnie jabłko. I nieważne, że jesteś już duży.

Z trudem powstrzymał się przed przewróceniem oczami na tę niedorzeczną groźbę. Miał dopiero czternaście lat, ale był już o głowę wyższy od swojej drobnej matki. I cięższy od niej o dobre dwadzieścia kilo.

– Naśmiewał się ze mnie.

– I z tego powodu narażasz na szwank całą swoją przyszłość? Coś ty sobie myślał? Jakiś chłopak się z ciebie śmiał! I co z tego? Uwierz mi, gorsze rzeczy przydarzą ci się w życiu. Musisz dorosnąć, Nicky. Musisz przestać zachowywać się jak dziecko. To, że ktoś z ciebie kpi, to jeszcze nie powód, by się z nim bić. Nie uważasz?

Nie. Cały czas cierpliwie znosił ataki na samego siebie. Ale na mamę? Nie potrafił. Zresztą dlaczego miałby je znosić?

– Przepraszam.

Powstrzymała go gestem dłoni.

– Nawet nie próbuj. Wcale ci nie jest przykro. Widzę to po twoich oczach. Rozczarowałeś mnie. Myślałam, że lepiej cię wychowałam. Ale ty chyba bardzo chcesz wyrosnąć na takiego samego kryminalistę jak twój tatuś, mimo moich wysiłków, by utrzymać cię na drodze prawa. Idź teraz do siebie do pokoju i siedź tam, aż się uspokoję. Możesz tam zresztą zostać przez resztę dnia.

– Dziś popołudniu muszę być w pracy. Mam pomóc pani Lizie przenosić towar w magazynie.

– Dobrze – warknęła. – Możesz iść do pracy, ale zaraz potem masz wracać do domu. Zrozumiano? Nie chcę, żebyś mitrężył czas z tymi chuliganami, z którymi się kolegujesz.

– Tak jest. – Nick ruszył do swojego „pokoju" i zaciągnął zasłonkę z koca.

Miał tego wszystkiego powyżej dziurek w nosie. Usiadł na starym, nierównym materacu i oparł głowę o ścianę. Sufit nad jego głową był odbarwiony i łuszczył się.

I wtedy to usłyszał.

Płacz matki zza ściany. Boże, jak on nienawidził tego dźwięku.

– Przepraszam, mamo – wyszeptał i pożałował, że nie udusił Stone'a na miejscu.

Pewnego dnia... Pewnego dnia wydostanie się z tego piekła. Nawet jeśli będzie musiał kogoś zabić.

Nick opuścił sklep pani Lizy o dziewiątej. Wcześniej, po drodze do pracy, odebrał już swoje zadania domowe od Brynny, która mieszkała w wielkiej posiadłości. Potem spędził pięć godzin w sklepie. Odkładał w ten sposób pieniądze na studia. Szło mu to tak wolno, że prędzej dobije pięćdziesiątki, niż pójdzie na uniwersytet. No, ale lepsze to niż nic.

Pani Liza zamknęła sklep na klucz, gdy stał jej za plecami, zasłaniając ją przed wzrokiem potencjalnych podglądaczy.

– Dobranoc, Nicky. Dzięki za pomoc.

– Dobranoc, pani Lizo.

Odczekał, aż szefowa znajdzie się bezpiecznie w swoim samochodzie, po czym ruszył wzdłuż Royal Street w stronę parku Jackson Square. Najbliższy przystanek tramwajowy znajdował się za Jackson Brewery. Nick był już blisko parku, gdy naszła go ochota, by zajrzeć do mamy i przeprosić ją za to, że go zawiesili w szkole.

Powiedziała ci, żebyś wracał prosto do domu...

No tak, ale płakała przez niego, czego nie znosił. Poza tym w mieszkaniu było naprawdę pusto, gdy spędzał noc samotnie. Nie mieli nawet telewizora, nie było co robić. A *Hammer's Slammers* przeczytał już tyle razy, że mógł cytować książkę z pamięci.

Może jeśli ją przeprosi, to pozwoli mu zostać na noc w klubie.

Dlatego zamiast skręcić w prawo, poszedł w lewo, w stronę jej klubu na Bourbon Street. Stłumione dźwięki jazzu i muzyki zydeco* dochodzące ze sklepów i restauracji działały na niego uspokajająco. Szedł z zamkniętymi oczami. Mijając Cafe Pontalba zaciągnął się aromatem cynamonu i dania gumbo**. Zaburczało mu w brzuchu. Nie był w szkole, więc na lunch zjadł tylko jajka w prosz-

* zydeco – muzyka Kreoli, francuskojęzycznych mieszkańców Luizjany, zawierająca elementy bluesa, rhytm-and-bluesa, rock and rolla, walca, reggae, ska czy hip-hopu (*przyp. red.*)
** gumbo – popularny w Luizjanie, gulasz z warzyw, mięsa i owoców morza (*przyp. red.*)

ku i boczek, a kolacji jeszcze nie jadł... Zresztą złożą się na nią znowu te koszmarne jajka.

Nie chcąc o tym myśleć, skręcił w wąską alejkę prowadzącą do tylnego wejścia do klubu. Zapukał do drzwi.

Otworzył je naburmuszony John Chartier, jeden z ogromnych, krzepkich ochroniarzy, którzy opiekowali się tancerkami. Na widok Nicka na jego twarzy natychmiast pojawił się szeroki uśmiech.

– Cześć, chłopie. Do mamy przyszedłeś?

– Tak, jest już na scenie?

– Nie, ma jeszcze kilka minut.

Odsunął się na bok i wpuścił Nicka do ciemnego korytarza, który zaprowadził go za kulisy.

Chłopiec zatrzymał się przed drzwiami pokoju, w którym tancerki przebierały się i odpoczywały między występami, po czym zapukał.

Otworzyła mu Tiffany. Olśniewająco piękna, wysoka, jasnowłosa i prawie naga – w samych tylko stringach i koronkowym topie.

Mimo że wychowywał się wśród kobiet w takich strojach i był do tego przyzwyczajony, zalał się gorącym rumieńcem i wbił wzrok w podłogę. Czuł się tak, jakby zobaczył własną siostrę nago.

Tiffany roześmiała się i ujęła go za podbródek.

– Cherise? To twój Nicky. – Ścisnęła mu z czułością brodę. – Kochany jesteś, że nie chcesz się na nas gapić. Od razu wiedziałam, że to ty, jak tylko zapukałeś. Inni nie są tacy mili. Powiem jedno: twoja mama dobrze cię wychowała.

Nick wymamrotał podziękowania, po czym wyminął ją i ruszył w stronę toaletki swojej mamy. Podniósł wzrok, dopiero gdy był pewien, że mama ma na sobie różową podomkę.

Gdy jednak zobaczył jej rozwścieczone spojrzenie, odbite w wyszczerbionym lustrze, przy którym nakładała sobie makijaż, aż mu się ścisnęło w żołądku. Dziś wieczorem nie było co liczyć na przebaczenie.

– Wydawało mi się, że kazałam ci wracać prosto do domu.

– Chciałem cię jeszcze raz przeprosić.

Odłożyła tusz do rzęs.

– Wcale nie. Próbujesz wymusić na mnie, żebym ci cofnęła szlaban. Nic z tego, Nicholasie Ambrosiusie Gautier. Twoje mizerne przeprosiny w niczym nie zmieniają faktu, że zachowałeś się jak idiota. Musisz się nauczyć myśleć, zanim cokolwiek zrobisz. Kiedyś wpakujesz się przez ten swój temperament w prawdziwe kłopoty. Tak samo jak twój ojciec. A teraz wracaj do domu i przemyśl to, co zrobiłeś i jak bardzo źle postąpiłeś.

– Ale mamo...

– Żadnego „ale mamo". Zabieraj się!

– Cherise! – zawołał gość z obsługi, dając jej znak, że przyszła pora, by wyszła na scenę.

Wstała.

– Nick, ja nie żartuję. Wracaj do domu.

Nick odwrócił się na pięcie i wymaszerował z klubu. Czuł się jeszcze gorzej niż przed wyjściem od pani Lizy. Czemu matka nie chce mu uwierzyć?

Dlaczego nie chce zrozumieć, że on wcale nie próbował jej zmanipulować?

Zresztą nieważne… Miał już dość prób przekonania świata, a zwłaszcza matki, że nie jest śmieciem.

Znalazłszy się na zewnątrz, ruszył ulicą Bourbon w stronę Canal Street, skąd mógł złapać tramwaj. Nie cierpiał, gdy matka traktowała go jak kryminalistę. Nie był swoim ojcem i nigdy się nim nie stanie.

Dobrze, już nigdy nie stanę w obronie twojego honoru. Niech się z ciebie naśmiewają i cię obrażają. Mam to gdzieś. Czemu miałby sobie tym zawracać głowę, skoro tak się na niego wściekła za to, że postąpił słusznie?

Był rozzłoszczony, zraniony i oburzony. Nagle usłyszał, że ktoś go woła.

Zatrzymał się i po drugiej stronie ulicy, przed sklepem dla turystów, w którym sprzedawano korale i maski karnawałowe, zobaczył Tyree, Alana i Mike'a. Pomachali do niego.

Przeszedł przez ulicę. Zrobili żółwika na powitanie.

– Co tam?

Tyree odrzucił głowę do tyłu w geście powitania.

– Tak się kręcimy. A ty?

– Idę do domu.

Tyree trzepnął Nicka w kołnierz pomarańczowej koszuli.

– Co ty masz na sobie? Ohyda.

Nick strząsnął jego dłoń.

– A to gówno, które ty masz na sobie, to skąd wziąłeś? Znalazłeś na ulicy?

Tyree prychnął i cały się napuszył.

– To moje ciuchy na podryw. W nich jestem jak Romeo. Laski na to lecą.

– Chyba ci się śni – zadrwił Nick. – Nie wyglądasz jak żaden Romeo, raczej jak jakieś dziwadło.

Roześmieli się wszyscy.

Mike spoważniał.

– Słuchaj, mamy coś dzisiaj nagrane, przydałby się nam czwarty. Wchodzisz w to? Możesz zarobić paręset dolców.

Oczy Nicka zrobiły się okrągłe jak spodki, gdy usłyszał, o jakiej sumie mowa. Kupa kasy. Tyree, Mike i Alan trochę kombinowali na boku. Mama by pewnie dostała zawału, gdyby się dowiedziała, że Nick im czasami pomagał zrobić w konia nowoorleańczyków i turystów.

– Bilard, poker czy kości?

Alan i Tyree spojrzeli po sobie z rozbawieniem.

– Trzeba raczej mieć oko na coś. Przynajmniej jeśli chodzi o ciebie. Jedna gruba ryba ze Storyville płaci nam za to, żebyśmy pogonili jego dłużników. To potrwa tylko kilka minut.

Nick się skrzywił.

– Sam nie wiem.

Tyree syknął z dezaprobatą.

– No weź, Nick. Niedługo musimy tam być i naprawdę by nam się przydał ktoś, kto by miał oko na ulicę. W pięć minut zarobisz więcej, niż pracując dla tej starej baby przez miesiąc.

Nick zerknął za siebie w stronę klubu mamy. Normalnie kazałby im o tym zapomnieć, ale teraz…

Skoro wszyscy twierdzą, że jestem nic niewartym, młodocianym przestępcą, to równie dobrze mogę nim zostać.

Skoro życie zgodnie z zasadami nie popłaca…

– Na pewno to będzie tylko pięć minut?

Tyree kiwnął głową.

– Absolutnie. Wchodzimy, wychodzimy i załatwione.

A wtedy pójdzie do domu i mama nawet się o niczym nie dowie. Ogarnęło go poczucie satysfakcji, że jej wytnie numer, choć ona nie będzie miała o tym pojęcia.

– Dobra. Wchodzę w to.

– Super.

Nick zerknął na dziewiętnastoletniego Alana.

– Podrzucicie mnie potem do domu?

– Dla ciebie wszystko, mały.

Nick kiwnął głową i poszedł za nimi do zapuszczonej części North Rampart. Tam Tyree zostawił go w wąskiej alejce.

– Wyglądaj glin i daj znać, jak kogoś wypatrzysz.

Nick kiwnął głową.

Zniknęli w ciemnościach, a on został na miejscu i czekał. Kilka minut później chodnikiem obok przeszli jacyś starsi państwo. Po ciuchach i sposobie bycia zorientował się, że to turyści, którzy wybrali się na nocną przechadzkę i zeszli z ubitego traktu.

– Dobry wieczór – powiedziała do niego kobieta z uśmiechem.

– Dobry wieczór – odpowiedział Nick i również się uśmiechnął. Ale uśmiech zaraz zniknął mu z twarzy, bo z ciemności wyskoczył Alan i złapał starszą panią, podczas gdy Tyree popchnął jej towarzysza na ścianę.

Nick oniemiał.

– Co wy wyprawiacie?

– Zamknij się! – warknął Alan i wyciągnął pistolet. – Dobra, dziadku. Dawaj kasę albo stara dostanie między oczy.

Nick poczuł, że krew odpływa mu z twarzy. To niemożliwe, to się nie może dziać naprawdę. Rabują turystów?

A ja im pomagam...

Przez pełną minutę nie mógł złapać oddechu. Na jego oczach napadnięta kobieta się rozpłakała, a mężczyzna błagał napastników, by jej nie robili krzywdy.

Nie zastanawiając się nad tym, co robi, złapał Alana za rękę i wytrącił mu broń.

– Uciekajcie! – wrzasnął do turystów.

Posłuchali.

Tyree rzucił się za nimi, ale Nick ściął go z nóg.

Alan złapał go za kołnierz koszuli i szarpnął do tyłu.

– Co ty wyprawiasz?

Nick go odepchnął.

– Nie mogę stać i patrzeć, jak kogoś rabujecie. Nie na to się umawialiśmy.

– Ty głupi…

Alan zdzielił go w twarz pistoletem.

Ból eksplodował w czaszce Nicka. W ustach poczuł smak krwi.

– Zapłacisz za to, Gautier.

Rzucili się na niego całą trójką. Zrobili to tak szybko i z taką zaciętością, że nie miał szans się bronić. W jednej chwili stał na nogach, a zaraz potem leżał na ziemi, próbując ochronić głowę rękami przed gradem ciosów, które Alan zadawał mu pistoletem. Kopali go i bili, aż stracił czucie w nogach i w jednej ręce.

Wreszcie Alan cofnął się o krok i wymierzył w niego z pistoletu.

– Pomódl się, Gautier. Za chwilę staniesz się pozycją w statystykach.

ROZDZIAŁ 2

Nick ze wszystkich sił chciał odpowiedzieć na atak. *Nie umrę w ten sposób. Nie w rynsztoku, pobity przez ludzi, których miałem za przyjaciół, ludzi, których znam od zawsze. Nie umrę tak.*

A jednak leżał tam.

Bezradny. Słaby.

Pokonany.

Krew zalewała mu nie tylko kubki smakowe. Miał wrażenie, że się od niej dusi. Jego umysł rwał się jednak do walki. Chciał wstać i dać napastnikom popalić, chciał, by błagali go o litość, ale ciało odmawiało posłuszeństwa. Nie słuchało go. Do jasnej cholery, nie był nawet w stanie osłonić się przed ich uderzeniami.

Nie był w stanie nic zrobić. Spojrzał tylko z nienawiścią na Alana. Miał nadzieję, że to spojrzenie będzie prześladowało tego bydlaka do końca życia.

Alan roześmiał się i nacisnął spust.

Nick wstrzymał oddech i czekał na dźwięk, który zakończy jego życie.

Gdy tylko rozległ się trzask spustu, coś wystrzeliło z ciemności. Jeszcze przed chwilą Tyree, Alan i Mike naśmiewali się z Nicka zwijającego się z bólu na ziemi, a zaraz potem wylecieli w powietrze i wylądowali koło niego z impetem zdolnym połamać kości.

Nick zamarł, próbując dojść, gdzie został trafiony. Jednak całe ciało tak bardzo go bolało, że nie był w stanie tego rozstrzygnąć. *Może mnie nie trafił...*

Ze swojej pozycji na ziemi dostrzegł rozbłysk jasnych włosów i czarnych ciuchów. Ktoś zaatakował jego niedawnych kolegów.

Alan krzyknął, a pistolet wylądował na ziemi koło niego.

Blondyn syknął z dezaprobatą.

– Jaka szkoda, że jesteś za młody, żeby cię zabić. Ale jeśli przyłapię cię na tym samym za dwa lata, nie zdążysz się nawet nad tym dobrze zastanowić i już będziesz trupem.

Jedną ręką rzucił Alana na ulicę, jakby ten był szmacianą lalką.

Zakotłowała się czerń, błysnęło srebrem i mężczyzna odwrócił się w stronę Nicka. Nie wiedzieć czemu facet kojarzył mu się bardziej z zamożnym maklerem giełdowym niż z kimś, kto jest w stanie poradzić sobie z ulicznymi gangsterami. Był całkiem młody, miał może pod trzydziestkę.

Może.

Nick ledwo oddychał, gdy mężczyzna zbliżył się do niego ruchem bezwzględnego drapieżnika. Cały był ubrany na czarno. Drogi płaszcz ze skóry spowijał jego śmiertelnie groźne ciało. Uwagę Nicka przykuł jednak błysk srebra na czarnych butach nieznajomego.

Z czubka jednego z nich wystawał nóż, który schował się do środka, gdy mężczyzna podszedł bliżej. Uklęknął obok i mocno się zafrasował.

– Nieźle cię urządzili, mały. Możesz wstać?

Nick odepchnął wyciągniętą do siebie dłoń. Nie potrzebuje pomocy. A już na pewno nie od obcego.

Próbował dźwignąć się na równe nogi, ale nagle wszystko pogrążyło się w ciemności.

Kyrian Hunter ledwie zdążył złapać chudego chłopaka w szkaradnej, pomarańczowej koszuli hawajskiej, nim ten runął z powrotem na ziemię. To ohydztwo uratowało mu życie. Było tak jaskrawe, że praktycznie świeciło własnym światłem i właśnie dlatego Kyrian zwrócił uwagę na bójkę.

O ile zdołał się zorientować, chłopak był nieźle zaprawiony w bojach. To musiał mu przyznać. Zniósł ostre lanie bez skargi. Niewielu dorosłych wytrzymałoby to, co on zniósł, nie roniąc nawet łzy.

Już to sprawiło, że poczuł do dzieciaka szacunek.

Podniósł głowę na pozostałych łobuzów. Uciekali ulicą ile sił w nogach. Kyrian był starożytnym wojownikiem i drapieżnikiem. Instynkt popychał go do tego, by rzucić się za nimi i zabić ich za to, co zrobili.

Ludzka część jego istoty zdawała sobie jednak sprawę z tego, że chłopak, który zaryzykował własne życie dla pary turystów, zapłaciłby za to śmiercią. Tamci tchórze mogli się zasadzić gdzieś za rogiem i wrócić, by mu jeszcze bardziej dokopać.

Przechylił głowę dzieciaka, żeby mu się lepiej przyjrzeć. Krótkie, ciemne włosy były zlepione krwią. Ogromna rana nad lewą brwią prawie na pewno zostawi bliznę. Nos złamany, szczęka być może też. A jeśli nawet napastnicy jej nie złamali, to na pewno nieźle obili. Krew lała się chłopakowi z ramienia, w które go postrzelili.

Biedny dzieciak.

Blondyn wziął go na ręce i zaniósł do samochodu, żeby zawieźć do szpitala, zanim wykrwawi się na śmierć.

Kyrian krążył po poczekalni, w której siedziało kilkadziesiąt innych osób w różnym stanie zdrowia, bardziej lub mniej podenerwowanych. Odkąd oddał nastolatka w ręce pracowników szpitala, minęło już ponad dwie godziny i nadal niczego się nie dowiedział o chłopaku, którego znalazł.

Czy przeżył?

Spojrzał na zegarek i jęknął. Naprawdę nie mógł tu dalej siedzieć i czekać...

Miał ważne sprawy do załatwienia i, przy odrobinie szczęścia, kolejne życia do uratowania, nim nadejdzie świt.

– Co tu robisz, generale?

Zamarł na dźwięk niskiego głosu o mocnym akcencie. Acheron, wszechmocny nieśmiertelny żyjący od jedenastu tysięcy lat, był ostatnią osobą, jaką Kyrian spodziewał się zobaczyć w szpitalu. Jemu nic się nigdy nie łamało, nie mógł się rozchorować.

Odwrócił się wolno i zobaczył Acherona stojącego w drzwiach. Wysoki na dwa metry, z ciemnozielonymi włosami, odziany w czarne ciuchy w stylu gotów łącznie z nabijaną ćwiekami, skórzaną ramoneską, przedstawiał sobą imponujący widok, w zetknięciu z którym wszyscy drżeli ze strachu. I nie chodziło tylko o jego wzrost. Otaczała go zabójcza aura. Ludzie czuli, że może im dać nieźle popalić. Każdy, kto się do niego zbliżył, wyczuwał nieziemską moc, emanującą ze wszystkich porów tego właśnie...

Stworzenia.

– A ty skąd się tutaj wziąłeś? – zapytał Kyrian.

Oczy Acherona były zasłonięte ciemnymi okularami słonecznymi typu predator, choć dochodziła już północ. Robił wrażenie całkiem wyluzowanego, z tym swoim krzywym uśmieszkiem, który tak irytował Kyriana.

– Ja pierwszy zapytałem.

Gdyby ktokolwiek inny zaczął tak się wymądrzać, Kyrian odpłaciłby pięknym za nadobne. Ale na Acherona to nie działało. Wściekłby się tylko, a to zawsze kiepsko rokowało.

– Natknąłem się na dzieciaka, którego fest tłukli na ulicy. Nie znam go, ale nie chciałem go tam zostawić bez opieki, bo jest za młody. Nieźle go pokiereszowali.

Acheron przechylił głowę, jakby nasłuchiwał głosów, których nie słyszy nikt poza nim. Kyrian tego nie znosił. Aż go dreszcz przechodził na myśl o tym, kto mógł coś szeptać do tej starożytnej istoty. A najbardziej przerażało go to, że Acheron wie o nim samym rzeczy, których mu nigdy nie powiedział...

– Nazywa się Gautier. Nick Gautier. Ma czternaście lat, uczy się w St. Richard's High School przy Chartres Street, a mieszka w dzielnicy Lower Ninth Ward przy Claiborne Avenue.

Kyrian był pod wrażeniem.

– Znasz go?

– W życiu go nie widziałem. – W głosie Acherona nie było nawet cienia emocji.

– To skąd wiesz, jak się nazywa?

Buńczuczny uśmieszek, który tak irytował Kyriana, znowu powrócił na usta tamtego.

– Ja wiem o wielu rzeczach, generale. – Acheron podniósł rękę do góry i nie wiadomo skąd między jego palcami pojawił się kawałek papieru. Podał ją Kyrianowi. – Jego matka jest tancerką egzotyczną. Nazywa się Cherise Gautier. Tu ją znajdziesz. Ale uważaj. Gdy chodzi o jej syna, ma cięty język. Jeśli pomyśli, że mu zrobiłeś krzywdę albo coś mu się stało za twoją przyczyną... poleje się krew.

Kyrian wziął od niego kartkę.

– Zapytałbym cię o tę mentalną sztuczkę Jedi, ale i tak mi nic nie powiesz.

Acheron wsadził ręce w kieszenie znoszonej kurtki, zaopatrzonej w dwa łańcuchy owinięte dookoła ramienia.

– Bez komentarza, ale jedno ci powiem. – Zrobił pauzę, po czym dodał: – Nick to nie Jason. Inne czasy, inne miejsce, generale. Nie pozwól, by przeszłość zrujnowała ci przyszłość.

– Co konkretnie chcesz przez to powiedzieć, Mistrzu Yodo?

Acheron nie wyjaśnił swoich słów.

– Zaopiekuj się tym dzieciakiem, a ja wezmę za ciebie dzisiejszy patrol. Przyda mi się trochę treningu.

– Dzięki za zrozumienie.

Ostatecznie tamten był jego szefem i mógł go zwymyślać za niedopełnienie obowiązków.

Acheron przechylił głowę i wyszedł przez podwójne drzwi prowadzące na parking. Wraz z nim z poczekalni zniknęła aura silnego napięcia, która elektryzowała powietrze.

Tak, z Acherona był przerażający drań. Sam Kyrian zresztą też nie działał kojąco na skołatane nerwy innych. Wyszkolony przez Acherona, był jego najlepszym uczniem, zwłaszcza gdy chodziło o zabijanie istot, które nie powinny żyć.

Zerknął na trzymaną w dłoni kartkę z numerem, wyciągnął telefon i zadzwonił do matki Nicka.

Nick jęknął i otworzył...

Oko.

Głowa mu pulsowała, a na jednym oku miał coś, co nie pozwalało mu go otworzyć. *Tylko mi nie mówcie, że straciłem oko.* Mama by się strasznie wściekła.

Nie baw się tym, Nick. Możesz stracić oko. To było jej ulubione kazanie, gdy próbował czegokolwiek dotknąć. Zabije go, jeśli został cyklopem.

Boże, nigdy nie znajdę sobie dziewczyny. Kobiety nie przepadają za dziwolągami.

– Uważaj, mały.

Nick zamarł. Zrozumiał, że jest w szpitalnym pokoju. Próbował usiąść, ale ktoś go powstrzymał. Gdy rozpoznał blondyna z bójki, wpadł w panikę.

– Gdzie ja jestem?

– W szpitalu.

– No co pan? Serio? A myślałem, że w McDonaldzie. – Nick obruszył się na taką głupią odpowiedź. – Nie mogę tu zostać. Nie stać mnie na to.

Facet zignorował jego sarkazm i zachował beznamiętny wyraz twarzy.

– O pieniądze się nie martw. Ja zapłacę.

Akurat.

– Nie przyjmujemy dobroczynnych datków.

Nick skrzywił się, gdy ból przeszył mu czaszkę. Zrozumiał, że rękę ma na temblaku.

Nicky, tylko sobie nic nie złam. Nie będę miała z czego zapłacić lekarzowi. Błagam, tylko sobie nie zrób krzywdy.

Nickowi zrobiło się niedobrze na myśl o tym, co się wydarzyło.

– Mama mnie zabije.

– Wątpię.

Gdyby ten gość miał chociaż blade pojęcie...

– A ja nie. Znam tę kobietę od dnia swoich urodzin. Stłucze mnie na kwaśne jabłko.

Podniósł wzrok na nieznajomego, który uratował mu życie.

Był ogromny – ponad metr dziewięćdziesiąt wzrostu. Krótkie, jasne włosy. Cały ubrany w czerń. I to czerń z górnej półki. Lanserskie spodnie, buty od Ferragamo i, o ile Nick się nie mylił, jedwabną koszulę ze skórzanymi mankietami i kołnierzykiem. I nie była to podróba, jakie sprzedają w Dollar Store, gdzie on z mamą kupowali ciuchy. A co do płaszcza, wykonano go ze skóry tak mięciutkiej, że nawet nie szeleściła.

Facet musi być nieźle nadziany.

– Dlaczego nie mogę ruszyć ręką?

Nick poczuł, jak ogarnia go panika.

– Postrzelili cię.

– Gdzie?

– W ramię.

Zanim Nick zdążył cokolwiek odpowiedzieć, do jego uszu dobiegł krzyk zdenerwowanej matki. Pojawiła się obok niego od strony zasłoniętego oka i otoczyła go ramionami.

– Boże, skarbie! Nic ci nie jest? – Załkała głośno na widok bandaża na jego głowie i oku. – Co oni ci zrobili? Czemu nie poszedłeś do domu, jak ci kazałam?! Do cholery, Nicky, czemu ty mnie nigdy nie słuchasz?! Choć raz w życiu mógłbyś mnie posłuchać!

– To nie była jego wina.

Matka natychmiast wypuściła syna z objęć. Odwróciła się do nieznajomego, który stał w odległym kącie pomieszczenia.

– Kim pan jest i co pan tutaj robi?

Wyciągnął do niej dłoń.

– Kyrian Hunter. To ja do pani zadzwoniłem.

Uścisnęła mu dłoń. Jej byle jaki jasnobrązowy wełniany płaszcz z drugiej ręki wręcz gryzł się z tanimi kozakami z białego winylu i czerwoną poliestrową spódniczką obszytą cekinami, która, jak Nick wiedział, stanowiła część jednego z jej kostiumów do tańca. Jego drobna matka była piękną kobietą, ale zbyt mocny makijaż sceniczny sprawiał, że robiła wrażenie starszej niż dwadzieścia osiem lat. Nie znosił też utapirowanych na występ jasnych włosów. Jej wygląd raził taniością, jakby wbrew jej charakterowi

– Bardzo panu dziękuję, panie Hunter. Gdzie go pan znalazł?

Nick wpadł w panikę. Jeśli Kyrian jej powie, gdzie został postrzelony, ona sama też do niego strzeli.

– Był w Dzielnicy Francuskiej. Próbował uchronić parę starszych ludzi przed grabieżą. Udało im się uciec. Gdy się tam pojawiłem i wtrąciłem, śmieci, które na nich wcześniej napadły, tłukły Nicka.

W oczach błysnęły jej łzy.

– Uratował pan mojego chłopca?

Kyrian kiwnął głową.

Załkała jeszcze mocniej.

Nick poczuł się jak ostatnia świnia. Dobrze, że nie było tu jego taty, bo by mu gardło podciął za to, że tak bardzo zdenerwował mamę.

– Nie płacz, mamo. Przepraszam, że dałem się postrzelić. Trzeba było cię posłuchać i iść do domu... Tak bardzo cię przepraszam.

Makijaż spływał jej po policzkach razem z łzami. Otarła sobie oczy.

– Nie zrobiłeś nic złego, skarbie. Jesteś bohaterem. Cudownym bohaterem... Nie mogłabym być z ciebie bardziej dumna.

Nick aż się skrzywił na to kłamstwo. Wcale nie był żadnym bohaterem. *Jestem chuliganem... tak samo jak mój nic nie wart ojciec.*

Spojrzał na Kyriana i coś, co zobaczył w jego oczach, kazało mu myśleć, że Kyrian zna prawdę. Ale nawet jeśli, to go nie wydał, przez co Nick poczuł się jeszcze gorzej.

Jego matka wciągnęła powietrze do płuc. Oddech miała urywany.

– Lekarz mi powiedział, że będziesz tu musiał zostać przez parę dni, może tydzień albo nawet dłużej. Nie wiem, jak za to zapłacimy...

– Proszę się tym nie martwić. Zajmę się rachunkiem.

Przyjrzała się uważnie Kyrianowi.

– Nie mogę panu na to pozwolić.

– To drobiazg. Przynajmniej tyle mogę dla niego zrobić. Mało który dzieciak w jego wieku dałby się postrzelić, by obronić nieznajomego.

Nadal nie była przekonana.

Kyrian uśmiechnął się do niej, nie odsłaniając zębów.

– Mam pieniądze, pani Gautier. – W odróżnieniu od dyrektora szkoły Nicka nie drwił z jej nazwiska, lecz wypowiedział je z szacunkiem. – I nie mam ich na kogo wydawać. Proszę mi uwierzyć, ani mnie, ani moim bliskim nie zabraknie tych paru groszy.

Przygryzła wargę.

– To bardzo uprzejmie z pana strony. Zwłaszcza po tym, co już pan dla niego zrobił, przywożąc go tutaj i tak dalej. – Wzięła zdrową rękę Nicka w swoją dłoń i uścisnęła ją. – Panie Hunter, nie wiem, jak mam panu dziękować za uratowanie mojego chłopca. Umarłabym, gdyby mu się coś stało.

W oczach Kyriana błysnęło coś ciemnego.

Wyciągnął portfel i go otworzył.

– Tu jest mój numer. – Podał matce Nicka niewielką wizytówkę. – Gdyby pani czegokolwiek potrzebowała, proszę od razu dzwonić. O każdej porze dnia i nocy. Mało sypiam, więc proszę się nie martwić, że mnie pani obudzi.

Próbowała mu ją oddać, ale Kyrian jej na to nie pozwolił.

– Proszę posłuchać – oznajmił stanowczo. – Wiem, że mnie pani nie zna i że mi pani nie ufa. To zrozumiałe. Ale na świecie są jeszcze ludzie, którzy potrafią coś dać, nie oczekując nic w zamian. Ja do nich należę.

Pokręciła głową.

– Wiem, ile to kosztuje. Nie mogę przyjąć takiej sumy od pana ani od nikogo innego. Nigdy w życiu.

Ciemnobrązowe oczy Kyriana przesunęły się na Nicka.

– Więc niech mu pani pozwoli to odpracować.

Nick aż się żachnął.

– Że co?

Zignorowali go.

– Niech pan nie żartuje – powiedziała jego mama. – Do końca życia nie odpracowałby takiej sumy.

No, tak... Nick nie miał ochoty zostać niewolnikiem za rachunek za lekarza.

Kyrian włożył portfel z powrotem do kieszeni.

– Więc co chce pani zrobić? Pozwolić na to, by szpital wyrzucił go na ulicę, nim wydobrzeje? Z takimi obrażeniami mógłby dostać gangreny i stracić rękę albo nawet umrzeć.

W jej niebieskich oczach błysnęła bezradność i desperacja. Nick poczuł się, jakby ktoś uderzył go w splot słoneczny.

– Pani Gautier... – Szczęka Kyriana pulsowała teraz w nerwowym tiku. – Wiem, że gdy się na mnie patrzy, trudno się tego domyślić, ale mam za sobą niełatwe życie. Utraciłem wszystkich, którzy się dla mnie liczyli. Wiem, jak to jest, gdy człowiekowi jeszcze dokopią, kiedy już i tak jest na deskach. Ma pani świetnego syna, który zasługuje na to, żeby mu dać szansę. Niech mu pani pozwoli popracować dla mnie przez rok, parę godzin dziennie po szkole, i sprawa będzie załatwiona.

Zerknęła na Nicka, któremu niespecjalnie się ten pomysł podobał.

– A co niby miałby robić?

– Myć mój samochód, załatwiać sprawy.

Mama się zjeżyła.

– Jakie sprawy?

– No, właśnie – wtrącił się Nick. – Nie jestem opiekunem do dzieci ani wyprowadzaczem psów.

Kyrian przewrócił oczami.

– Nie mam dzieci ani psa. – Spojrzał znowu na mamę Nicka. – Robiłby mi zakupy. Odbierał rzeczy z pralni. Mógłby pomagać mojemu ogrodnikowi przycinać żywopłot albo wyręczać gospodynię przy sprzątaniu czy myciu okien. Nic groźnego ani niezgodnego z prawem.

To nie brzmiało tak strasznie. Rzecz w tym, że Nick już miał pracę, którą na ogół całkiem lubił.

– A co z panią Lizą, mamo? Kto jej pomoże w sklepie?

Kyrian spojrzał na niego, marszcząc brwi.

– Lizą Dunnigan?

– Zna ją pan?

Znowu uśmiechnął się powściągliwie.

– Tak. Od bardzo dawna. Myślę, że zrozumiałaby, jeśli przez jakiś czas pracowałbyś dla mnie.

Mama ścisnęła go mocniej za rękę.

– Sama nie wiem... A ty co o tym myślisz, Nicky?

Nick spojrzał na swoją rękę na temblaku. Naprawdę nie stać ich było na opłacenie tego rachunku. Jeśli Kyrian zapłaci i mama nie będzie musiała się męczyć...

– Jeśli nie jest pan żadnym zboczeńcem i pani Liza nie będzie miała nic przeciwko temu, to chyba mogę dla pana pracować.

Kyrian parsknął śmiechem.

– Nie jestem zboczeńcem.

– Mam nadzieję, bo inaczej rzucę pracę.

Kyrian pokręcił głową.

– Czyli umowa stoi?

Mama przez chwilę jeszcze się wahała, po czym kiwnęła głową.

– Dziękuję.

– Nie ma sprawy. A teraz, jeśli nie macie nic przeciwko temu, jestem gdzieś umówiony.

Nick zmarszczył brwi.

– O tej godzinie? – zapytała podejrzliwie jego mama.

Kyrian kiwnął głową.

– Jestem zaangażowany w międzynarodowe interesy, które wymagają ode mnie pracy późno w nocy. Jak już mówiłem, nie potrzebuję dużo snu.

I zniknął za drzwiami.

Gdy zostali sami, mama skupiła całą swoją uwagę na Nicku.

– Co tak naprawdę o tym myślisz?

– Że bardzo się cieszę, że żyję i że nie zamierzasz mnie zabić za to, że dałem się postrzelić i jestem w szpitalu, na który nas nie stać.

Jej wargi zadrżały.

– Skarbie, jak mogłabym być na ciebie zła za to, że się tak zachowałeś? Żal mi tylko, że nie zarabiam dość, byś ty nie musiał pracować. Gdybyś był w domu…

– Mamo, przestań, proszę cię.

Targające nim poczucie winy było wprost nieznośne. Uniosła jego dłoń i pocałowała pokiereszowane kostki.

– Dobrze, kochanie. Niczym się nie martw i myśl tylko o tym, żeby wyzdrowieć. Odpoczywaj.

Wyciągnęła z kieszeni jedną ze swoich czarnych opasek na włosy i związała je w przyzwoity koński ogon.

Nick uśmiechnął się, bo dobrze wiedział, że zrobiła to dla niego. Nie chciała, by się wstydził jej przesadnie utapirowanych włosów. Potem podeszła do umywalki, żeby zmyć makijaż i ściągnąć sztuczne rzęsy z brokatem. Była dużo ładniejsza bez całej tej tapety na twarzy. Nie potrafił zrozumieć, dlaczego w klubie każą jej się tak malować.

Gdy wyglądała już znowu jak jego mama, położyła się obok niego na łóżku i objęła go.

Normalnie by ją od siebie odepchnął, bo czułby się stłamszony, ale dziś, cały obolały, wtulił się w nią z wdzięcznością.

Mieli na świecie tylko siebie nawzajem, zawsze tak było. Fantastyczna Ekipa – tak ich nazywała, odkąd sięgał pamięcią. Razem byli w stanie poradzić sobie ze wszystkim.

Odgarnęła mu włosy ze skroni i cmoknęła w nią lekko.

– Nickyboo, mój mały mężczyzno. Taka jestem wdzięczna, że cię mam. Tylko ty mi się w całym życiu udałeś. Gdyby coś ci się stało, musieliby wykopać od razu dwa groby, bo nie przeżyłabym dnia bez mojego synka.

Jej słowa omal nie sprowokowały go do płaczu, ale na to był za twardy. Nic nie zmusi go do łez. Nic a nic.

– Kocham cię, mamo.

– Ja też cię kocham, skarbie. A teraz śpij. Musisz dojść do siebie, żebym mogła ci skopać tyłek za to, że dałeś się pobić.

Nick uśmiechnął się na tę pustą groźbę i zamknął oczy, ale nie mógł zasnąć. Wciąż miał przed oczami twarz Alana naciskającego spust. Ten świr naprawdę chciał go zabić...

Postanowił, że kiedyś wyrówna rachunki, nawet gdyby miała to być ostatnia rzecz, jaką zrobi. Jak mówił jego tata: *My nie uciekamy. Czasem byśmy chcieli. Czasem powinniśmy. Ale nigdy i przed nikim nie uciekamy.*

Przy następnym spotkaniu z Alanem i jego „bandą" byli koledzy przekonają się o potędze gniewu Nicka Gautiera...

ROZDZIAŁ 3

Długie dni, które spędził samotnie w szpitalnym łóżku, nudząc się jak mops, były dla Nicka nowym rodzajem męki. Mama zostawała u niego, ile tylko się dało, podobnie jak Menyara, ale nie mogły być przy nim cały czas. Kyrian odwiedzał go w nocy, a w dzień zaglądały niektóre tancerki z klubu mamy. Ale przez większość czasu był sam.

A co było w tym najbardziej przerażające?

Zaczął tęsknić za szkołą. Aż się wzdrygnął na tę okropną myśl.

– Cześć... eee... Nick, prawda?

Otworzył oko i zobaczył, że w drzwiach stoi Nekoda. Włosy związała w koński ogon, miała na sobie mundurek szpitalnej wolontariuszki. Weszła do jego pokoju.

Dziewczyna oszacowała jego opłakany stan. Nick poczuł uderzenie gorąca na policzkach i odchrząknął.

– Tak, to ja, ale mam nadzieję, że lepiej się prezentowałem, gdy się poznaliśmy. Bo teraz jestem tak szkaradny, że bardziej się nie da.

Parsknęła śmiechem.

– Nie obraź się, ale to prawda, rzeczywiście wyglądałeś trochę lepiej. Choć z drugiej strony muszę przyznać, że świetnie ci w tym szurniętym nakryciu głowy, które teraz nosisz. To spore osiągnięcie, bo mało komu byłoby w tym do twarzy.

I puściła do niego oko.

Mógł sobie tylko wyobrazić, jak koszmarnie wygląda, z głową nadal owiniętą bandażem, z zapuchniętym i posiniaczonym okiem, z jedną ręką na temblaku, a drugą podłączoną do monitorów i kroplówki. Miał na sobie wyblakłą, szpitalną piżamę usianą jakże męskimi kwiatkami. W tej chwili z wielką ochotą zamieniłby ją nawet na tę pomarańczową koszulę hawajską.

Do pełnego obrazu totalnego wieśniaka brakowało mu tylko tego, żeby się teraz cały obślinił. Co nie było wykluczone, jeśli ona tu zostanie i będzie z nim dalej rozmawiać.

Stanęła koło jego łóżka i zerknęła na otaczające go, szumiące i pikające monitory.

– No to co ci się stało?

– Postrzelono mnie.

Uniosła brwi.

– W oko? Dlatego jest zasłonięte?

– Nie. Tam oberwałem deską, pięścią, nogą i czym tam jeszcze. Nad okiem mam kilka szwów. Lekarz mówi, że jutro zdejmą mi opatrunek. Założę się, że wtedy będę wyglądał jeszcze lepiej. – Jego głos ociekał sarkazmem. – Postrzelono mnie w ramię.

– Aha – rzuciła, przyglądając się uważnie temblakowi. – Bolało?

Już miał rzucić sarkastyczne „no, ba", ale zdrowy rozsądek kazał mu się ugryźć w język. Nie chciał jej obrazić. Mimo bólu wyprostował się, jak przystało na twardziela.

– Nie. Zniosłem to jak prawdziwy mężczyzna.

Pokręciła na to głową i nie skomentowała jego chojractwa.

– A właściwie czemu cię postrzelono? Jeden z twoich dowcipów się na tobie zemścił?

Nick nie był pewien, jak odpowiedzieć na to pytanie. Nie chciał chwalić się czymś, czego tak naprawdę nie zrobił – na przykład uratowaniem ludzi, których najpierw swoim działaniem naraził na niebezpieczeństwo. Ostatecznie zdecydował się na półprawdę.

– Nieodpowiednie miejsce, bardzo nieodpowiedni moment.

– Wiesz, kto cię postrzelił?

– Nie – skłamał. Nawet policji tego nie powiedział, choć kilka razy się dopytywali. Zasada numer jeden: jeśli chcesz przeżyć w mieście, lepiej nie kapuj. Zresztą zamierzał sam wyrównać rachunki i nie chciał, by

Alana i resztę broniły przed nim więzienne mury. Sprawa zostanie załatwiona między „przyjaciółmi”. – Jak mówią w kinie i w teatrze, to się wydarzyło tak szybko...

Wyglądała na mocno przejętą tym wszystkim.

– Tak mi przykro mi, że zostałeś postrzelony. Teraz już rozumiem, dlaczego nie widziałam cię w szkole.

Nadstawił uszu. Rozglądała się za nim? *Rany, za takie wieści dałbym się postrzelić jeszcze raz.* Z trudem powstrzymywał głupkowaty uśmiech cisnący mu się na usta.

Nachyliła się niżej.

– Cieszę się, że przeżyłeś i masz się lepiej.

– No, ja też. Naprawdę by mi to pokrzyżowało plany na przyszłość, jakbym zszedł... – Posłał jej uśmiech, który, miał nadzieję, był ujmujący, po czym zmienił temat: – Pracujesz tu?

– Jako ochotniczka. Dwa razy w tygodniu – wyjaśniła. – Podobno takie rzeczy dobrze wyglądają w podaniu na studia.

Rany, ona już się tym martwi? Poczuł się jak ostatni obibok.

– Jesteśmy dopiero w dziewiątej klasie.

Wzruszyła ramionami.

– No, tak, ale każdy rok szkolny się liczy. To, co robimy teraz, ma wpływ na to, gdzie wylądujemy w przyszłości. Dlatego łapię się rzeczy, które mogą coś zmienić.

– Rany Bozi, jakbym słyszał moją mamę.

– Przepraszam.

Zmarszczyła nos w wybitnie uroczy sposób. Nie wiedzieć czemu aż mu się od tego ścisnęło w żołądku i poczuł oblewający go rumieniec. Jak tak dalej pójdzie, będzie mógł się wynająć do pracy w charakterze latarni morskiej.

– Przynieść ci coś do picia? – zapytała. – Z lodem? Mam też w swoim wózku pisma i książki, jeśli masz ochotę coś poczytać.

– Zabiłbym za Nintendo.

Roześmiała się.

– Nintendo nie mam na stanie, przykro mi.

– A mangę masz?

– Mangę? – Zmarszczyła brwi. – Co to jest?

Cholera. Jak mógł choćby marzyć o tym, że dziewczyna dzieli jego nietypowe zainteresowania.

– Japońskie komiksy. Jestem od nich uzależniony.

– Nie, przykro mi, ale mam Batmana i Spidermana, jeśli jesteś zainteresowany.

– Super. – Te komiksy były dużo krótsze od mangi, ale przynajmniej zejdzie mu na nich kilka minut. – Masz coś z science fiction albo fantasy?

– Mamy kilka *Kronik Diuny*.

– O, na to zdecydowanie bym się skusił.

Uśmiechnęła się.

– No, to zaraz wracam.

Nick patrzył za nią, jak wychodziła z pokoju, kręcąc biodrami w sposób, który powinien być zakazany przez prawo (a w niektórych stanach zapewne był). Była naprawdę piękna. Nie miał pojęcia, co takiego było w jej włosach, ale bardzo chciał ich dotknąć. Robiły wrażenie miękkich i gładkich. Pachniały też pewnie świetnie.

Podobnie jak jej skóra.

Co ty sobie wyobrażasz? Nie masz u niej szans...

Takie dziewczyny jak ona nie umawiają się z palantami, którzy napadają na turystów. Ten typ spotyka się ze szkolnymi sportsmenami, a potem wychodzi za mąż za prawników, chirurgów i innych takich.

Potrafił sobie wyobrazić jej dzieciństwo, wszystkie te pokojówki, korepetytorów i przyjęcia urodzinowe z prezentami opakowanymi w coś innego niż ręcznie dekorowane torby na zakupy. Jej rodzice pewnie by się przekręcili, jakby się dowiedzieli, że w ogóle rozmawia z takim śmieciem jak on.

– Proszę – powiedziała, wróciwszy do niego, i podała mu stertę książek oraz komiksów.

Nick uśmiechnął się.

– Dzięki.

– Nie ma sprawy. – Odsunęła się od łóżka. – No, to lepiej już pójdę. Muszę obejść cały oddział i zajrzeć do innych pacjentów. Obiecałam pani O'Malley, że zagram z nią dziś w remibrydża.

Jej, ona jest naprawdę miła.

– Dobra. Dzięki za wizytę i za książki.

Kiwnęła mu głową.

– Trzymaj się.

– Ty też.

I zniknęła. Ogarnęło go przygnębienie. Westchnął. Nie podobało mu się, że nie może się stąd ruszyć, ale jeszcze bardziej mu się nie podobało, że nigdy nie będzie wart dziewczyny takiej jak Nekoda. Mógł się zgrywać do bólu, a i tak niczego to nie zmieni. Ona wróci do swojego ładnego domu, podczas gdy on będzie musiał wpełznąć z powrotem do rynsztoka, w którym się urodził.

Żeby oderwać myśli od spraw, na które nie miał wpływu, otworzył książkę i zabrał się za czytanie.

Nick westchnął przez sen, przesunął się w łóżku, po czym nagle się obudził, bo poczuł, jakby zaraz miał spaść na podłogę. Zamrugał i otworzył oko. Zorientował się, że jest w szpitalu, sam.

Rany, co za okropność. Gdyby chociaż mógł pospać dłużej niż dwie godziny. Sięgnął do swojej tacy po kolejną książkę i zamarł. Leżało na niej małe pudełeczko, którego wcześniej tam nie było.

Zmarszczył brwi i wziął je do ręki. Otworzył, w środku było różowe Nintendo i krótki liścik.

Przepraszam za kolor, lubię różowy. Mam nadzieję, że to ci pomoże nie zwariować i nie będziesz musiał posunąć się do rękoczynów. Doszłam do wniosku, że parę dni wytrzymam bez grania, jeśli ty dzięki temu nie postradasz zmysłów.

Zdrowiej szybko,

Kody

Gapił się na kartkę jak sroka w gnat. Zalała go fala emocji. Nikt nigdy nie zrobił dla niego nic równie miłego. Konsola pękała w szwach od gier, od klasyków przez gry strategiczne po strzelaniny.

Naprawdę miło z jej strony. Aż się wzruszył.

Wziął konsolę do ręki. Z jakiegoś powodu dawała mu dziwne poczucie bliskości z Kody. Konsole do gier to bardzo osobista rzecz. Są jak przedłużenie właściciela. Od koloru poczynając, a na nalepkach kończąc... Wszystko to płynie z serca. Konsolę trzyma się blisko siebie, dobrze jej pilnuje i chroni.

A ona mu swoją konsolę pożyczyła.

Mało kto by się na coś takiego zdobył. A już zwłaszcza taka laska jak Kody. Odbiło jej. *Może cię lubi.*

Na tę myśl krew popłynęła mu w żyłach żywym ogniem. Czy to możliwe?

Ona jest dla ciebie niebezpieczna. Unikaj jej.

Skrzywił się, słysząc ten przerażający głos w myślach. Brzmiał niemalże demonicznie. Co, do cholery?

– Z nudów tracę rozum.

Tylko jakiś kompletny świr unikałby takiej ślicznej i miłej laski, jak Kody.

– Wziął?

Nekoda zamarła, wyczuwszy ruch powietrza koło siebie. Moc była odczuwalna, znała ją na wylot.

Sraosha. Jej przewodnik i mentor.

Nekoda zamknęła drzwi szpitalnego magazynu, żeby nikt niechcący nie wszedł i nie zobaczył Sraoshy. Wysoki, pełen wdzięku, tak piękny, że aż bolały oczy. Jego potężna moc manifestowała się w ruchliwej aurze, która rozświetlała jego skórę jasnożółtą poświatą. Długie włosy blond spływały mu na ramiona. Spojrzał na nią uważnie... nie, to nie były oczy, tylko dymiące, czarne dziury, równie przerażające, co osobliwe.

– Zostawiłam mu to – wyszeptała.

Nick nie miał pojęcia, że tak długo, jak ma Nintendo przy sobie, Kody może mieć na niego oko.

Sraosha kiwnął głową.

– Co o nim myślisz?

Był młodszy niż inni Malachai, z którymi walczyła. Bardziej niewinny, wręcz uroczy.

Nie daj się na to nabrać.

Na to nie mogła sobie pozwolić.

– On jest jakiś... – Musiała ostrożnie dobrać słowa. – Inny.

– Myślisz, że to o niego chodzi?

– Nie wiem.

Od zamierzchłych czasów szukali tego jednego jedynego Malachai. Tego, który zwróci się przeciwko ciemnym mocom, które go spłodziły, i stanie razem z nimi do walki ze Źrodłem, by uwolnić ich braci.

Na razie utracili wszystkich Malachai, których próbowali ocalić. Mieszkała w nich ciemność tak silna, że nie potrafili się jej oprzeć. Zresztą, któż mógł ich winić?

Wszyscy rodzili się, by zadawać cierpienie. Rodzili się, by władać najciemniejszymi mocami. Tak, jak Nekoda urodziła się dla światła.

Nick był nadal dzieciakiem, nie miał pojęcia kim ani czym jest. Ale ona dobrze wiedziała, do jakiego rodzaju przemocy się narodził.

I to ją przerażało.

– Menyara się zarzeka, że jego możemy uratować.

Sraosha prychnął.

– Jest z nim za blisko związana. Nie dostrzega, czym on w istocie jest.

Być może, ale Nekody nic z nim nie łączyło.

– Nie obawiaj się. Nie zaślepił mnie. Jego urok mnie nie oczaruje.

– Tylko uważaj, żebyś nie padła jego ofiarą. Pamiętaj, że to tylko jedna z wielu mocy, jakie on posiada. Mocy, które działają i na śmiertelników, i na nieśmiertelnych.

Sama widziałaś, że zło zaczyna go już kusić. Z czasem będzie tylko gorzej.

Nekoda przełknęła ślinę. Oczami wyobraźni zobaczyła wypadki, które doprowadziły do tego, że Nick został postrzelony.

– Wycofał się, zanim tym ludziom stała się krzywda.

– Tym razem. Lecz wystarczył sam fakt, że zboczył ku przemocy, by jego Kimmeryjski Mag uwolnił się. Ciemne moce łączą już siły, by go wytrenować. Nie czujesz tego?

Owszem. Wszystko było tym tutaj przeniknięte i aż ją od tego przeszywał zimny dreszcz. Każdy Malachai musi się nauczyć dziesięciu rzeczy. Z każdą z nich robi się coraz silniejszy.

I coraz bardziej zepsuty.

Nick stanie się narzędziem zła. To zło przyjdzie po nią i jej ludzi, zniszczy wszystkich, którzy się z nim zadadzą.

Pierwszą lekcję stanowi nekromancja, i to nie tylko komunikacja ze zmarłymi, ale ich reanimacja i kontrola nad nimi.

Jakkolwiek jednak Nekoda się starała, nie potrafiła sobie wyobrazić, że Nick staje się taki jak inni. Przecież nie zaakceptuje tak zimnej mocy, prawda?

Już kiedyś popełniłaś ten sam błąd, myślałaś tak o kimś innym.

Skrzywiła się, gdy przypomniał się jej ojciec Nicka i to, jak bardzo się co do niego pomyliła. Gdyby zaatakowała, kiedy jej to doradzano, niezliczone żywoty zostałyby oszczędzone.

Światło, które masz w sobie, każe ci wierzyć w to, że w ludziach jest dobro. Nawet w Malachai. Okazała temu starszemu Malachai litość, a on napluł jej w twarz i pogrążył się we własnym złu.

Cokolwiek się wydarzy, nie pozwoli sobie znowu na taką głupotę.

– Nie obawiaj się, Sraosha. Wyciągnęłam wnioski z własnych błędów. Tym razem nie zawiodę. Jeśli nie zdołamy przeciągnąć go na naszą stronę, zabiję go.

– Lepiej o tym pamiętaj. Bo jest jeszcze silniejszy niż jego ojciec. Mroczni Łowcy już się nim zajęli i będą go trenować. Jeśli nie przeciągniemy go na naszą stronę, on nas zniszczy.

A wtedy byłaby winna śmierci całego rodzaju ludzkiego.

ROZDZIAŁ 4

Witaj w domu, Nicky!

Nick otworzył oczy i zobaczył, że jest w ich byle jakim dużym pokoju, a przed nim stoi ciotka Menyara z kupnym tortem czekoladowym, na którym wypisano te same radosne słowa, które właśnie wypowiedziała. Osłupiał jeszcze bardziej na widok otaczających ją ludzi, którzy wykrzyczeli te same słowa..

Rany…!

Menyara była drobna jak jego matka, i miała gładką czekoladowobrązową skórę, która lśniła w migotliwym blasku świec.

Szeroka żółta apaszka przytrzymywała jej dredy, odgarnięte z pięknej twarzy. Końce apaszki opadały jej na plecy. Żółta była też zwiewna bluzka wsunięta za pasek jasnopomarańczowej spódnicy spływającej aż do kostek.

Na obu rękach miała cienkie srebrne bransoletki, które zabrzęczały, gdy przechyliła ciasto pod takim kątem, by mógł zobaczyć pięknie wykaligrafowany napis.

– Twoje ulubione, *cher*. Tak się cieszymy, że już jesteś w domu.

Nick zarumienił się, gdy przesuwał wzrokiem po tancerkach, które pracowały z mamą, a teraz przyszły na jego przyjęcie. Zjawili się nawet John i Greg, ochroniarze z klubu.

Wszyscy klaskali i uśmiechali się do niego, gratulując mu bohaterskiej postawy. Czuł się wyjątkowo niezręcznie, będąc w centrum uwagi.

To zabawne, bo on sam wydawał się sobie oszustem, nie bohaterem.

Menyara odstawiła ciasto na blat.

– No, chodź, *cher*. Lepiej zdmuchnij świeczki, zanim zniszczą ten piękny tort.

Zawsze lubił śpiewny, kreolski ton głosu Menyary. Ciotka Mennie, jak na nią mówił, była kapłanką voodoo i położną, a także jego matką chrzestną i najlepszą przyjaciółką mamy.

To ona pomogła mu przyjść na świat i przyjęła ich z mamą pod swój dach, gdy wyrzucili ją rodzice. Gdy był za mały, by chodzić z mamą do klubu, Mennie się nim zajmowała. Już za to zrobiłby dla niej wszystko.

– Dziękuję – wymamrotał, podszedł do tortu i zdmuchnął świeczki.

Stojąca ze jego plecami mama położyła mu rękę na zdrowym ramieniu.

– Skarbie, jesteśmy z ciebie bardzo dumni.

– Zgadza się. – Greg, wielki jak niedźwiedź, z długimi ciemnymi włosami i skórą usianą dziobami, podszedł do niego i wręczył mu pudełko. – Zrobiliśmy zbiórkę w klubie. Mam nadzieję, że ci się spodoba.

Ujęła go ich dobroć. To wszystko przypominało raczej przyjęcie urodzinowe niż powrót do domu ze szpitala.

Rozpakował pudełko i wyjął z niego grę „Street Fighter" oraz T-shirt z napisem: NICK GAUTIER. SUPERBOHATER DNIA.

Nick nie miał serca im powiedzieć, że nie ma konsoli do gier. Ani tego, że żaden z niego bohater. Po prostu próbował odkręcić coś, co wcześniej się za jego przyzwoleniem nakręciło.

– Bardzo dziękuję. Naprawdę jestem wam wdzięczny.

Tiffany ominęła Grega i wyjęła kopertę z pudełka.

– Przegapiłeś to.

Nick podał pudełko matce i wziął kopertę, ale nie mógł jej otworzyć, bo lewą rękę nadal miał na temblaku.

– Daj, pomogę ci.

Menyara wzięła ją od niego i otworzyła.

Osłupiał na widok pięciu banknotów dwudziestodolarowych.

– Na co to?

Tiffany się uśmiechnęła.

– Na studia. Wiemy, że to niewiele, ale pewnie tyle byś zarobił, gdybyś nie wylądował w szpitalu.

Spojrzał na matkę, która uśmiechała się z wdzięcznością. On sam za to wcale nie czuł wdzięczności. Czuł się z tym wszystkim dziwnie, zwłaszcza że dobrze wiedział, jak ciężko muszą na te pieniądze pracować.

– Nie mogę tego przyjąć.

Jack aż się zapowietrzył.

– Bierz. Bo ci będę musiał skopać tyłek i znowu wylądujesz w szpitalu, smarkaczu. Tylko się zachowuj i nie wydaj tej kasy na narkotyki czy tanie kobietki, co ja bym na pewno zrobił w twoim wieku. Wychowujemy cię wszyscy na przyzwoitego człowieka.

Nick nie wiedział, co na to powiedzieć.

– Dziękuję. Naprawdę bardzo wam dziękuję.

Ktoś włączył muzykę i rozległy się dźwięki *Walk This Way* Aerosmith. Impreza rozkręciła się na dobre. W ich maleńkim mieszkanku ledwie można się było ruszyć, ale tancerki, przyzwyczajone do ciasnego wybiegu w klubie, tańczyły tak, jak umiały najlepiej. Przyglądając się ich ruchom, Nick tak się zaczerwienił, że pewnie świecił jak neon.

Wziął pieniądze, wyciągnął swój słój, który trzymał pod kuchennym zlewem i wrzucił do niego dwudziestodolarówki. Mama i Menyara kroiły tymczasem tort i podawały go gościom.

– Wszystko w porządku, mały?

Kiwnął głową. Menyara podała mu ciasto i plastikowy widelczyk.

– Zmęczony jestem.

W jej spojrzeniu było coś takiego, że zaczął się zastanawiać, czy ona przypadkiem nie potrafi mu czytać w myślach. Dziwne.

– Twoja mama mi powiedziała, że będziesz pracować dla kogoś nazwiskiem Kyrian Hunter. Prawda to?

– Tak. Muszę odpracować to, co zapłacił za szpital.

– Chcę, żebyś na siebie uważał, Nicholasie. Ten facet... On jest...

Gdy zrobiła pauzę, dokończył zdanie za nią:

– Zły?

Roześmiała się i przeczesała mu włosy dłonią.

– Nie, nie jest zły, ale myślę, że praca dla niego cię odmieni. Miejmy nadzieję, że na lepsze. Chciałam ci tylko powiedzieć, że powinieneś bardzo uważać, czego nauczysz się od tych, którzy pojawią się w twoim życiu.

Na dźwięk jej beznamiętnego tonu aż zamarł. Mennie dużo wiedziała, potrafiła przewidzieć, co się stanie w przyszłości. W tej dziedzinie była bezkonkurencyjna.

– Czy przemawiają teraz przez ciebie twoje niesamowite moce nadprzyrodzone?

– Chyba raczej moja niesamowita nadopiekuńczość. – Cmoknęła go w czoło. – Zrób coś dla mnie, dobrze? Bądź dobrym chłopcem, Nicholasie. Zawsze.

– Dobrze, dobrze.

Nie miał zamiaru zrobić nic niedobrego. Ostatnim razem kiepsko się to dla niego skończyło. Ramię go bolało i czekały go miesiące bolesnej fizjoterapii, zanim odzyska pełną władzę w tej ręce.

Uwierz mi, ani myślę się w coś takiego pakować. A jak znowu zobaczy Alana i jego bandę, to oni będą potem kuleć. *Tak im skopię tyłki, że będzie im się odbijać skórą z moich butów.*

A raczej, w przypadku tanich butów Nicka, skajem.

Zafrasowany podszedł do matki, która stała z Tiffany. W powietrzu dało się wyczuć jakiś chłód, od którego aż go swędziała szyja.

Zignorował to, zjadł ciasto i dołączył do pozostałych, którzy puszczali stare piosenki z lat siedemdziesiątych. *Rany, może byśmy przewinęli muzykę do odpowiedniej dekady? Co jest ze starymi ludźmi i ich muzą?*

Z drugiej strony przynajmniej nie było to disco.

Impreza nie trwała długo, bo mama bała się, że za bardzo go to zmęczy. Jeden po drugim goście wychodzili i w końcu został tylko on, matka i Mennie.

Na polecenie mamy Nick poszedł się położyć, a one zabrały się za sprzątanie. Już zasypiał, gdy wtargnęła matka.

– Gotowy na jutrzejszy powrót do szkoły?

Nie bardzo. Chętnie odczekałby jeszcze parę dekad, zanim tam wróci i będzie musiał stawić czoła tym zmutowanym idiotom...

Ale jej tego nie powiedział. *Weź się w garść, Nick. Dasz radę.*

– Chyba tak.

– Dobrze, ale jeśli się nie czujesz na siłach, to mi powiedz. Dochodzisz jeszcze do siebie, nie chcę, żebyś się czymkolwiek przemęczał.

Niby racja, ale już był do tyłu z programem, więc i tak nie będzie mu łatwo nadrobić zaległości. Jeszcze kilka dni z dala od szkoły i czeka go powtarzanie klasy.

To już lepiej mnie zabijcie.

Odsunęła mu włosy z czoła i sprawdziła, czy nie ma gorączki.

– Pan Hunter powiedział, że po szkole przyśle po ciebie samochód, który zabierze cię do niego. Obiecał mi, że cię tylko wprowadzi we wszystko i że nie będziesz musiał robić nic wyczerpującego. Może być?

– Chyba tak – zastosował swoją standardową odpowiedź.

Przewróciła oczami.

– No, to dobrze. Wyśpij się teraz. I krzycz, gdyby ci coś było potrzebne. Aha, kwiaty od twoich kumpli Bubby i Marka musiałam wystawić na werandę, bo nie zmieściłyby się w domu. Chyba trochę przedobrzyli.

Delikatnie mówiąc. To, co przysłał Bubba, było wielkie jak drzewo. Towarzyszył temu króciutki liścik.

Szpitale mnie denerwują. Przepraszam, że nie przyszliśmy cię odwiedzić, Mały. Wydobrzej szybko. A następnym razem pamiętaj... Popraw jeszcze.
Bubba i Mark.

Nick patrzył za matką, gdy wychodziła i zamykała jego „drzwi". Potarł sobie obolałe oko, zupełnie ignorując jej rozmowę z Menyarą do momentu, gdy usłyszał swoje imię.

– Mennie, myślisz, że Nick przestanie przez to rosnąć?

Menyara parsknęła śmiechem.

– Nie, *chére*. Twój chłopak wyrośnie na przystojnego, wysokiego mężczyznę. Masz moje słowo.

– No, nie wiem. Mój tato był bardzo niski. Ledwie metr sześćdziesiąt. Wiem, że Nick już teraz jest wyższy, ale panicznie się boję, że przestanie rosnąć i będzie takim krasnalem, jak ja.

– Przecież jesteście Cajunami*, skarbie. Niski wzrost to norma. Dziwne by było, jakbyście byli wyrośnięci. Ale Adarian to kawał atrakcyjnego chłopa i jego syn będzie wyglądał tak jak on. Mówię ci.

Na te słowa krew w żyłach Nicka zmieniła się w lód.

Adarian Malachai był jego ojcem. I potworem. Samo wspomnienie jego imienia przywołało obraz gigantycz-

* Cajuni – francuskojęzyczni mieszkańcy wybrzeża Zatoki Meksykańskiej, tzw. Akadiany; słowo Cajun oznacza też dialekt i muzykę tego rejonu (*przyp. red.*)

nej, niezdarnej bestii gęsto pokrytej tatuażami i ubranej w więzienne ciuchy. Zawsze gdy Nick się z nim widział, ojciec warczał na wszystkich wokół i tłukł tych, którzy byli najbliżej – w tym matkę Nicka.

Pełen złości, zgorzkniały i obcesowy, jego ojciec był wyjątkowo trudnym człowiekiem. Nick cieszył się, że matka za niego nie wyszła i że on sam nie nosił nazwiska ojca. Może i dziadkowie Gautierowie nie chcieli mieć z nim nic wspólnego, ale i tak wolał nosić ich nazwisko niż Adariana.

Malachai. Do licha, jak to w ogóle brzmi? Błee.

– Już bym wolał być niski, gruby i brzydki, niż w czymkolwiek przypominać tego faceta – odezwał się Nick na tyle głośno, by go usłyszały.

Jego matka westchnęła.

– Ten facet jest twoim ojcem, a poza tym miałeś iść spać, młody człowieku. Proszę mi tu nie podsłuchiwać prywatnych rozmów.

A czego ona się spodziewa, skoro dzieli ich tylko cienki, niebieski koc?

– A wy nie powinnyście o mnie rozmawiać, wiedząc, że mogę was usłyszeć. Zawsze mi mówiłaś, że to niegrzeczne.

Roześmiały się.

– Idź spać, Nick.

– Idź spać, Nick – mruknął do siebie, przedrzeźniając polecenie matki, które wcale nie tak łatwo było wykonać. Zwłaszcza że środki przeciwbólowe przestały już działać i ramię znowu pulsowało mu żywym ogniem. Ale nie chciał brać kolejnych tabletek. Robił się po nich ospały i było mu niedobrze. Już wolał cierpieć, niż czuć się jak zombie.

Zresztą jeśli będzie się zachowywać jak ono, Bubba może go zastrzelić.

Zasada nr 1: najpierw strzelaj, potem zadawaj pytania.

Zasada nr 2: I popraw jeszcze, tak na wszelki wypadek. Lepiej dmuchać na zimne.

Nick uśmiechnął się na myśl o zasadach Bubby. Wbił wzrok w poplamiony sufit i zaczął myśleć o tym, jakim koszmarem będzie jutrzejszy dzień w szkole.

By się tym nie zamartwiać, wyciągnął z kieszeni Nintendo Nekody. Nie potrafił powiedzieć dlaczego, ale już samo dotknięcie konsoli sprawiało, że czuł się lepiej. Jakby na świecie istniał ktoś, kto się nim opiekuje.

Głupie, co?

Włączył konsolę, ale ściszył dźwięk. Mama nie miała pojęcia, że ją ma. Pewnie by się wściekła, jakby się dowiedziała. Zresztą jedną ręką i tak nie mógł grać. Ale już sama myśl o tym Nintendo sprawiała mu przyjemność. Czuł się dzięki temu wyjątkowo, jakby miał łączność z czymś większym od siebie.

Jakby jakaś dziewczyna zobaczyła w nim kogoś więcej niż ewentualnego przyjaciela.

Chciałby umieć zdobyć się na odwagę i zaprosić ją po szkole na orleański pączek. Na razie zdążył jej tylko podziękować za zaglądanie do niego w szpitalu – co robiła za każdym razem, gdy miała dyżur. Wyczekiwał tych wizyt jak wygłodniały żebrak swojego jedynego posiłku w ciągu dnia.

Niełatwo było jednak zebrać się na odwagę i powiedzieć coś tak osobistego. Nie chciał zostać odrzucony. Dobrze wiedział, że porywa się z motyką na słońce, czy też raczej na gwiazdę. Bo Kody była jak gwiazda na jego niebie – promienna, idealna gwiazda, przy której zawsze się śmiał.

A on był nikim. *Nie wychylaj się przed szereg, bo oberwiesz w tyłek*. Tyle razy już dostał po uszach od swoich kolegów z klasy. Nie chciał oberwać też od Kody. Właściwie powinien dziękować losowi za to, że w ogóle zamieniła z nim słowo w szpitalu. Jutro na pewno będzie się zachowywała jak wszystkie inne fajne, bogate dzieciaki i traktowała go, jakby był niewidzialny.

Przewrócił oczami, zirytowany własną głupotą. Jak mógł nawet rozważać, że dałaby się zaprosić na randkę. Zamknął Nintendo i schował je z powrotem do kieszeni. Jutro będzie musiał stawić czoła demonicznemu dyrektorowi oraz wszystkim tym kretynom ze szkoły. Potrzebny mu odpoczynek.

Przydałby się też miotacz ognia oraz łańcuch.

Nick kończył śniadanie składające się z kawałka wczorajszego ciasta, gdy ktoś zapukał do drzwi. Matka i wszyscy jej znajomi poza Menyarą pracowali do rana, więc nie przywykł do porannych wizyt.

Matka poszła otworzyć drzwi. Mieszkali w takiej dzielnicy, że spodziewał się zobaczyć w drzwiach policjantów dopytujących o coś, co się wydarzyło w nocy.

To, co zobaczył, wstrząsnęło nim do głębi.

W progu stała Brynna Adams w ślicznej różowej sukience i kremowym swetrze. Jej ciemne włosy podtrzymywała wąska, koronkowa opaska. Wyglądała niczym anioł. Nie pasowała do tej rudery, którą nazywali swoim domem.

– Dzień dobry, pani Gautier. Nazywam się Brynna, jestem koleżanką Nicka ze szkoły. Przynosiłam mu zadania domowe do szpitala. To pierwszy dzień Nicka z powrotem w szkole, więc ja i mój brat pomyśleliśmy, że go podwieziemy... Jeśli nie ma pani nic przeciwko temu?

Matka otworzyła i zamknęła usta, jakby ta propozycja zaskoczyła ją nie mniej niż jego. Odwróciła się na pięcie i posłała mu pytające spojrzenie.

– Znasz Brynnę?

Poczuł falę gorąca na twarzy, po części dlatego, że wstydził się ich byle jakiego domu – Brynna pewnie nigdy nie widziała takiej nory – a po części dlatego, że jego stojąca w drzwiach, na pół odziana matka miała dziwną minę, której nie potrafił rozgryźć.

– No, tak.

– Chcesz jechać z nimi do szkoły?

– Chyba tak.

Czyli jego standardowa odpowiedź w sytuacji, gdy nie był czegoś pewien.

Podniósł swój plecak z podłogi, ale zanim zdążył zarzucić go na ramię, złapała go Brynna.

– Daj, ja poniosę. Ty jeszcze nie jesteś zdrowy.

Nick zacisnął dłoń na plecaku i pociągnął do siebie.

– Nie, dzięki. Nie pozwolę żadnej dziewczynie, żeby nosiła moje rzeczy. To by nie było w porządku.

Nie wspominając o tym, że wyszedłby na mega mięczaka.

Brynna chyba chciała się z nim kłócić, ale ostatecznie kiwnęła głową, odsunęła się i puściła jego połataną, badziewną torbę.

Matka podeszła, żeby poprawić mu kołnierzyk jakże ślicznej, niebieskiej koszuli hawajskiej, którą miał na sobie, odrobinę lepszej od poprzedniej, bo ta przynajmniej nie świeciła w ciemnościach.

– Dobrego dnia, mój mały.

Och... Szkoda, że go jeszcze nie poklepała w plecki, żeby mu się odbiło. Cóż pozostało z jego męskości?

Uścisnął ją szybko bez słowa, bo jego godność i tak była już w rozsypce, po czym wyszedł za Brynną na zewnątrz, gdzie czekał na nich jej brat w nowym, czarnym SUV-ie lexusie.

Nick zagwizdał pod nosem z podziwem. Nieprzyzwoicie fajna bryka.

– Wiecie, takie auto w tej dzielnicy... Ludzie pomyślą, że handlujecie dragami.

Brynna roześmiała się, otworzyła przednie drzwi i zrobiła mu miejsce. Nick zignorował to zaproszenie i podszedł do tylnych drzwi.

– Nie chcesz siedzieć z przodu?

Wsiadł z tyłu i zatrzasnął drzwi, zanim odpowiedział:

– Nie obraź się, nie znam twojego brata, ale nie chcę, żeby sobie ktoś coś głupiego pomyślał. Właściwie nie do końca wiem, co wy tutaj robicie. Skąd wiedzieliście, gdzie mieszkam?

Brynna zajęła miejsce koło swojego brata i zapięła pas.

– Kyrian nam powiedział. To na jego prośbę podrzucałam ci zadania domowe do szpitala, żebyś sobie nie narobił za dużo zaległości.

Zamarł.

– Że co?

– Kyrian Hunter – powtórzyła. – Twój nowy szef, nie? To przyjaciel naszej rodziny. Pewnie czasem będziemy u niego na siebie wpadać. Poprosił, żebyśmy cię podwieźli do szkoły i mieli na ciebie oko. A propos, to jest mój brat, Tad. Tad, przywitaj się z Nickiem.

– Cześć.

Ruszyli.

Nick skończył zapinać pas, zerkając przy tym to na Brynnę, która odwróciła się do tyłu, to na jej brata, który nie zwracał na nich uwagi, zajęty manewrowaniem na ruchliwej drodze. Rany, Tad wyglądał zupełnie jak jego siostra. Był tylko wyższy i bardziej owłosiony.

Oczy Brynny migotały ciepło, ale dla Nicka nie była nawet w połowie tak olśniewająca jak Kody. Brynna była ładna, Kody – powalająca.

– Spodoba ci się praca dla Kyriana. To super gość.

– Skoro tak mówisz.

Uśmiechnęła się.

– Jak ramię? Cieszysz się, że wracasz do szkoły? Rehabilitacja daje ci popalić? Odrobiłeś wszystkie zadania domowe, które ci zostawiłam? Matma jest bardzo ciężka, ale jeśli potrzebne ci korepetycje, to ci je załatwimy.

Nick aż się ugiął pod lawiną pytań i komentarzy. Nie dała mu nawet szansy się odezwać, póki nie skończyła.

– Zawsze masz takie gadane z samego rana?

Tad parsknął śmiechem.

Brynna trzepnęła brata w ramię i zalała się rumieńcem.

– Przestańcie.

Tad uśmiechnął się od ucha do ucha.

– Miło wiedzieć, że nie tylko mnie irytuje twoja poranna energia. Mówiłem ci, że tego nie zniesie żaden facet.

Nick poczuł, że znowu się rumieni. Wcale nie chciał jej obrazić.

– Mnie nie irytujesz, Brynno. – Właściwie całkiem ją lubił. – Po prostu nie jestem przyzwyczajony do tego, że ludzie tacy jak ty rozmawiają ze mną z takim zainteresowaniem. Trochę mnie to wytrąciło z równowagi. Jakbym się nagle znalazł w równoległym świecie, czy coś w tym rodzaju. Jeszcze trochę, a zacznę się rozglądać za furgonetkami z Racoon City i całą resztą.

Brynna zmarszczyła brwi.

– Racoon co?

Tad prychnął.

– To z gry *Resident Evil*, idiotko. – Zerknął na Nicka we wstecznym lusterku. – Musisz jej wybaczyć, Nick. Ona rzadko gra. W kółko wisi na telefonie z tymi swoimi pustogłowymi, zajętymi tylko sobą kumpelami.

Brynna posłała bratu urażone spojrzenie.

Nick zganił się w myślach. *Czemu to do niej powiedziałem? Ależ ze mnie kretyn!* Siedzi w najfajniejszym samochodzie pod słońcem, jedzie do szkoły z najładniejszą dziewczyną w klasie, która w dodatku jest miła – i już ją obraził.

Nigdy nie znajdę dziewczyny. Jestem na to za głupi.

Jakby tego było mało, Tad podjechał pod jakiś piękny dom i zatrąbił.

Trzy sekundy później otworzyły się drzwi wejściowe i na zewnątrz wybiegła Casey Woods w czarno-złotym kostiumie cheerleaderki, który ciasno opinał każdą krzywiznę jej ciała... a jak na czternastolatkę miała ich wiele, w przeciwieństwie do większości dziewczyn z ich klasy. Jej długie ciemne, kręcone włosy były związane czarno-złotą wstążką.

Podbiegła do nich z promiennym uśmiechem jaśniejącym na twarzy.

O, cholera...

Była najlepszą koleżanką Brynny i przed pojawieniem się Kody jedyną dziewczyną w szkole, dla której Nick sprzedałby duszę, gdyby tylko zgodziła się z nim chodzić. Niestety, Casey nie zdawała sobie nawet sprawy z jego istnienia.

O czym przypomniał sobie w brutalny sposób, gdy Casey otworzyła drzwi do auta i na jego widok jej piękna twarz się nachmurzyła.

Nie umknęło to Brynnie.

– Cześć, Case. Znasz Nicka?

Casey zerknęła na niego kątem oka, jakby próbowała sobie przypomnieć.

– A powinnam?

No, pewnie, czemu miałabyś mnie znać? Chodzimy razem tylko na cztery przedmioty... A na dwóch z nich siedział w ławce zaraz przed nią.

Równie dobrze mógłbym być niewidzialny.

Nick zauważył we wstecznym lusterku, że Tad przewraca oczami.

– Case, spóźnimy się. Wsiadaj albo wracaj do domu. I zamknij za sobą drzwi.

Wrogi ton głosu Tada wtrącił Nicka w osłupienie. Jak on może być obojętny na jej wdzięki?

Casey posłała Tadowi piorunujące spojrzenie, po czym zdjęła plecak od Prady i wrzuciła go do SUV-a, a sama usiadła obok Nicka.

Czemu nie usiadłem z przodu z Tadem?

Czemu, Boże, czemu?

Casey popatrzyła wilkiem na Brynnę.

– To jakiś nowy uczeń, tak? Mówi po angielsku?

Zakłopotana Brynna zerknęła na Nicka.

– Nick chodzi z nami do szkoły od trzech lat.

– Aha... No tak, ale ja chodzę tylko na zajęcia dla zaawansowanych.

Nick w ostatniej chwili się powstrzymał, żeby się nie odgryźć. *A ja niby co? Jestem opóźniony w rozwoju?*

Choć rzeczywiście teraz czuł się tak, jakby nagle znalazł się w jakimś piekielnym wariatkowie.

Brynna otworzyła usta, by coś powiedzieć, ale Nick gestem powstrzymał ją przed wyprowadzeniem Casey z błędu. Nie chciał, by jeszcze bardziej go zdołowała.

– Hej, Tad, jak grają New Orleans Saints?

Tada rozbawiła zmiana tematu.

– Wiesz, Gautier, chyba pozwolę ci zapuścić korzenie w moim towarzystwie.

– No, tak, czysty ja, Kudzu Gautier.

Brynna zrozumiała tę uwagę, ale Casey nie. Najwyraźniej nigdy nie słyszała o uporczywym pnączu.

– Kudzu? Co to jest? – dopytywała się Casey.

Tad ją zignorował.

– A to co, do…

Nick wyjrzał przez okno i zobaczył flotyllę policyjnych samochodów przed szkołą. Były tam też dwie karetki, a nawet straż pożarna.

– Co się dzieje?

– Nie wiem… – Tad pokręcił głową.

Casey cała się rozpromieniła.

– Czyli nie będzie lekcji, tak? Och, jak to dobrze, bo nie skończyłam zadania domowego z wiedzy o społeczeństwie.

Policjanci nie pozwolili im zaparkować przed szkołą. Kazali im zostawić auto gdzieś z dala od zgromadzonego tam tłumu. Tad skręcił w Royal Street i zatrzymał się przed sklepem Fifi Mahoney's.

– Muszę się dowiedzieć, co się stało.

Nicka też zżerała ciekawość. Zostawił swój plecak w samochodzie i poszedł do szkoły razem z Tadem i dziewczynami.

Wszędzie stały grupki uczniów, z którymi rozmawiali reporterzy. Brynna i Casey odłączyły się i podeszły do koleżanek.

Nick poszedł za Tadem w stronę pani Pantall, która stała z trojgiem innych nauczycieli.

– Pani P. – zawołał Tad. – Co się dzieje?

Nauczycielka wypuściła wolno powietrze z płuc i dopiero wtedy odpowiedziała:

– To się w głowie nie mieści... Brian Murry próbował zjeść Scotta Morgana.

Oczy Nicka zrobiły się okrągłe jak spodki. Przesłyszał się?

Tad oniemiał.

– Że co?

Nauczycielka kiwnęła głową i wskazała wejście do szkoły.

– Byli w stołówce, przed dzwonkiem, wszyscy zachowywali się zupełnie normalnie, gdy nagle Brian go zaatakował, bez powodu. Wgryzł mu się w ramię, rwał skórę i mięso jak wściekły pies, który znalazł stek. W życiu czegoś takiego nie widziałam! Obrzydlistwo!

Rozszerzone oczy Tada przeniosły się na Nicka.

– Scottowi nic się nie stało?

Jakby w odpowiedzi na to pytanie wyniesiono Scotta ze szkoły na noszach. Doglądało go dwóch sanitariuszy.

Nick ruszył w tłum, by posłuchać, o czym ludzie rozmawiają. Chciał się dowiedzieć czegoś więcej o tej całej historii. Pantall na pewno nie powiedziała Tadowi wszystkiego. Wypatrzył reporterkę, która rozmawiała przez telefon.

– Mówię ci, Bob, coś się dzieje. Te wszystkie napady wczoraj w nocy, a teraz to... W ilu miastach dochodzi do sześciu kanibalistycznych ataków w ciągu dwunastu godzin?

No cóż, ostatecznie byli w Nowym Orleanie, gdzie ludzie mają luźny stosunek do wszystkiego. Ale nawet najbardziej odjechani obywatele miasta nie posunęliby się do jedzenia ludzkiego mięsa.

W każdym razie na ogół.

Choć z drugiej strony... zbliżało się Halloween. Gdyby nie obecność policji, pomyślałby, że to jakiś dowcip.

– Przesłuchują go teraz. Jest trochę otumaniony. Jakby mu się pomieszało w głowie czy coś w tym rodzaju. Szkoda, że nie możesz zobaczyć ręki ofiary... Wgryzł się w nią do kości. Koledzy z klasy mówią, że zjadł całe to odgryzione mięso, jakby był wygłodniały. Myślisz, że to możesz mieć coś wspólnego z voodoo?

Akurat, zawsze jak wydarzy się coś dziwnego, winę zwala się na gotów albo wyznawców voodoo – jakby zwykłym ludziom nigdy nie odbijało. Może powinien przypomnieć reporterce, że słynny seryjny zabójca i kanibal Jeffrey Dahmer nie wyznawał voodoo, a Brian aż do teraz był przeciętnym mięśniakiem, jak reszta drużyny piłkarskiej. Może trochę głupszym od tej reszty, ale najnormalniejszym pod słońcem.

Aż do chwili, gdy próbował zjeść Scotta.

Nick ruszył dalej i podszedł do karetki, do której właśnie ładowali Scotta. Ramię miał owinięte białym bandażem, przez który przesączała się krew.

Scott zanosił się płaczem.

– Ja tylko wyciągnąłem rękę po jego mleko. Mógł przecież powiedzieć „nie". Nie musiał mi zjadać ręki... Boże, już nigdy nie zagram w piłkę. Stracę stypendium, jestem tego pewien. Nie uda nam się dojść do mistrzostw stanu. Terry sobie nie poradzi. Boże, mamy już ten sezon z głowy. I dlaczego? Dlaczego on to zrobił?

No właśnie, to pytanie zadawali sobie wszyscy...

– Ej, ty tam! Już za barykadę!

Nick kiwnął głową i wykonał polecenie funkcjonariusza.

– Hej, Nick! – Podbiegł do niego Frank McDaniel. – Słyszałeś, co się stało? Brian zjadł Scotta. Super, co? Rany, ale bym chciał to zobaczyć. Moja wina, że się spóźniłem do szkoły. Ominęła mnie najlepsza zabawa.

Jason potaknął i roześmiał się.

– Mam tylko nadzieję, że cokolwiek złapał, nie jest to zaraźliwe. Nie chciałbym natknąć się na nikogo, kto by próbował wgryźć się we mnie. Nie mam też ochoty sam się na nikogo rzucić. Rany. Moja stara jest weganką. W zeszłym roku latem dostałem szlaban na pół roku za zjedzenie cheeseburgera w McDonaldzie. Wyobrażacie sobie, na ile bym dostał szlaban za zjedzenie człowieka?

Frank zerknął tęsknie w stronę grupki, wśród której znajdowały się Brynna z Casey.

– Jeśli to jest zaraźliwe, to mam nadzieję, że Casey Woods to złapie i rzuci się na mnie. Jak już mam zejść, to nie ma lepszego sposobu niż zostać pożartym przez główną cheerleaderkę.

Jason przybił mu piątkę.

– No, prawda. Ja też się piszę. Chętnie zostanę jej gryzakiem.

Nick zignorował kolegów, bo właśnie wypatrzył swojego partnera z laboratorium chemicznego, Madauga Keatona, który stał koło karetki i coś mruczał do siebie pod nosem. Madaug był niemalże wcieleniem stereotypowego nerda. Na czarny T-shirt z logo gry komputerowej zarzucił rozpiętą, niebieską koszulę. Jego mysie włosy były krótko przycięte, a duże niebieskie oczy zawsze schowane za okularami w cienkich oprawkach.

Nick dobrze wiedział, że imię kolegi wymawia się „Maa-dag", ale, podobnie jak większość osób w klasie, zwykle robił z tego „Mad doga" czyli „Wściekłego psa". Co nieodmiennie wkurzało Madauga, który teraz robił wrażenie już i tak porządnie wyprowadzonego z równowagi.

– Hej, stary. Wszystko dobrze?

Madaug zamarł.

– Eee... no, tak. Straszne, co?

– Masakra.

Madaug pokiwał głową.

– Nie mogę w to uwierzyć. Po prostu nie mogę.

Nickowi też się to nie mieściło w głowie.

– Cóż, przynajmniej dzisiaj nie musisz się martwić, że Scott czy Brian będą się ciebie czepiać na wuefie, nie?

Gdy Nick był ostatnio w szkole, Brian założył spodenki gimnastyczne Madauga, a gdy już je całe przepocił, zmusił ich właściciela, by się w nie przebrał.

Rzadkie świństwo.

Madaug nie odpowiedział na pytanie i dalej się gorączkował.

Z tłumu dobiegł ich donośny głos, który zagłuszył inne.

– Ludzie, mówię wam, że to atak zombie. Zet-o-em-be-i-e. Zombie. Otwórzcie oczy, zanim będzie za późno i ktoś jeszcze zostanie zjedzony. Każdy z was może być następnym daniem w apokaliptycznym menu. Słuchajcie, co mówię, i zaopatrzcie się w amunicję! Dziś mam nową dostawę!

Nick znał ten głos, ale nie był przyzwyczajony do kontaktu z nim tak wcześnie rano.

Bombowy Bubba Burdette, właściciel sklepu „Trzy B".

Rany, i Bubby szlag nie trafił od tego, że tak wcześnie wstał? Kto by pomyślał! Nick mógłby przysiąc, że facet sam jest półwampirem.

Bubba miał ponad metr osiemdziesiąt wzrostu i był ciekawą mieszaniną wieśniaka z południa z gotem. Jakby na potwierdzenie tego włożył dziś T-shirt z filmu *Świt żywych trupów*, na który zarzucił czerwoną, flanelową koszulę, do tego luźne dżinsy oraz parę czarnych martensów pomalowanych w czerwone czaszki. Miał krótkie czarne włosy i kozią bródkę. Przedstawiał sobą przerażający widok, ale gdy tylko otworzył usta i odezwał się z tym swoim silnym, przeciągłym, wschodnim akcentem, od razu stawał się mniej groźny i budził skojarzenie raczej z puszystą pandą.

Pod warunkiem, że nie przeszkodziło mu się w oglądaniu popołudniowego programu Oprah Winfrey. Bubba powtarzał, że każdy, kto jest na tyle głupi, by to zrobić, zasługuje, by wypruć mu flaki.

Przeciągły akcent sprawiał też, że większość ludzi nie doceniała człowieka, którego poziom inteligencji zdecydowanie przewyższał normę. Bubba ukończył uczelnię MIT* jako najlepszy ze studentów, i to na dwóch kierunkach: informatyce oraz robotyce. A teraz prowadził „Trzy B", sklep z bronią i komputerami, gdzie można go było również wynająć do załatwienia innych spraw, legalnych i nie tylko.

Jeśli nie potrafił sobie z nimi poradzić, wyciągał pistolet i załatwiał je w inny sposób.

Reporterzy zostawili w końcu Bubbę w spokoju i poszli przeprowadzić wywiady z uczniami.

---

* Massachusetts Institute of Technology – amerykańska uczelnia techniczna, założona na początku lat 60. XIX w. w Bostonie z inicjatywy Williama Bartona Rogersa; za zadanie postawiła sobie najwyższy poziom dydaktyczny i badawczy, ze szczególnym uwzględnieniem praktycznego wykorzystania odkryć (*przyp. red.*)

Bubba wypluł kawałek przeżutego tytoniu na chodnik.

– Jak sobie chcecie, troglodyci, nie zwracajcie uwagi na jedynego człowieka, który wie, co się dzieje. Jedynego, który wie, jak uratować wasze parszywe, bezsensowne żywoty. Lepiej pogrążcie się z powrotem w tej swojej medialnej śpiączce i dalej wierzcie w bzdury wciskane wam przez zachłannych polityków, którzy was kontrolują za pomocą nieprzemyślanych kłamstw oraz ukierunkowanych na konsumenta dystrakcji*.

– Te ukierunkowane na konsumenta dystrakcje, czy to nie one napędzają ruch w twoim sklepie, Bubba? – zapytał Nick, podchodząc do niego.

Bubba zmrużył swoje ciemnobrązowe oczy i spojrzał na Nicka z odrazą.

– Ty mi tu nie pyskuj, Nick. Nie jestem rannym ptaszkiem i mógłbym odreagować na tobie swój kiepski humor.

– Wiem, wiem. No, to czemu już jesteś na nogach?

– W ogóle jeszcze nie spałem. Fingerman zadzwonił koło północy i powiedział mi, że po mieście grasują zombie i że potrzebuje pomocy. No to złapałem broń i wybrałem się na polowanie na zalewiska.

Normalnym ludziom ta rozmowa mogłaby się wydać dziwna, ale ostatecznie wszystkie rozmowy z Bub-

* dystrakcja – czynnik przeszkadzający w skupieniu uwagi (*przyp. red.*)

bą były dziwne. Polowania na zombie były tylko jedną z wielu usług, jakie oferował.

– I co, zjedli Marka?

– Nie, ten mięczak kimnął w drodze powrotnej do sklepu. Śpi zwinięty w kłębek na przednim siedzeniu niczym nowo narodzona dziewczynka. Ssie palec przez sen, a pod głowę podłożył sobie kurtkę. Sam nie wiem, co z nim pocznę.

Nick otworzył usta, by coś powiedzieć, ale nagle się zorientował, że rozmowy dookoła ucichły. Aż mu się włosy zjeżyły na karku. Obejrzał się za siebie i zobaczył Briana, którego właśnie wyprowadzano ze szkoły w kajdankach.

Pomijając krew na przodzie szkolnej kurtki, wyglądał normalnie. Najzupełniej. No tak, był trochę blady i oczy miał podkrążone, jakby się nie wyspał, ale poza tym...

Nikt by nigdy nie pomyślał, że właśnie próbował zjeść swojego najlepszego przyjaciela.

Brian zwolnił, gdy przechodził koło kapitana drużyny. Ich oczy się spotkały i można było odnieść wrażenie, że porozumiewają się bez słów.

Policjanci popchnęli go do przodu.

Brian oglądał się za siebie, na kapitana, dopóki nie wepchnięto go do policyjnego auta.

Nick spojrzał na Bubbę.

– Nie sądzisz, że to było dziwne? Czy to tylko mnie się tak wydaje?

– A coś dzisiaj nie było dziwne, młody? – uśmiechnął się Bubba.

Racja.

– No, to jak myślisz, o co w tym wszystkim chodzi? – zapytał Nick.

Bubba podrapał się w głowę.

– Sam próbuję to rozgryźć. Normalne ataki zombie... – Nick od razu zaczął się zastanawiać, co można w takim razie zakwalifikować jako nienormalny atak zombie. – ... przeprowadzają zmarli, którzy powstali z grobów i którzy są kontrolowani przez swoich panów. Atakują ludzi, by poznać smak krwi. Ale to...? Ten dzieciak nie był martwy. To nie ma sensu.

– Może ktoś mu czegoś dosypał do płatków śniadaniowych?

Bubba pokręcił głową.

– Pewne środki chemiczne mogą zrobić z człowieka coś podobnego do zombie, ale nie zmuszą go do zjedzenia innego człowieka. Może rząd testuje jakąś broń biologiczną? Lepiej nie pij kranówki ani owoców morza, aż tego nie przebadam.

Nick się uśmiechnął.

– Normalnie raczej nie piję owoców morza, ale...

– Nie wymądrzaj się, Gautier. Wciąż mam przy sobie naładowaną broń.

Nick otworzył usta, by coś powiedzieć, ale uciszył go histeryczny wrzask.

– Boże! Trener właśnie zjadł pana Petersa! Na pomoc! Ratunku!

Policjanci rzucili się do drzwi szkoły, przez które właśnie wypadła sekretarka. Wrzeszczała z przerażenia i darła sobie włosy z głowy.

Nick zamarł i zadumał się nad wiadomością o Petersie. Z jednej strony to okropne, że zjedzono człowieka, ale z drugiej…

Był z tego całkiem zadowolony. Tej świętoszkowatej świni po prostu się należało.

Nick, tak nie można. W myślach usłyszał głos matki. No tak, może i nie można, ale i tak nie potrafił się oprzeć poczuciu, że to coś w rodzaju boskiej pomsty.

Policja odepchnęła tłum od drzwi, a do środka wpadli dziennikarze szukający okazji do zrobienia zdjęć i nakręcenia materiału.

Nagle na zewnątrz pojawił się wicedyrektor z tubą.

– Szkoła jest dziś zamknięta! Wszyscy uczniowie mają wrócić do domów! Skontaktujemy się z wami później! Proszę… Proszę się rozejść! Uczniowie przebywający nadal na terenie szkoły zostaną zawieszeni w swoich prawach! Idźcie do domów i nie wracajcie tu dzisiaj!

– Miejmy nadzieję, że jutro też nie! – zawołał któryś z uczniów.

Bubba wypluł tytoń.

– Masz dzisiaj dobry dzień, co?

– Tak długo, jak nie zje mnie trener piłkarski... Mogę iść z tobą do sklepu i pogrzebać trochę w Internecie na ten temat?

Bubba kiwnął głową.

– Pewnie, przypilnujesz mi sklepu, a ja pójdę trochę się przespać.

Nick nie miał nic przeciwko temu.

– Pójdę tylko po swój plecak i zaraz wracam.

Zostawił Bubbę i poszedł szukać Tada. Wypatrzył go w dużej grupce starszych uczniów.

Byli tak pochłonięci rozmową, że żaden z nich go nie zauważył.

– Mówię wam, musimy powiadomić radę i Mrocznych Łowców. To mi wygląda na dzieło daimonów.

– Coś ty, za dnia? Przecież wiesz, że daimony nie są w stanie atakować przed zachodem słońca. Usmażyłyby się, gdyby tylko wychynęły teraz na zewnątrz.

– Ale wczoraj w nocy było więcej ataków. I to się rozprzestrzenia. Nadal uważam, że to ma jakiś związek z daimonami. One coś knują. Zapamiętaj moje słowa.

Jeden z uczniów przewrócił oczami.

– Daimony nie są w stanie przemieniać ludzi. To pierwsza rzecz, której się wszyscy nauczyliśmy.

– No to co to może być? To musi mieć jakiś związek z nimi.

Tad spojrzał uważnie na kolegę, Alexa Peltiera, który przez cały ten czas się nie odzywał.

– A ugryzienie Zwierzo-Łowcy może przemienić człowieka w zwierzołaka?

– Co to jest Zwierzo-Łowca? – wyrwało się Nickowi, nim zdążył się ugryźć w język.

Odwrócili się wszyscy w jego stronę i natychmiast wyrósł między nimi mur.

Russell Jordan, który do tej pory najwięcej mówił, skrzywił się, jakby Nick budził w nim wstręt.

– A ty co tu robisz? Urwałeś się ze swojej przyczepy?

Tad odchrząknął.

– On teraz pracuje dla Kyriana, Russ, więc lepiej bądź grzeczny albo Kyrian się wkurzy. – Odwrócił się do Nicka. – Co mogę dla ciebie zrobić?

– Zostawiłem plecak w twoim samochodzie.

– Zaraz wracam – powiedział Tad do kolegów, po czym poszedł z Nickiem.

Nick spochmurniał.

– No, to co to jest Zwierzo-Łowca?

– Terminologia z gier. To ktoś, kto poluje na zwierzęta.

To nie miało najmniejszego sensu. Zresztą nigdy nie słyszał tego słowa.

– Skoro to tylko gra, to czemu pytałeś, czy mogą przemieniać ludzi?

Tad nie odpowiedział. Zamiast tego zaprowadził Nicka do swojego SUV-a, wyciągnął jego plecak i odszedł bez słowa. Nick patrzył, jak Tad wraca do kolegów.

Dzięki za wszystkie nie-odpowiedzi. Z Tada będzie kiedyś świetny ojciec.

Działo się coś dziwnego. I zdawała sobie z tego sprawę chyba połowa ludzi w szkole. Nick postanowił, że zrobi wszystko, by poznać ten sekret.

Nawet gdyby go to miało zabić.

A przede wszystkim zamierzał się dowiedzieć, jak się przed tym bronić, bo nie miał zamiaru utracić tej odrobiny szarych komórek, które były w jego posiadaniu.

Nowy Orlean robił się zdecydowanie dziwny i Nick nie miał ochoty zostać przez nikogo pożarty.

No, chyba że przez Nekodę, której dziwnie brakowało wśród tłumu uczniów...

Czyżby coś dorwało ją wczoraj w nocy i dodało do swojego menu?

ROZDZIAŁ 5

Sfrustrowany Nick wypuścił powietrze z płuc i wstukał w wyszukiwarkę kolejną komendę. Czuł się jak ostatni baran z tą jedną zdrową ręką. Zresztą baran pewnie też by za bardzo nie trykał bez jednej kończyny. Potknąłby się tylko, przewrócił i doznał wstrząsu mózgu... A to pewnie nieźle boli.

Zdenerwował się na siebie za to przeskakiwanie z tematu na temat, typowe dla osoby z ADD*. Próbował skupić się na tym, co robi.

A zajęty był szukaniem informacji na temat ataków zombie.

Chyba zwariowałem... W pobliżu nie było żadnych dorosłych, więc powinien przeglądać strony z seksownymi laskami, a nie takie rzeczy.

---

* ADD – pierwotna nazwa ADHD, czyli zespół nadpobudliwości ruchowej (*przyp. red.*)

Syknął, gdy zobaczył, że wystukał „chemincze zmobie".

Rany, jak ludzie sobie radzą z jedną ręką? Wciąż się mylił w pisaniu. Sięganie przez całą klawiaturę zaczynało go już mocno irytować.

Co gorsza, środki przeciwbólowe przestały działać, a ponieważ w szkole obowiązywał ścisły zakaz wnoszenia tabletek, nawet przeciwbólowych, więc nie wziął nic ze sobą, bo nie miał ochoty na rewizję osobistą u Petersa w gabinecie. A teraz nie dość, że go bolało, to jeszcze nie mógł znaleźć w Internecie nic na temat przypadłości, w wyniku której chory łaknie ludzkiego mięsa. Nic poza informacjami na temat wilkołaków. I mięsożernych demonów. I szatańskich pasożytów...

Akurat. Jakby coś takiego w ogóle istniało poza ekranem filmowym...

Bardzo chciał wypytać Bubbę o jego teorie na ten temat, ale właściciel sklepu wyraził się jasno:

– Jak mnie obudzisz, młody, to zastrzelę cię na miejscu.

W przypadku większości osób takie słowa można by wziąć za pogróżkę bez pokrycia, ale gdy chodzi o kogoś, kto trzyma pod ręką więcej broni niż uczestnicy terrorystycznego obozu treningowego i ma temperament zabójcy-świra, lepiej założyć, że może naprawdę wprowadzić to w czyn. Pewnie by się jeszcze śmiał do rozpuku, patrosząc swoją ofiarę.

Bubba często powtarzał:

– Mam pistolet i koparkę. Nikt nie będzie szukał ciała pod zbiornikiem na szambo.

Nick zaczął się zastanawiać, ilu wrogów Bubby trafiło już na listy osób zaginionych.

Ale to już zupełnie inna historia...

Nagle rozległ się dzwonek umieszczony nad drzwiami do sklepu. Nick westchnął z irytacją, wstał od komputera i wrócił za ladę, by sprawdzić, kogo przyniosło.

Znieruchomiał i wytrzeszczył oczy.

A niech mnie...

Każdy męski hormon w jego ciele zapłonął żywym ogniem na widok najseksowniejszej chyba laski w Nowym Orleanie. Była od niego o kilka lat starsza i po prostu niesamowita. No i na jej widok zupełnie zapomniał o bólu.

Miała na sobie obcisłe spodnie z czarnej skóry i czerwony top bez pleców, a do tego nabijaną ćwiekami czarną skórzaną obrożę oraz bransoletki. Jej szczupłą talię cztery razy owijał długi, również nabijany ćwiekami pasek z czarnej skóry. Ogromny srebrny krzyż pokryty kryształami górskimi zwieszał się z tego paska i obijał o jej udo, gdy zbliżała się do niego ponętnym krokiem, który – nie miał co do tego żadnych wątpliwości – starszych mężczyzn przyprawiał zapewne o atak serca. Czarne włosy miała przycięte krótko na pazia. Były trochę matowe, z czego wywnioskował, że je farbuje.

Oczy miała obwiedzione grubą kreską czarnej konturówki, co nadawało im zdecydowanie koci wygląd. Jej wargi, podobnie jak oczy, też były czarne.

Normalnie gotki na niego nie działały, ale ta...

No tak, niezła laska. A najlepsze było to, że gdyby się z nią zadał i skończył z jej szminką na kołnierzyku, matka pomyślałaby, że to smar. Dzięki czemu nie dostałby szlabanu.

Wstydź się, Nick. Zdradzasz Kody.

No, nie do końca, przecież nie byli parą. To nie zdrada. Przynajmniej nie formalnie rzecz biorąc. A mimo to czuł się jak zdrajca.

Cholernie dziwne. *Jestem już wytresowany, choć nikt nie rości sobie jeszcze do mnie praw*. Straszna kaszana.

Klientka podeszła i nachyliła się nad szklaną ladą tak, że jej biust prawie na niej wylądował, i spojrzała w stronę pokoju na zapleczu, w którym wcześniej siedział Nick.

– Gdzie Bubba?

– Śpi. Mogę czymś służyć?

Ze wszystkich sił starał się patrzeć na jej twarz, a nie tam, gdzie naprawdę, ale to naprawdę miał ochotę spojrzeć. Jeszcze by mu za to przyłożyła, a że nosiła pierścionki ze szpikulcami...

Zabolałoby, i to konkretnie.

Strzeliła balona z gumy do żucia i przyjrzała mu się z rozbawieniem.

– A Mark?

– Też śpi.

Wyprostowała się.

– Pomagasz w sklepie?

– Tylko dzisiaj. Oni pracowali do późna.

– Założę się.

Zsunęła sobie plecak z ramion, postawiła go na ziemi i otworzyła.

Nick stanął na palcach, by mieć lepszy widok na jej kształtny tyłek, gdy była zajęta grzebaniem w plecaku. Rany, ale lacha...

Chętnie dałbym się uwieść starszej kobiecie...

Myśl o Kody. Myśl o Kody...

Po kilku sekundach dziewczyna wyprostowała się. W ręce trzymała coś, co wyglądało jak stalowe kołki.

– Bubba musi mi je naostrzyć. Powiedz mu też, że potrzeba mi kilka nowych shurikenów*. Tak szybko, jak się da. Albo jeszcze szybciej.

Oczy Nicka aż się rozszerzyły, gdy się zorientował, że na jednym z kołków jest krew.

– Mogę o coś zapytać?

– Nie, jeśli chcesz dożyć lunchu. Nazywam się Tabitha Deveraux. A ty?

Super, kolejna fajna Cajunka, jak on.

– Nick Gautier.

* shuriken – broń wojowników ninja, metalowe gwiazdy do ręcznego miotania, czasem ich ostrza pokrywano trucizną (*przyp. red.*)

– Miło cię poznać, Nick. Powiedz Bubbie, że wrócę po wszystko o zmierzchu. I niech je lepiej dobrze naostrzy. Nie chcę, żeby jakiś wampir przeżył mój atak i ruszył na mnie znowu. Zrozumiano?

Rany... Czemu wszystkie seksowne kobiety mają nierówno pod sufitem?

– Tak jest, proszę pani.

Podniosła plecak, zarzuciła go sobie na ramię, po czym zakręciła biodrem w taki sposób, że krew odpłynęła mu z mózgu.

– Do jakiej szkoły chodzisz?

– St. Richard's.

– To ta, gdzie trener zjadł dyrektora? Super. Szkoda, że nic takiego nie przydarzyło się w St. Mary's. Niestety, tam to ja jestem najbardziej przerażającą istotą. – Puściła do niego oko. – Miłego dnia, mały.

Miał nadzieję, że ślina nie leciała mu z ust, gdy za nią patrzył. Wyszła na zewnątrz, gdzie czekał na nią czarny motocykl nighthawk. Przerzuciła jedną długą nogę przez siodełko, zapaliła silnik, a potem założyła kask.

Rany...

Nick wypuścił powietrze z płuc, dopiero gdy zniknęła mu z oczu.

Uff... W życiu nie przeżył czegoś równie niesamowitego.

– Wiesz, Bubba, powinienem ci płacić za możliwość pracy u ciebie – mruknął do siebie.

Bo jeśli takie kobiety zjawiają się tu często – nawet jeśli są kompletnie szurnięte – to naprawdę chciałby tu pracować. Z chęcią zapomniałby o pani Lizie i jej sklepie, do którego zaglądały głównie małe dziewczynki ze swoimi mamami. Chciał pracować w Walhalli Kociaków. Aż do śmierci od nadmiaru testosteronu.

Zagwizdał z podziwem i wziął kołki z lady. Ciekawe, czyja to krew? Gdy chodziło o znajomych Bubby wszystkiego można się było spodziewać.

Wsadził je do jednego z plastikowych wiaderek, w których Bubba gromadził rzeczy do naprawy. Dołożył do nich notatkę z jej nazwiskiem oraz poleceniami, które mu przekazała.

Już miał wrócić przed komputer, gdy znowu rozległ się dzwonek nad drzwiami. Obrócił się więc na pięcie, starając się nie denerwować faktem, że znowu mu przeszkodzono. To był Madaug.

– Cześć, stary, co tam?

Madaug też oparł się o ladę i próbował zajrzeć do pomieszczenia na zapleczu, choć nie stworzyło to równie czadowego efektu, jak w przypadku Tabithy. I, z punktu widzenia Nicka, może to i dobrze.

– Jest Bubba?

– Nie. Śpi na górze. Mogę ci w czymś pomóc?

– Nie, chyba nie.

Nick zauważył, że kolega jest wyjątkowo rozkojarzony i niespokojny. Jakby go coś gryzło.

– Świrujesz w związku z tym, co się stało w szkole?

– Co? A nie... nie do końca. No, może trochę. W pewnym sensie. Słuchaj, muszę porozmawiać z Bubbą, jak tylko wstanie. To bardzo ważne.

Nick podrapał się delikatnie w bolące ramię.

– No, dobra. Zostaw numer. Powiem mu, żeby do ciebie zadzwonił.

Madaug sięgnął po notes i długopis leżące przy kasie. Szybko zapisał swój numer i podał Nickowi.

– Proszę cię, tylko nie zapomnij. To naprawdę bardzo ważne.

– Spoko.

Madaug zawahał się, w końcu puścił notes i cofnął się o krok. Rzucił jeszcze jedno tęskne spojrzenie w stronę pokoju na zapleczu, po czym wyszedł.

Wychodzi na to, że chłopak jest jeszcze większym szaleńcem niż Tabitha. Chyba się za bardzo nawąchał formaldehydu na lekcjach chemii. Mózg mu się musiał od tego ukisić. Albo Stone i jego banda o jeden raz za dużo popchnęli go na szafki, porządnie uszkadzając mu przy tym głowę.

Zresztą nieważne...

Nick wepchnął sobie kartkę papieru do kieszeni i ruszył w stronę komputera.

Gdy tylko koło niego stanął, dzwonek nad drzwiami znowu się odezwał.

– Jasna cholera...

Co znowu? Jęknął pod nosem i ruszył z powrotem, żeby sprawdzić, kto tym razem szuka Bubby. Nic dziwnego, że Bubba wiecznie zrzędzi. Jeśli tak wygląda jego typowy dzień, łatwo zrozumieć, czemu ten wieśniak z południa jest tak gderliwy.

Nagle Nick zamarł na widok trzech członków drużyny futbolowej, którzy krążyli po sklepie, jakby czegoś szukali. Nie znał ich z nazwiska, jedynie z widzenia. Grali w drugim składzie, jak Stone, i byli jeszcze bardziej agresywni w stosunku do szkolnych nieudaczników. Należeli do kategorii, której Nick starał się zawsze unikać. To oni i im podobni rzucali biednym Maudagiem w szafki, by potem się z tego naśmiewać.

Najdziwniejsze było to, że pociągali nosami niczym psy w pogoni za łupem. Aż go na ten widok przeszył dreszcz.

– Mogę wam w czymś pomóc? – zapytał Nick.

Do przodu wysunął się najwyższy z nich, brunet, szczerzący się tak, że mógłby reklamować pastę do zębów. Na kurtce miał wypisane imię BIFF*.

Rodzice muszą go szczerze nie znosić! Nick ugryzł się w język, żeby tego nie skomentować. *Jestem tu, by pomóc Bubbie, a nie dać jakimś idiotom skopać sobie tyłek.*

Biff podszedł bliżej.

– Ten nerd? Gdzie?

---

* biff – (ang.) szturchaniec, cios, uderzenie; także: uderzyć, trzepnąć, walnąć (*przyp. tłum.*)

To smutne, że nie jest nawet w stanie stworzyć pełnego zdania. *Widzisz, co się dzieje, jak człowiek nadużywa sterydów?* Trzeba było zacząć od przeczytania ostrzeżenia o efektach ubocznych. Najpierw kurczy się penis, a potem rozlatuje się struktura zdania. Nawet się człowiek nie obejrzy, a już wspina się na szczyt Empire State Building i wymachuje wyrośniętymi nad miarę piąchami do przelatujących samolotów.

Choć z drugiej strony ma do towarzystwa wybitnie atrakcyjną blondynkę, więc nawet bycie potworem ma swoje plusy...

Ale tu sytuacja przedstawiała się inaczej.

– Szukacie Bubby czy Marka? – zapytał Nick.

Termin „nerd" zdecydowanie pasował do obu. Ostatecznie byli królami komputerów, filmów klasy B, gier komputerowych i nauk ścisłych.

– Nerd!

Złapał Nicka za koszulę i wyciągnął go zza lady.

Nick zaklął, bo uszkodzone ramię zabolało go, po czym zdzielił gościa w twarz, ale ten chyba tego nawet nie zauważył.

– Puszczaj mnie, zwierzaku. Albo...

Mięśniak przytknął nos do szyi Nicka i zaciągnął się głęboko.

Nick skrzywił się z odrazą.

– Co ty? Jakiś zboczeniec jesteś czy co? Zabieraj łapy!

I z całej siły kopnął go w lędźwia.

Biff złożył się w pół.

– Jedzie od niego nerdem... Brać go!

Ruszyli na niego.

Nick przeskoczył przez ladę i pobiegł na zaplecze, gdzie Bubba trzymał, tak na wszelki wypadek, siekierę. Nigdy nie wyjaśnił, o jaki konkretnie wszelki wypadek chodzi, ale Nick stwierdził, że to dobry moment, by wyciągnąć ją z ukrycia. Zresztą, była to jedyna broń w całym sklepie, którą mógł się posługiwać jedną ręką.

Obrócił się w stronę najbliższego osiłka, który, jak wynikało z kurtki, miał na imię Jimmy.

– Stary... lepiej się cofnij, bo cię siekne! I to z całej pety!

Jimmy zawahał się.

Dumny, że tak łatwo udało mu się odeprzeć wroga, Nick cały się napuszył.

– Tak, tak. Zgadza się. Wcale mnie nie chcesz dopaść. Bo ze mnie jest niezły...

Jego brawura się wyczerpała, gdy zaatakowali go wszyscy jednocześnie.

A niech to...

Podniósł siekierę i zamachnął się na pierwszego napastnika, który go dopadł. Siekiera trafiła w gablotę, która rozbiła się w drobny mak. Odłamki szkła posypały się na tamtych. Nick podniósł siekierę do kolejnego uderzenia.

Ale zanim zdążył się dobrze ustawić, Biff ugryzł go w zdrowe ramię.

Nick wrzasnął z bólu i potraktował sportsmena z byka, górną krawędzią siekiery odepchnął go w stronę kolegów, a następnie jednym zręcznym ruchem odwrócił się i uniósł rękę do kolejnego ciosu.

– Na litość boską, co się tutaj dzieje? – Bubba wyrwał Nickowi siekierę z ręki i zamierzył się nią, jakby miał go zamiar zaatakować. – Młody, czyś ty postradał resztę rozumu? Sklep mi rozwalasz. Rozpirzasz rzeczy... Masz szczęście, że cię jeszcze nie tłukę trzonkiem od siekiery.

Nick wskazał na mięśniaków.

– Bubba, to są zombie! – Podsunął mu ramię pod nos, by pokazać krew. – Chcą mnie zjeść!

Bubba zaklął.

– No to czemu od razu nie mówisz?

Biff zatopił zęby w ręce Bubby. To było porównywalne z wejściem w legowisko grzechotników.

Bubba uderzył napastnika z taką siłą, że Nick prawie to poczuł.

Biff zatoczył się do tyłu, a jego dwaj koledzy otworzyli usta i zasyczeli.

– Pieprzone zombie!

Bubba oddał Nickowi siekierę, a sam złapał pistolet ze ściany. Naładował i wymierzył w głowę mięśniaka stojącego najbliżej.

Oczy zombie rozszerzyły się, gdy do niego dotarło, że Bubba zaraz wyśle go prosto w kolejne życie po życiu. Wszyscy trzej wrzasnęli w panice, obrócili się na pięcie i w nadludzkim tempie wypadli ze sklepu.

To było jak krzyżówka „Resident Evil" z szympansami poddanymi zombifikacji.

Bubba podbiegł do drzwi, by lepiej wymierzyć.

Niewiele myśląc, Nick szarpnął pistoletem w tej samej chwili, gdy Bubba nacisnął spust. Lufa zatoczyła koło i w efekcie pocisk, zamiast trafić w któregoś z osiłków, zrobił wielką dziurę w wiszącym na ścianie koło kasy zdjęciu matki Bubby, dokładnie na wysokości oczu.

Nick wpatrywał się w tę dziurę z bezbrzeżnym przerażeniem. *Boże, już nie żyję.*

Bubba bardzo kochał swoją matkę.

A on strzelił jej między oczy.

Na twarzy Bubby odmalowała się wściekłość tak szaleńcza, że Nickowi zrobiło się niedobrze.

– Bubba... Przepraszam.

Ruszył na Nicka jak głodny lew podczas łowów.

– Zaraz będziesz przepraszał jeszcze bardziej. Przez ciebie strzeliłem w mamę. Chłopie, coś ty sobie myślał? Co ci odbiło?!

Nick nie mógł się już dalej cofać, bo doszedł do ściany. Nie było się gdzie schować. Uniósł rękę do góry, by powstrzymać Bubbę przed zaszlachtowaniem go.

– Nie mogłem ci pozwolić ich zabić.

– A niby czemu nie?

– Po pierwsze dlatego, że to niezgodne z prawem... No, halo, myślisz, że policja by uwierzyła, że to zombie nas zaatakowały? Jakoś mi się nie wydaje. A poza tym oni są z mojej klasy. To świnie, ale jednak. Mam już dość kłopotów w szkole. Wysłanie trzech członków drużyny futbolowej na tamten świat zepsułoby mi reputację na zawsze.

Bubba prychnął.

– I co z tego? Nie wiem, czy zauważyłeś, ale ci twoi kolesie stali się zombie. Gdybym nie zszedł na dół, już by cię rozdzierali na części i opychali się tobą. Powinieneś mi dziękować, a nie strzelać mamie w głowę.

Nickowi minęła panika, gdy dotarło do niego, że Bubba go wcale nie dusi. Przynajmniej na razie...

– No wiem, ale... oni nie byli martwi. Jak mogą być zombie, skoro najpierw nie umarli? Czy to nie pierwszy krok?

Bubba zawahał się.

– No cóż, technicznie rzecz biorąc rzeczywiście jest to pewien problem ... Ale tylko w tradycyjnym rozumieniu.

– Znaczy?

Bubba podrapał się w zarost na policzku.

– Zakładając, że ich bokor wezwał ich...

– Ich co?

Nick nie znosił, gdy Bubba stosował tę swoją odlecianą terminologię.

– Cholera, młody, czy oni w tej twojej szkole nie uczą was niczego użytecznego? Bokor. Osoba, która tworzy i kontroluje zombie. W jakiej ciemnej dziurze ty siedziałeś, że tego nie wiesz?

Niektórzy ludzie pewnie by powiedzieli, że ta dziura nazywa się „rzeczywistość", ale Nick na tyle cenił swoje życie, że ugryzł się w język i powstrzymał przed sarkazmem. Nie było to łatwe... ale po zastrzeleniu matki Bubby nie mógł sobie pozwolić na takie ryzyko.

Bubba przewrócił oczami, po czym ciągnął dalej:

– Na ogół bokorzy używają ciał zmarłych, ale nie musi tak być. Było wiele badań na temat chemicznie wywołanego stanu zombie u osób, które wcale wcześniej nie umarły.

Może i tak, ale Nick jakoś w to nie wierzył.

– A co, jeśli mamy do czynienia z sytuacją jak w *Resident Evil* i szaleje wirus, który załatwi nas wszystkich? Co wtedy? No, co?

Nick zerknął na ślad ugryzienia i dotarło do niego, co to znaczy. Poczuł panikę. Wirus zawsze zaczynał się od ugryzienia... Zombie Zero. Pierwsze ugryzienie, od którego rozpoczyna się apokalipsa.

I padło na niego.

– Rany, najpierw zostaję postrzelony, a teraz mam się przemienić w zombie? W tym tempie nie dożyję pierwszej randki ani prawa jazdy. Boziu! Nie mogę przecież umrzeć jako pieszy prawiczek. Bubba, nie pozwól na to... Do szesnastych urodzin zostało mi tylko siedemnaście miesięcy i trzy dni!

Bubba trzepnął go w głowę.

– Weź się w garść, chłopie. I zapomnij o tych hollywoodzkich bzdurach. Zombie nie zarażają. Mieszkasz w Nowym Orleanie, Nick. Ja tu z nimi walczę od wielu dziesięcioleci. Zombie można zostać tylko w jeden sposób: gdy przemieni cię w niego twój bokor. – Bubba przerwał, jakby coś innego przyszło mu do głowy. – Co innego z ukąszeniami demonów... Ale to nie były demony. To były po prostu zombie. Najzwyczajniejsze na świecie. Więc bądź tak uprzejmy i przestań panikować, bo cię zastrzelę.

Nick starał się oddychać głęboko i uspokoić bijące szaleńczo serce.

– Jesteś pewien, że to nie jest zaraźliwe?

W głowie mu się nie mieściło, że o to w ogóle pyta. To chyba najdziwaczniejsza rozmowa, jaką kiedykolwiek odbył, co – biorąc pod uwagę, jak dziwna była Menyara – miało swoją wagę.

– Jestem. Uwierz mi, znam się na zombie.

Nick uśmiechnął się drwiąco. *Czy mi się zdaje, czy też on gada zupełnie jak ktoś, kto mówi, że się zna na elfach i wróżkach?* Gdyby nie to, że Bubba mógłby go zabić, zadałby to pytanie na głos.

– Nadal myślę, że powinniśmy zdezynfekować to ugryzienie. Na wypadek gdyby to była jakaś broń biologiczna wynaleziona przez wojsko.

– Zdezynfekować co? Co mnie ominęło?

Nick odwrócił się i zobaczył wchodzącego do sklepu Marka. Ziewając i drapiąc się, szedł do nich od strony drzwi do mieszkania Bubby na piętrze, gdzie spał na kanapie.

Nick westchnął ze wzburzeniem.

– Wiesz, co cię ominęło przez to, że zaspałeś? Mnie i Bubbę ugryzły zombie. Moim zdaniem one są zaraźliwe. Dziś rano przydarzyło się to jednemu chłopakowi z mojej szkoły. A teraz mnie zaatakowało trzech. To się rozprzestrzenia i jest zakaźne. Musimy coś w tej sprawie zrobić, zanim wykoszą wszystkie smakowite laski i będziemy skazani na siebie samych. Powinniśmy wezwać Gwardię Narodową albo CBC, czy coś podobnego.

Bubba zmarszczył czoło.

– CBC? To ta nowa grupa anime?

Nick przewrócił oczami.

– Nie. Zajmują się chorobami i poddają kwarantannie ludzi, którzy zakażają.

– Bubba, Nick myśli o CDC* w Atlancie.

* CDC (Center for Disease Control and Prevention) – Centrum Zwalczania i Zapobiegania Chorobom, jedna z agencji rządu federalnego Stanów Zjednoczonych wchodząca w skład Ministerstwa Zdrowia

Głęboko z gardła Bubby wydostało się pełne odrazy prychnięcie.

Mark, który był tylko o głowę wyższy od Nicka, nadal miał na sobie strój maskujący z liści, którego używał do polowań na zombie. Wszędzie powtykał sobie kępki mchu hiszpańskiego, dzięki któremu miał się wtopić w otoczenie na zalewiskach. Kamuflaż obejmował również farbę na twarzy, a także żółte soczewki kontaktowe z czerwonymi obwódkami.

Oczy zombie.

Ale nie to było najgorsze. Gdy stanął koło Nicka, ten poczuł smród tak okropny, że aż mu zaparło dech.

Nick zasłonił sobie nos, bo zrobiło mu się niedobrze.

– Co tak śmierdzi?

Przypominało to trzydniowe rzygowiny kota zmieszane z gnijącymi szparagami.

Mark spojrzał na niego wilkiem, jakby się dziwił, że w ogóle o to pyta.

– Mocz kaczki. Dzięki temu zombie nie uważają mnie za człowieka.

Nick parsknął śmiechem.

– A ja dzięki temu myślę, że masz nie po kolei w głowie.

– Daj spokój, Mark. Chłopak nic nie wie o sztuce przetrwania. Powstrzymał mnie przed wystrzelaniem zombie, które wpadły tu do sklepu i próbowały go zjeść.

Mark trzepnął Nicka w głowę.

– Zwariowałeś, młody?

– Au! – Nick roztarł sobie głowę tam, gdzie go w kółko uderzali. – I nie, nie zwariowałem. Próbowałem powstrzymać Bubbę przed popełnieniem przestępstwa. Nie obraźcie się, ale tekst w rodzaju „To zombie, Wysoki Sądzie, proszę mnie nie skazywać na krzesło elektryczne" jest raczej kiepską wymówką. Uwierzcie mi, wiem coś o tym. Mój tato odsiaduje potrójne dożywocie, bo zabił, cytuję „od groma demonów, które próbowały mnie zabić. Gdybym ja ich nie zabił, Wysoki Sądzie, opanowałyby miasto i wzięły w niewolę wszystkich tych mało ważnych, żałosnych ludzików." Jego argumentacja jakoś nie trafiła sądowi do przekonania. Nie pozwolili mu nawet powołać się na niepoczytalność. Mówię wam, „trzeba było zabić zombie" w sądzie nie przejdzie.

Zirytowany Mark pokręcił głową.

– A powinno.

– Hej, Bubba, jesteś tu czy już nie żyjesz?

Nick aż się wzdrygnął, gdy usłyszał głos kolejnego gościa.

Bubba oddał pistolet Markowi i szepnął do nich obu:

– To Davis, z policji. Siedźcie cicho.

Odchrząknął, po czym ruszył spokojnym krokiem w stronę lady, jakby nic się nie stało.

Nick schował pistolet za zasłonką. Zaskoczyły go umiejętności aktorskie Bubby. Zerknął na Marka, który postanowił w końcu zdjąć swój kamuflaż. Był siedem lat starszy od Nicka, miał potargane, mysie włosy i jasnozielone oczy. Gdyby nie kwadratowa szczęka, byłby całkiem przystojny. Jego twarz pokrywał trzydniowy zarost, przez co robił wrażenie sporo starszego. Ale najbardziej Nick zazdrościł mu budowy ciała. O takich mięśniach, jakie Marka nic nie kosztowały, nie mógł nawet marzyć, nieważne, ile by ćwiczył w siłowni.

Co za niesprawiedliwość!

– Mogę zobaczyć twoje ugryzienie? – zapytał Mark.

– Może byś się najpierw umył?

Mark posłał mu ciężkie spojrzenie.

Nick westchnął i podsunął mu swoją rękę pod nos.

Mark zagwizdał i dotknął ugryzienia, które nadal pulsowało.

– Przydałoby się to zdezynfekować.

Nick aż się wzdrygnął.

– Przemienię się od tego w zombie?

– Nie mam pojęcia, ale w ludzkich ustach żyje więcej zarazków niż w każdej innej części ciała. Kto wie, może dostałeś parwowirozę albo wściekliznę?

Ta nieoczekiwana uwaga zbiła Nicka z tropu.

– Przecież parwowiroza to psia choroba, nie?

– No tak, ale kto wie, co się dzieje u ciebie w szkole, młody. Może grasują tam jakieś *loup-garous*[*], a to, mój drogi, zdecydowanie jest zaraźliwe.

[*] wilkołak – w wierzeniach ludowych człowiek, który może zmienić się w wilka podczas pełni.

Nick wyrwał mu rękę.

– Mark, nie gadaj, że się zamienię w wilkołaka.

– Śmiej się, śmiej, ale ja ci mówię, że widziałem je na zalewiskach. I to nie raz. Całe stado zamieniło się kiedyś w ludzi. W dzień mógłbyś koło nich przejść i nawet byś się nie zorientował.

Nick ze wszystkich sił musiał się powstrzymywać, żeby go nie wyśmiać za wygadywanie takich bzdur. Nie potrafił zdecydować, co było bardziej żałosne: fakt, że Mark czuł się w jego towarzystwie na tyle swobodnie, by o tym rozmawiać, czy też fakt, że kolega naprawdę wierzył w to, o czym mówił.

Uznał, że jednak to drugie. W końcu pozwolił Markowi zaprowadzić się do łazienki, gdzie Bubba trzymał alkohol i wodę utlenioną.

Gdy Mark przemywał i opatrywał mu ranę, Nick musiał zagryźć zęby – tak go piekło.

– Rany, wyglądam jak totalny świrus z obiema rękami zabandażowanymi.

– E tam, to rany odniesione na wojnie. Laski na to lecą. Wychodzisz na mężnego gościa zdolnego stanąć w ich obronie.

Nick uniósł jedną brew z niedowierzaniem.

– To czemu ty i Bubba nie macie dziewczyn?

– Niepotrzebny mi ten cały dramat. Po tym, jak ostatnia spaliła mi wszystkie ciuchy przy pomocy mojej kolekcji whisky Jack Daniel's Black Label i próbowała ściąć mi głowę płytami kompaktowymi, postanowiłem zrobić sobie trochę przerwy. A co do Bubby... To nie moja sprawa. Powiedzmy tylko, że on chyba nie chce się w to znowu pakować.

Nick chciał wiedzieć więcej.

– Pakować się w co?

– Nie twoja sprawa – powiedział Bubba, który właśnie do nich dołączył. Posłał Markowi piorunujące spojrzenie. – Powinieneś się nauczyć trzymać język za zębami.

– No tak, zawsze mówię, że małżeństwo jest dla innych i prowadzi tylko do jednego.

Nick rozpromienił się.

– Do mnóstwa rozbieranych imprez?

– Nie, młody. Do alimentów.

Mark poszedł schować alkohol.

Jej, ależ z nich obu optymiści, po prostu promienie słońca przebijające się przez najciemniejszą chmurę...

W piekle.

Nick odwrócił się do Bubby.

– Co mówi policja?

– Że jeśli kolejny sąsiad złoży raport o strzałach, to zabiorą mi licencję na prowadzenie sklepu i wsadzą za kratki. Co za wścibski babus.

– Babus? – zdziwił się Nick.

– A widziałeś tę Thomas, która mieszka obok? – zaśmiał się Bubba. – To najszpetniejsza wiedźma na świecie. Przysięgam, istna Gorgona.

– Istne co?

Bubba aż na niego fuknął.

– Przestań czytać same komiksy i zajrzyj do mitologii greckiej. Gorgony... to kobiety tak brzydkie, że od samego patrzenia na nie człowiek zamieniał się w kamień.

– Aha... U mnie w szkole to by był nauczyciel angielskiego, pan Richards.

Bubba nic na to nie powiedział i zabrał się za zbieranie odłamków szkła z roztrzaskanego kontuaru.

– A po co tu te zombie w ogóle przyszły?

– Powiedziały, że szukają... – Nick przerwał i nagle wszystko ułożyło się w całość.

Spanikowany Madaug.

Nerd...

Niech to dunder świśnie! Podniósł wzrok na Bubbę.

– Madauga Keatona. Znasz go?

– To ten komputerowy świr, który mi przypomina Marka, tak?

– Ejże! – oburzył się Mark.

Bubba nie zwracał na niego uwagi.

– Co z nim?

– Powiedział, że koniecznie musi z tobą porozmawiać. Zdążył wyjść, gdy weszły te mięśniaki. Szukały go.

Mark spojrzał znacząco na Bubbę.

– Myślisz, że miał z tym coś wspólnego?

Nick wyciągnął numer telefonu z kieszeni.

– Nie wiem. Ale coś mi się zdaje, że warto od tego zacząć.

I im więcej o tym myślał, tym większą zyskiwał pewność.

Za tym musiał stać Madaug. To było jedyne sensowne wyjaśnienie. A w takim razie, jeśli przez niego Nick zamieni się w zombie, poleje się krew.

I to sporo, a Madaug będzie pierwszą osobą na jego liście. (Nie, żeby miał taką listę, bo przez to pewnie wyleciałby ze szkoły i wylądował za kratkami, ale gdyby taka hipotetyczna lista istniała, albo gdyby miała powstać kiedyś w przyszłości, Madaug zdecydowanie zająłby na niej pierwszą pozycję.)

ROZDZIAŁ 6

Przez kilka godzin próbowali się dodzwonić do Madauga, ale nie odbierał pod podanym numerem.

Pieprzone cyfry...

Nick przyglądał się Markowi, który po raz kolejny odłożył słuchawkę.

– Mówię ci, Fingerman, mięśniaki go zjadły. Wyniuchały go tutaj, choć był tu zaledwie kilka minut. Za wszelką cenę chciały go dopaść. Pewnie go wytropiły i urządziły sobie ucztę.

Mark uśmiechnął się z wyższością.

– Zombie mają przytępione zmysły, Nick. To nie żadne psy gończe czy wilkołaki. Jeśli będziesz stać w bezruchu, przejdą koło ciebie i nawet cię nie zauważą. Uwierz mi, na skali groźnych stworów, znanej także jako „zaraz narobię w gacie, bo chcą mnie dorwać", zombie plasują się całkiem nisko.

– No to o co chodzi z tym kaczym moczem? – przypomniał mu Nick.

– A, to co innego. Po prostu spociłem się na bagnach i wiatr niósł mój zapach.

Nick już miał się z nim zacząć sprzeczać, ale... ostatecznie pytanie o to, czy zombie potrafią, czy nie potrafią kogokolwiek zwęszyć, jest najbardziej absurdalną kwestią na świecie, więc o co tu się w ogóle kłócić? Wilkołaki nie istnieją, a co do zombie też nadal miał wątpliwości.

Owszem, coś się stało szkolnym sportsmenom, ale nie sądził, by miały w tym udział siły nadprzyrodzone. Nigdy w takie rzeczy nie wierzył. To tylko bzdury wymyślane przez matki, by straszyć dzieci oraz przez Hollywood, by zbić kasę. Prawdziwe potwory na tym świecie, takie, jak jego tata, to ludzie z krwi i kości. I właśnie dlatego są tacy niebezpieczni.

Nie spodziewasz się ataku z ich strony aż jest za późno.

Bubba, który dotąd zupełnie ich ignorował, wstał teraz ze swojego taboretu i stanął nad nimi. Wskazał na zegar nad drzwiami.

– Jest czwarta, panowie. Idę obejrzeć Oprah. Przez następną godzinę nie istnieję dla świata, no, chyba że wybuchnie pożar albo zombie przypuszczą na nas zmasowany atak. – Zrobił krok, po czym się zatrzymał. – Choć z drugiej strony do zombie mnie jednak nie fatygujcie, później się nimi zajmę. Dziś jest odcinek specjalny o tym, jak pogodzić się z ludźmi, którzy cię wkurzają. A ja zdecydowanie muszę odnaleźć swoją strefę zen.

Mark prychnął.

– Bubba, twoja strefa zen to strzelanie do innych. Pogódź się ze swoją skłonnością do przemocy.

– Nie ma sprawy. Moja skłonność do przemocy mówi, że podetnę ci gardło, jeśli przeszkodzisz mi w oglądaniu Oprah, więc lepiej spadaj.

Nick się roześmiał, ale zaraz do niego dotarło, która jest godzina.

– Cholera, muszę lecieć.

Mark zmarszczył brwi.

– Czemu?

– Mój nowy szef miał mnie dzisiaj odebrać po szkole. – Czyli trzydzieści pięć minut temu, o czym zupełnie zapomniał. – Rany... Mam nadzieję, że nie wylecę zaraz pierwszego dnia.

Bubba się zawahał.

– Napisać ci usprawiedliwienie?

Nick pokręcił głową.

– Nie, nie, ale lepiej już pójdę. Nara. Dajcie mi znać, jak znajdziecie Madauga.

Podniósł swój plecak z podłogi i wypadł za drzwi.

Na szczęście był przyzwyczajony do biegania za tramwajami, a szkoła znajdowała się raptem pięć przecznic od sklepu Bubby. Dotarł tam w rekordowym tempie.

Teren przed szkołą nadal był odgrodzony policyjną taśmą. Kręciło się tam też kilku funkcjonariuszy. Przyjrzeli się mu uważnie, jakby się bali, że zaraz ich ugryzie czy zrobi coś podobnego.

Nick zignorował ich. Zwolnił i przyjrzał się samochodom parkującym po drugiej stronie ulicy. Tylko w jednym z nich ktoś siedział i nie był to Kyrian.

No i już wyleciałem z pracy...

Cholera jasna.

Matka mnie zabije. Gorzej, pewnie będzie musiał z własnej kieszeni wyłożyć na szpitalny rachunek, a to więcej niż opłaty za dwa lata studiów.

Czemu Alan nie strzelił mu w głowę i nie zakończył tego wszystkiego?

Od dnia narodzin ciąży na mnie przekleństwo. Pełen niesmaku, zwiesił głowę i ruszył wolnym krokiem z powrotem do sklepu Bubby.

– Nick Gautier?

Odwrócił się w stronę nieznajomego głosu i zobaczył mężczyznę, którego wcześniej widział za kierownicą czarnego bmw, a który tymczasem wysiadł z auta. Miał chyba pod czterdziestkę, jego ciemnoblond włosy były bardzo elegancko ostrzyżone – innymi słowy śmierdział kasą. Przypominał Nickowi kogoś, ale chłopak nie potrafił stwierdzić kogo.

– Nie znam pana.

Mężczyzna uśmiechnął się.

– Nie, nie znasz. Mój syn, Kyl Poitiers… – Rany, wypowiedział to nazwisko jak na prawdziwego przedstawiciela błękitnej krwi przystało: „Pua-ti-ee". – … chodzi z tobą do szkoły. Kyrian poprosił mnie, żebym po ciebie przyjechał i zawiózł do niego do domu. No to jestem.

Czyżby?

– A skąd mam wiedzieć, że to prawda?

Niby rzeczywiście wyglądał jak Kyl i właśnie dlatego wydawał mu się wcześniej znajomy. Ale to wcale nie znaczyło, że nic mu z jego strony nie grozi.

– Nie ufasz mi? – zapytał pan Poitiers.

– Nikomu nie ufam. Mama nie wychowała mnie na głupka. Nie wsiadam z nieznajomymi do samochodu. Nigdy. Bez urazy, ale może pan być jakimś zbokiem albo świrem, albo czymś takim.

Pan Poitiers się roześmiał.

– Nie ma sprawy. Wiesz co? – Wyciągnął portfel. – Dam ci pięćdziesiąt dolarów na taksówkę i zapiszę ci adres Kyriana. Zobaczymy się u niego w domu.

Nick się zawahał. Ta propozycja wcale nie rozwiała jego podejrzeń.

– A skąd mam wiedzieć, że wysyła mnie pan do niego do domu, a nie gdzieś indziej? Może da mi pan adres miejsca, gdzie zabiera pan wszystkie swoje ofiary?

– Boże, mam nadzieję, że mój syn jest równie cwany, jak ty. – Wyciągnął komórkę i wstukał numer. Po kilku sekundach powiedział: – Hej, Kyrian, przepraszam, że ci zawracam głowę. Jestem tu z tym chłopakiem, ale on nie chce wsiąść ze mną do auta. Jest jeszcze bardziej podejrzliwy, niż uprzedzałeś.

Podał telefon Nickowi, który spojrzał na niego podejrzliwie, po czym przystawił aparat do ucha.

– Tak?

– Cześć, Nick. Phil ci nic nie zrobi. Wsiadaj z nim do samochodu i za kilku minut będziecie tutaj.

Hmmm. Nick nadal nie był przekonany. Głos brzmiał znajomo, ale...

– Skąd mam wiedzieć, że rozmawiam z panem Hunterem?

– Bo jestem jedyną osobą, poza tobą, która wie, że pomagałeś kolegom obrabować tych turystów, zanim zmieniłeś zdanie i ich ocaliłeś.

Nicka aż coś ścisnęło żołądek. Słowem o tym nikomu nie pisnął. To miał być sekret jego, Boga i nikogo więcej.

– Skąd pan to wie?

– Byłem tam dłużej, niż myślisz, i wszystko widziałem. A teraz wsiadaj do samochodu.

Nick rozłączył się i oddał telefon panu Poitiers.

– Dobrze, wierzę panu.

Chciał mu też oddać pieniądze, ale Phil nie zgodził się ich przyjąć.

– Zatrzymaj je.

Nick zaprzeczył ruchem głowy.

– Naprawdę nie mogę.

– Owszem, możesz. Niech to będzie nagroda za to, że taki z ciebie szczwany lis.

Nienawykły do tego, że ludzie się na niego nie wściekają, Nick nadal miał opory przed przyjęciem pieniędzy.

– Nie jest pan na mnie zły?

– Za to, że próbowałeś się zabezpieczyć? Nic a nic. W kółko Kylowi powtarzam, by zachowywał się właśnie tak, jak ty przed chwilą. Jestem dumny, że poznałem dzieciaka, który ma głowę na karku. A teraz wskakuj do środka.

Nick zawahał się. Ludzie tacy jak Phil zwykle patrzyli na niego z góry. To było dziwne.

Wsiadł do samochodu i zapiął pas.

Ruszyli. Phil przyciszył radio, by mogli porozmawiać.

– Szkoda, że nie zabrałem ze sobą Kyla. Łatwiej byś mi uwierzył.

– To by nic nie zmieniło. Moja mama mówi, że zboczeńcy czasem przyprowadzają ze sobą swoje dzieci, żeby w ten sposób uśpić czujność ofiar.

A poza tym Kyl nie należał do ulubieńców Nicka. Ten zadufek irytował go niewiele mniej niż Stone.

Choć trzeba przyznać, że jego ojciec robił wrażenie całkiem przyzwoitego człowieka, i to pomimo jego perfekcyjnej wymowy. Ciekawe w takim razie, czemu Kyl jest taki, jaki jest?

Resztę drogi spędzili w milczeniu. Wkrótce dotarli do domu Kyriana położonego w Garden District. Była to ekskluzywna dzielnica pełna posiadłości sprzed wojny secesyjnej. Ciągnęły się one rzędami, niczym ogromne bestie z minionej epoki, którą znamionowały dobre maniery i styl, zanikające współcześnie.

Nick przychodził tu czasem z matką na spacer, przede wszystkim dlatego że mieszkała tu jej ulubiona pisarka i matka liczyła na choćby przelotne spotkanie.

Szczęka mu opadła, gdy podjechali pod bramę, za którą było widać dom większy niż cokolwiek, co w życiu widział. Był to ogromny budynek z doryckimi kolumnami, podtrzymującymi niekończący się, dwukondygnacyjny klasycystyczny portyk.

Phil podjechał kolistym podjazdem i zatrzymał się przed głównymi schodami.

– No, to jesteśmy.

Ale nie wyłączył silnika.

– Nie zostaje pan? – zafrasował się Nick.

– Dostałem polecenie dostarczenia cię tutaj. Zadanie wykonane.

Dziwne, ale niech mu będzie.

Nick nie miał pojęcia, dlaczego czuł takie onieśmielenie. W tym budynku było coś złowrogiego i nieprzystępnego. A przecież już wcześniej wiedział, że Kyrian ma pieniądze, ale co innego wiedzieć, a co innego zobaczyć tak oczywisty dowód.

Ciekawe, jak to jest mieć kasy jak lodu?

Jeśli o niego chodzi, to nawet idąc do McDonalda, musiał się liczyć z każdym groszem.

Zebrał się na odwagę, wysiadł z samochodu, złapał swój plecak i ruszył schodami do drzwi wejściowych. Wykonano je z mahoniu i trawionego szkła, które skojarzyło mu się z kryształowymi kieliszkami. Wyglądały jak filmowe dekoracje. Uniósł rękę, by zadzwonić do drzwi, ale już się przed nim otworzyły. Stała w nich drobniutka Latynoska i przyglądała mu się niczym strażnik witający nowego więźnia. Miała na sobie koszulę w barwie korali oraz dżinsy, a ciemne włosy ściągnęła w ciasny kok.

– Nick?

Wypowiedziała to jako „Nyk", co w jego uszach brzmiało dużo przyjemniej niż przeciągła artykulacja, do której był przyzwyczajony.

– Tak, proszę pani.

Cofnęła się, żeby go wpuścić do środka.

– Pan Kyrian czeka na ciebie w swoim gabinecie na górze.

Wyciągnęła rękę po jego plecak, ale Nick jej się wywinął.

– Nie ufasz mi? – zapytała z urazą.

– Bardzo przepraszam, ale nawet nie wiem, jak się pani nazywa.

Jej twarz przybrała kompletnie beznamiętny wyraz.

– Jestem Rosa, prowadzę dom pana Kyriana. Czy mam odłożyć twoją torbę na czas twojej wizyty?

Zrobiło mu się głupio, że jej nie chciał oddać. Był przyzwyczajony bronić swoich rzeczy, nawet jeśli były niewiele warte. Z tego samego powodu wcześniej nie pozwolił Brynnie tknąć plecaka.

– Chyba tak.

Zrzucił go z pleców.

Aż stęknęła i ugięła się pod jego ciężarem.

– Mój Boże, jesteś dużo silniejszy, niż się wydaje. Tyle dźwigasz i się nie garbisz?

Nick wzruszył ramionami.

– Potrzebuję tego wszystkiego w szkole.

Wskazała na schody prowadzące łukiem na piętro.

– Trzecie drzwi po prawej. Nie musisz pukać. On cię usłyszy.

I to też było trochę niesamowite.

Nick ruszył na górę, a po drodze uważnie badał każdy kąt tego nieskazitelnego pałacu. Czarne poręcze z żelaza ozdobione były złotymi medalionami, a wypolerowane podłogi wykonano z czegoś bardzo drogiego jak marmur, płytki czy... sam nie wiedział, co to mogło być. W każdym razie miał ochotę dać drapaka z powrotem na ulicę.

Ja tu zupełnie nie pasuję.

Czuł się jak oszust albo ktoś, kto nie zasłużył na takie traktowanie. Aż dotarło do niego, co naprawdę sprawia, że czuje się nieswojo.

Nie było tu w ogóle dziennego światła...

Wszystkie okna w domu były schowane za okiennicami i ciężkimi zasłonami. Co do jednego. Do środka nie przedostawał się choćby promień słońca. Dziwne. Zawsze dostawał po uszach od matki za to, że pali światło elektryczne w dzień.

Przestań kpić ze światła dziennego, chłopcze. Zgaś lampę. Masz pojęcie, ile to kosztuje?

Wyrzucił tę myśl z głowy, gdy stanął pod drzwiami, o których mówiła Rosa i otworzył je.

Kyrian siedział przed komputerem z zestawem słuchawkowym zakrywającym jedno ucho.

– Talon, słyszę, co mówisz, ale cię nie słucham. Ten dzieciak właśnie przyszedł. Porozmawiamy później.

Rozłączył się i zdjął słuchawki, po czym odłożył je na biurko.

– Talon? – zapytał Nick.

Kyrian uśmiechnął się, nie pokazując przy tym zębów. Był to kolejny jego dziwaczny zwyczaj, na który Nick zwrócił uwagę jeszcze w szpitalu.

– Znajomy. Na pewno w którymś momencie go poznasz. – Wskazał głową na temblak Nicka. – Jak się czujesz?

– Średnio. Środki przeciwbólowe przestały działać i boli jak cholera.

Kyrian zignorował jego opryskliwy ton.

– Słyszałem, że miałeś dziś jakieś kłopoty w szkole.

– Nie miałem żadnych kłopotów w szkole, bo mnie do niej nie wpuścili. I bardzo dobrze, jeśli o mnie chodzi.

Kyrian przewrócił oczami, ale nie skomentował poirytowania Nicka.

– Dzwoniłeś do mamy?

– Nie, po co?

– A nie wydaje ci się, że mogła słyszeć o atakach w szkole i może się martwić?

– Niby czym?

– Nick... To twoja matka. Na pewno się martwi. Dopiero gdy coś się stanie i jest już za późno, dociera do nas, jak bardzo nasi rodzice się o nas martwili.

W głosie Kyriana zabrzmiała jakaś nuta, której Nick nie potrafił rozgryźć. Coś w rodzaju zagrzebanego głęboko bólu czy gorzkiego wspomnienia, które nie dawało mu spokoju.

Ale to nieważne, bo Nick nie był głupkiem i wcale nie lekceważył wszystkich wokół.

– Wiem, że by się martwiła, gdyby o tym wiedziała, ale wiem też, że o niczym nie słyszała. Nie mamy telewizora ani nic podobnego. Rany, nie mamy nawet telefonu. Trzeba dzwonić do Menyary, u której zostawia się wiadomości dla nas.

Wkurzył go szok malujący się na twarzy Kyriana.

– Niech się pan nad nami nie użala – warknął. – Świetnie sobie radzimy bez tego i bez wielu innych rzeczy. Elektroniczne zabawki nie są człowiekowi potrzebne do życia. Przez tysiąclecia ludzie sobie bez nich radzili. Między tym, co człowiek chciałby mieć, a tym, bez czego nie może się obejść, jest duża różnica.

Kyrian uniósł do góry ręce w geście kapitulacji.

– Nie nakręcaj się, Nick. Wcale mi nie jest ciebie żal. Ja też jako dzieciak nie miałem tych wszystkich rzeczy. Poza tym, uwierz mi, dobrze wiem, jak ludzie żyli w dawnych czasach.

Nick powiódł wzrokiem po kosztownych meblach, które stanowiły jawne zaprzeczenie słów Kyriana. Chłopak nie potrafił sobie jakoś wyobrazić, że jego rozmówcy kiedykolwiek na czymkolwiek zbywało.

– No, to pana życie nieźle się zmieniło, co?

– Pod pewnym względami...

– A pod innymi?

Kyrian wzruszył ramionami.

– Powiem tak... Pieniądze nie rozwiązują problemów. Raczej są źródłem nowych.

– Czyli?

– Czyli mam nadzieję, że nigdy nie będziesz miał okazji zasmakować zdrady, która stała się moim udziałem. Ojciec mi kiedyś powiedział, że żaden z przyjaciół nie pozostanie wobec mnie lojalny ze względu na to, co mam i kim jestem.

Właściwie to samo Nick usłyszał od swojego taty. Nie ufaj nikomu, bo wszyscy cię wyrolują. I jeszcze będą się przy tym śmiać.

Nie chciał stać się taki zgorzkniały.

– Miał rację?

– Zdecydowanie nie. Jeden przyjaciel nie sprzeniewierzył mi się. Ale gdy umarł, zostali mi tylko ci, których zachowanie w mniejszym lub większym stopniu potwierdziło przenikliwość mojego ojca. Wiem, że w twoim wieku ciężko jest słuchać takich rzeczy. Bogowie wiedzą, że ja nigdy nie słuchałem, ale...

– Bogowie?

Kyrian zachichotał, znowu nie pokazując zębów.

– Wybacz mi. Bywam czasem nieco ekscentryczny.

– I dlatego wszystkie pana okna są zasłonięte?

Kyrian uniósł brew.

– Co za spostrzegawczość, jestem pod wrażeniem. Większość ludzi tego nie zauważa.

– No tak, mnie mało co umyka. Mam zwyczaj w milczeniu obserwować wszystko z boku. W ten sposób więcej się można nauczyć.

– Zapamiętam to sobie. – Kyrian wstał od biurka i podał mu telefon. – No, zawiadom mamę. Na wypadek gdyby dotarły do niej wieści o tym, co się wydarzyło w szkole. Niech się nie martwi.

Nick się skrzywił.

– Rany, przy takiej nadgorliwości rodzice muszą pana bardzo kochać.

Co za wzór cnót wszelakich.

Kyrian zawahał się, po czym skomentował tę uwagę.

– Moi rodzice już dawno nie żyją. A wiesz, co jest w tym najsmutniejsze? Nie ma dnia, bym za nimi nie tęsknił. Całą młodość walczyłem z tatą o drobiazgi, a teraz duszę bym zaprzedał, by tylko móc go jeszcze raz zobaczyć i przeprosić za ostatnie słowa skierowane do niego. Słowa, których nie mogę cofnąć, których nigdy nie powinienem był wypowiedzieć. Dlatego zadzwoń do mamy. Bez względu na to jak wygląda twoja relacja z rodzicami, jedno mogę ci przysiąc, będziesz za nimi tęsknił, gdy ich zabraknie.

Nick miał wątpliwości. Taty prawie nie znał. Mama to co innego – jej nigdy by świadomie nie skrzywdził. Wykręcił jednak numer ciotki Mennie i przyłożył słuchawkę do ucha.

– Halo? – kreolski akcent Mennie zabrzmiał mocniej niż zwykle.

– Cześć, ciociu Men, tu Nick. Czy mogłabyś...

– Młody, gdzieś ty się podziewał? Twoja biedna mama tak się o ciebie zamartwiała. Siedzi tu teraz koło mnie, cała roztrzęsiona i zapłakana. Od samego rana, gdy usłyszała, co się wydarzyło u ciebie w szkole, oka nie zmrużyła i umiera z niepokoju. Jak możesz tak ją martwić? Poszłyśmy do szkoły, żeby cię poszukać, ale nigdzie cię nie znalazłyśmy. Nikt nie chciał nam nic powiedzieć. A ty sobie gdzieś tam siedzisz, cały i zdrowy. Wstydziłbyś się!

Nick poczuł się jak najgorszy śmieć. Czekał, aż matka podejdzie do telefonu. To było zupełnie niepodobne do Menyary, by mu tak truć głowę. Zwykle zostawiała to jego matce. Mama naprawdę musiała się o niego bardzo martwić.

– Misiaczku? – Jakby ktoś rąbnął go w splot słoneczny. Mówiła tak do niego, gdy był mały. Dawno tego słowa nie słyszał. – Nic ci się nie stało?

– Nic, mamo, wszystko w porządku. Naprawdę przepraszam, że nie zadzwoniłem. Jakoś nie pomyślałem, że się o tym dowiesz.

– Nie ma sprawy, Misiu. Najważniejsze, że nic ci się nie stało. Cieszę się, że słyszę twój głos. Policja nie chciała mi nic powiedzieć o ofiarach. Oświadczyli, że jeszcze nie powiadomili rodzin, więc siedziałam i czekałam, aż zapukają do moich drzwi i... – Załkała głośno.

Nickowi zrobiło się niedobrze ze wstydu.

– Mamo, nie chciałem cię przestraszyć.

– Już dobrze, już wszystko dobrze. Nic ci się nie stało i tylko to się liczy. Gdzie jesteś?

Zerknął na Kyriana, który miał taką minę, jakby chciał powiedzieć „A nie mówiłem?".

– Jestem teraz u pana Huntera. Wcześniej byłem u Bubby w sklepie. Pomogłem mu trochę dziś rano, skoro odwołali szkołę. Powiedział, że zapłaci mi podwójną stawkę.

– Na pewno jesteś bezpieczny?

– Tak, jestem bezpieczny.

– No to dobrze.

Kyrian wyjął mu telefon z dłoni.

– Pani Gautier? Mówi Kyrian. Chciałem pani powiedzieć, że, jeśli nie ma pani nic przeciwko temu, dam Nickowi kolację i odwiozę go do domu przed siódmą. – Przerwał, by wysłuchać jej odpowiedzi. – Owszem, proszę pani. Zaopiekuję się nim i nie pozwolę, by cokolwiek mu się stało. Ma pani moje słowo.

Odłożył słuchawkę.

Nick spojrzał na niego wilkiem.

– Czemu pan do niej powiedział: „Owszem, proszę pani"? Przecież jest młodsza od pana?

– By okazać jej szacunek.

Nie bardzo to zrozumiał, ale i tak był mu za to wdzięczny.

– Mało kto okazuje mojej mamie szacunek, na jaki zasługuje. Dziękuję panu.

Kyrian schował telefon do kieszeni.

– Dawno już się nauczyłem, by nie oceniać ludzi na podstawie tego, jak wyglądają, jak mówią czy jak się ubierają. Sam fakt, że ktoś mieszka w domu z piękną, wypucowaną fasadą, nie znaczy, że w środku nic nie gnije. Twoja mama to prawy człowiek, ma dobre serce i cieszę się, że jesteś wystarczająco dojrzały, by to docenić.

Nick poczuł nową falę szacunku dla swojego rozmówcy.

– Wie pan co? Chyba mogę dla pana pracować.

Kyrian posłał mu powściągliwy uśmieszek.

– Miło mi. I może mów mi per ty, dobrze? Pozwól, że oprowadzę cię po domu.

Podobał mu się formalny język, jakiego Kyrian czasem używał. Gładko przechodził od typowego slangu do nieco staromodnych wyrażeń, i z powrotem. I wymawiał je z akcentem, którego Nick nie potrafił rozgryźć.

– Ależ bardzo chętnie.

Kyrian aż sobie oczy zasłonił, słysząc kiepski brytyjski akcent Nicka.

– Twoje obowiązki w tym domu będą lekkie. Nic męczącego, a jeśli tylko od czegoś zaboli cię ramię, od razu to odłóż. Nie chciałbym zakłócić twojej rekonwalescencji.

Nick poszedł za nim w stronę schodów.

– Ale czemu właściwie to robisz? Przecież wiesz, co naprawdę wydarzyło się tamtej nocy. Mimo to wpuściłeś mnie do siebie do domu? Nie boisz się, że coś zwędzę?

Kyrian odwrócił się na szczycie schodów i spojrzał na niego ostro.

– Nie możesz mi ukraść niczego, co jest nie do zastąpienia. Rzeczy bardzo mało dla mnie znaczą. – Zrobił krok w stronę Nicka. – A jeśli chodzi o to, dlaczego ci pomagam... Wierzę w ciebie, Nick. Przypominasz mi dzieciaka, którego kiedyś znałem. To był uparciuch, z którym ludzie nie mogli wytrzymać. Nikogo nie słuchał, miał pretensje do całego świata, chciał pokazać wszystkim, że z niego straszny twardziel, który nie potrzebuje niczyjej pomocy ani wsparcia. Wszystkiego musiał się nauczyć po swojemu, i to nie na skróty.

– I co się z nim stało?

– Zbuntował się i wbrew woli swojego ojca wstąpił do wojska, gdzie spotkał człowieka, który odmienił jego życie. Z jakiegoś powodu ten człowiek miał do niego dużo cierpliwości. Ktoś inny pewnie zabiłby tego aroganckiego smarkacza za jego postawę, ale jego dowódca potrafił dostrzec w nim potencjał. Zmienił życie tego dzieciaka, a teraz ja chciałbym spłacić ten dług.

Dopiero po chwili Nick zrozumiał, co Kyrian chce przez to powiedzieć.

– To ty byłeś tym dzieciakiem? – Kyrian kiwnął głową. – A ten gość, który odmienił twoje życie?

Gospodarz opuścił wzrok na pierścień, który miał na dłoni spoczywającej na lśniącej balustradzie.

– Nazywał się Julian.

Nick aż się wzdrygnął na dźwięk tego imienia.

– To chyba babskie imię…

Kącik ust Kyriana drgnął w sardonicznym uśmiechu.

– Uwierz mi, Nick, to był najtwardszy zakapior, jakiego można było spotkać na polu bitwy. Nikt go nigdy nie pokonał. Wysiadają przy nim Jackie Chan i Chuck Norris.

– To od niego nauczyłeś się walczyć tak, jak wtedy, gdy mnie uratowałeś.

– Owszem.

Nick jedno musiał mu przyznać: Kyrian umiał się bić. Zazdrościł mu tej umiejętności.

– A mógłbyś mnie tego nauczyć?

– Jak ci ręka wydobrzeje. Na razie obiecałem twojej mamie, że nie będę cię przemęczał.

Nick jęknął.

– No, tak, ale…

– Żadnego ale. Dzisiaj robimy tylko wprowadzenie. Chcę ci pokazać rozkład domu i ustalić pewne rzeczy. Rosa jest twoją bezpośrednią przełożoną. Jej decyzje są ostateczne. Ja zwykle pracuję po nocach, więc to z nią będziesz miał na ogół do czynienia.

Odwrócił się i zaczął schodzić po schodach.

Nick pobiegł za nim.

– Ile osób dla ciebie pracuje?

– Tylko Rosa oraz ogrodnik George… No, a teraz również ty.

– A pan Poitiers?

– To znajomy. Wiele osób od czasu do czasu robi mi przysługi.

Szacunek Nicka jeszcze wzrósł.

– Pewnie fajnie jest być królem.

Kyrian posmutniał, ale szybko to uczucie stłumił.

– Może najpierw pokażę ci twój gabinet, co?

Nick oniemiał.

– Mam swój gabinet?

– Owszem. – Kyrian zaprowadził go do pokoju za kuchnią, większego niż całe mieszkanie Nicka i jego matki. Ściany były pełne półek z książkami. Na dwóch biurkach stały komputery, a przed nimi ładne fotele biurowe obite czarną skórą. Robiło to spore wrażenie.
– Większe biurko należy do Rosy, twoje jest tutaj.

Nickowi opadła szczęka, gdy podszedł do biurka i przesunął dłonią po pięknej, nieskazitelnej wiśni w głębokim kolorze. Ale naprawdę uśmiechnął się na widok sporego monitora na biurku.

– Mój własny komputer?

– Tak. Możesz tu odrabiać prace domowe, jeśli chcesz. Jest podłączony do Internetu, więc...

Nick wytrzeszczył oczy jeszcze bardziej.

– Internet i tak dalej?

– Tak. Pewnie czasem będziesz musiał wyszukać mi jakieś informacje albo zamówić coś przez Internet.

– Poważnie?

– Poważnie.

Nick nie wiedział, co na to powiedzieć. Czegoś takiego nie wyobrażał sobie w najśmielszych snach. Gdy Kyrian zaproponował mu pracę, założył, że czeka go wyprowadzanie psa, czyszczenie toalet i robienie temu podobnych bzdur. W życiu by mu nie przyszło do głowy, że będzie miał swoje własno biurko i komputer.

Rosa przyniosła już tu jego plecak. Poczuł się jak dorosły, który ma prawdziwą pracę biurową.

Co więcej, dzięki temu poczuł się godny szacunku. Uniósł głowę i spojrzał Kyrianowi prosto w oczy.

– A ile będę zarabiał?

– Będziesz pracować tylko na pół etatu, więc zaczniemy od tysiąca na tydzień.

Nick aż się zachłysnął. Tysiąca czego? Lirów? Jenów? Rubli?

– Że co?

– Oczywiście trzeba odliczyć podatek. Mamy też premie za dobrą pracę, więc możesz wyciągnąć trochę więcej, jeśli się postarasz. Uważam, że ciężka praca zasługuje na dobre wynagrodzenie i…

Nick podniósł rękę do góry, żeby go powstrzymać.

– Zaraz, zaraz. Nie jestem pewien, czy dobrze usłyszałem. Tysiąc na tydzień?

– Tak.

– Tysiąc dolarów amerykańskich?

– Tak.

– Nie papierków z gry Monopol czy coś w tym stylu?

Kyrian spojrzał na niego z irytacją.

– Nie, Nick. Prawdziwa, twarda kasa. Będziesz też miał swoją własną kartę kredytową.

Nickowi nie mieściło się to w głowie. Nadal był w szoku po usłyszeniu wysokości swojej stawki, nie wspominając już o innych kwestiach.

– I nie muszę robić nic nielegalnego ani zboczonego?

– Musisz tylko uważać na swój język, zwłaszcza gdy zwracasz się do Rosy.

A niech to. Zastanawiał się tylko nad jednym...

– A ona ile zarabia, skoro jest na cały etat?

Kyrian się roześmiał.

– Dużo więcej niż ty, ale nie dość, by znosić twoją niewyparzoną gębę. Więc jeśli chcesz tu pracować, lepiej traktuj ją z szacunkiem.

– Spoko, nie odszczekuję się kobietom.

Choć ta zasada nie odnosiła się do mężczyzn czy osób, które próbują nim poniewierać.

Nicka gryzła jeszcze jedna kwestia.

– Eee, a ile będziesz mi odliczał za rachunki za szpital?

– Zbieraj dobre stopnie w szkole, zachowuj się i przez pół roku nie spóźniaj do pracy, to puścimy to w niepamięć.

Jeśli coś wydaje się zbyt dobre, by było prawdziwe, to pewnie tak właśnie jest. Może i jest młody, ale nie urodził się wczoraj.

– No, nie wiem. Mama zawsze powtarza, że nie przyjmujemy datków dobroczynnych od innych. Sami za siebie płacimy.

– Nick... – Kyrian był już tym wszystkim chyba zmęczony. – Rozejrzyj się dookoła. Wtedy na ulicy chciałeś zrobić coś niedobrego, ale, z jakiegoś powodu, zmieniłeś zdanie i wróciłeś na ścieżkę prawa. Nikt cię do niego nie zmusił, sam podjąłeś taką decyzję. Moim celem jest utrzymanie cię na ścieżce prawa. Dobrze wiem, że zdesperowani ludzie zachowują się desperacko. Praca u mnie ma wyeliminować niektóre z tych zagrożeń. Dobry z ciebie dzieciak i zasługujesz na to, żeby dać ci szansę. Pewnie nieczęsto ci się to dotąd zdarzało.

Prawda. Oboje z matką nieźle dostali od życia w kość, odkąd przyszedł na świat.

– No tak, ale przecież to kupa kasy praktycznie za nic, i to dla obcego dzieciaka.

– Nie bój się, będziesz miał co robić. Staniesz się częścią niezbędnego dla mnie zespołu ludzi, dzięki którym mogę wykonywać swoją pracę. Nie wspominając już o tym, ile będziesz mógł u mnie zarobić, gdy dorośniesz. Pod warunkiem że nadal będziesz się dobrze uczył.

Nick nadal był sceptyczny.

– I nie muszę się rozbierać do naga?

– O Boże, nie. Błagam cię, nie zrzucaj ciuchów. Ani Rosa, ani ja nie chcemy oślepnąć. Choć na tyłach domu jest basen. Możesz z niego korzystać, kiedy tylko chcesz, ale sugerowałbym, byś zawsze zakładał kąpielówki. Jeszcze mi tego potrzeba, by sąsiedzi zaczęli narzekać albo by George rzucił pracę.

Kyrian wziął do ręki małe pudełko leżące na biurku Nicka i podał je chłopakowi.

– Przy okazji, to dla ciebie.

– Co to?

– Telefon komórkowy, żebym mógł się z tobą łatwo skontaktować, gdy będę potrzebował.

Nickowi się to w głowie nie mieściło.

– Powaga?

– To jeden z małych bonusów związanych z pracą u mnie. Tylko nie przesadzaj z dzwonieniem i SMS-ami. Jeśli za miesiąc dostanę rachunek na dziesięć tysięcy dolarów, to cię uduszę. – Kyrian włączył komórkę i podał ją Nickowi. – Jest już aktywowana, numer masz na karcie. Tylko nie zapomnij podać go mamie. Swój numer wpisałem ci już w tryb szybkiego wyboru pod numerem 2. Wystarczy, że naciśniesz i przytrzymasz guzik.

Nicka aż obezwładniła hojność Kyriana. Nie wiedział, co powiedzieć.

– Ale super, dzięki.

– Nie ma sprawy.

Zadzwonił telefon Kyriana. Hunter wyjął go z kieszeni i sprawdził, kto dzwoni, zanim odebrał.

– Nie. Wstałem już jakiś czas temu. A co?

Zmarszczył brwi, usłyszawszy odpowiedź.

Nick tymczasem bawił się swoim telefonem. Rany, ale fajna zabawka.

– Czyli było więcej ataków?

Nick nadstawił ucha. Czyżby Kyrian rozmawiał o zombie?

– Tak. Wyjdę tak szybko, jak się tylko da. I, aż boję się to powiedzieć, będę się rozglądał za tym co nietypowe.

Słuchał przez kilka kolejnych minut, po czym rozłączył się.

– Coś się stało? – zapytał Nick.

Kyrian zignorował jego pytanie.

– Czy w twojej szkole jest ktoś, kto ma na pieńku z piłkarzami?

A on co, nigdy nie chodził do szkoły średniej?

– Zależy od tego, o jakiego konkretnie piłkarza chodzi. A co?

– Były dwa kolejne ataki. – Nick oniemiał. – Obiektem wszystkich byli członkowie drużyny futbolowej. Ilu ich w sumie jest?

Nick musiał się nad tym zastanowić.

– Nie jestem pewien, bo już nie gram. Pewnie w sumie z pięćdziesięciu, wliczając w to V i JV.

– V i JV?

Zdziwił się, że Kyrian nie wie, o czym on mówi.

– Varsity, czyli reprezentacja szkoły oraz Junior Varsity, czyli rezerwa.

– A ty… czemu już nie grasz?

Nick wzruszył ramionami. To pytanie przywołało wspomnienia, które wolałby wymazać z pamięci. Był w piłkę naprawdę niezły, ale to nic nie zmieniło.

– Wyrzucili mnie w pierwszym tygodniu po przyjęciu do drużyny za bójkę ze Stone'em, który nabijał się z moich butów. Na wypadek, gdybyś się jeszcze nie zorientował, dodam, że nie jestem szczególnie lubiany.

Kyrian parsknął śmiechem.

– Zorientowałem się. Słuchaj, muszę załatwić parę telefonów. Zostań tu na dole, pokręć się po domu i zaznajom ze wszystkim. Tylko się za bardzo nie zmęcz. Jeśli chcesz coś do jedzenia lub picia, weź sobie z kuchni. Czuj się jak u siebie w domu.

Nick odczekał, aż Kyrian wyjdzie, i spróbował zadzwonić ze swojego nowego telefonu do Madauga.

Ale tamten nadal nie odbierał.

Westchnął. Męczyło go w związku z tym złe przeczucie. Jeśli Kyrian mówi prawdę, to stracili już jedną czwartą drużyny piłkarskiej.

W tym roku nie będzie finałów stanu.

Głupio się takimi rzeczami przejmować, biorąc pod uwagę wszystko, co się działo, ale była to jego pierwsza myśl.

Nie potrafił zrozumieć, od czego się to wszystko zaczęło. Szkolni sportowcy rzeczywiście czepiali się niektórych uczniów. Teraz, gdy przemienili się w zombie, sytuacja tylko się pogorszy. Teraz będą czepiać się wszystkich.

Jak to powstrzymać?

Rozdrażniony faktem, że nie znał więcej szczegółów, wrócił do kuchni, gdzie Rosa przygotowywała właśnie coś, co pachniało niewiarygodnie smakowicie.

Oblizał wargi i zajrzał do garnka, podczas gdy Rosa kroiła krewetki i cebulę.

– Co pani gotuje?

– Gumbo.

Nick zdziwił się, bo było to danie, które jadał od zawsze. Jednak w wykonaniu jego matki wyglądało zupełnie inaczej.

– Ha, więc tak wygląda gumbo u zamożnych ludzi.

– Co chcesz przez to powiedzieć?

– Nie składa się z resztek. No i gotuje je pani z prawdziwego mięsa, a nie z boczku czy zwierząt rozjechanych na drodze.

Rosa parsknęła śmiechem.

– Co ty opowiadasz? Na pewno nie jadłeś nigdy nic rozjechanego na drodze.

On by się wcale o to nie założył. Może matka się do tego nie przyznawała, ale czasami mięso, które przynosiła do domu, było jakby trochę... Miał pewność, że zostało zebrane z drogi. A może nawet wyskrobane z rowków na oponach.

Rosa podała mu łyżkę.

– Spróbuj, jeśli chcesz.

– Naprawdę? Dzięki.

Nabrał jedzenia na łyżkę i odsunął się od garnka, by trochę przestygło. Rany, smakowało jeszcze lepiej, niż pachniało. W brzuchu zaburczało mu tak głośno, jakby zaraz miał z niego wyskoczyć jakiś potwór.

Rosa odwróciła się i spojrzała na niego uważnie.

– Przepraszam. Nie jadłem lunchu.

Bubba nie powiedział mu, że może sobie wziąć z kasy pieniądze na coś do jedzenia, a ponieważ koszt lunchu w szkole był wliczony w jego stypendium, nie miał przy sobie ani grosza.

Rosie opadła szczęka.

– No to czemu nie mówisz, że jesteś głodny? – Popchnęła go w stronę wyspy, przy której stały dwa wysokie stołki. – Siadaj, zrobię ci kanapkę.

– Mogę poczekać do kolacji. Jestem przyzwyczajony.

– W tym domu nikt nie siedzi na głodniaka, *m'ijo**. Zaraz ci coś przygotuję.

To wszystko przyprawiało go o coraz większe dreszcze. Nikt nigdy nie był dla niego taki miły. Czyżby znalazł się w strefie cienia czy coś w tym rodzaju?

Umrę. To musi być zapowiedź zbliżającej się śmierci. *Tak, zamienię się w gnijącego, mięsożernego demona. I przez ten smród żadna dziewczyna nie umówi się ze mną na randkę*. Części ciała, zwłaszcza te naprawdę ważne, odpadną mu jak w jednym filmie, który kiedyś oglądał...

A wszystko dlatego, że pomógł parze starszych ludzi uciec przed swymi kolegami.

Nie bądź idiotą.

* m'ijo – skrót od mi hijo (hiszp.), mój synu.

Ale to wcale nie był idiotyzm. Takie były fakty. Z tym światem było coś nie tak. Jakoś skręcił w bok i już nic nie było takie, jak powinno być.

Nie było dla niego ratunku. To jasne jak słońce. Czeka go śmierć.

Gdy tylko ta myśl uformowała się w jego głowie, rozległo się drapanie do drzwi od tyłu, a następnie niski warkot. Brzmiało to jak jakieś naprawdę spore stworzenie. Ten brutalny, gardłowy dźwięk skojarzył mu się z psem goniącym za łupem. Pewnie jakiś rottweiler lub coś podobnego.

Spojrzał ze zmarszczonymi brwiami na Rosę, która zamarła i również gapiła się na drzwi.

– Jakiego psa ma Kyrian?

Pokręciła głową.

– Żadnego.

– No to co...

Nie zdążył dokończyć pytania, bo drzwi otworzyły się z impetem i do środka wpadło dwóch członków drużyny piłkarskiej, którzy rzucili się w jego stronę.

ROZDZIAŁ 7

Ruchem z czasów, gdy był biegaczem w drużynie, Nick odskoczył w lewo, odwrócił się gwałtownie i zrobił unik. Napastnicy wpadli z impetem na ścianę. Nick złapał Rosę i odepchnął ją dalej, gdzie było bezpieczniej, podczas gdy sam rozglądał się za bronią.

Rosa złapała prawą ręką tasak, zanim on sam zdążył to zrobić. Aż mu szczęka opadła, gdy w lewą dłoń ujęła nóż do krojenia mięsa. Trzymając noże jak prawdziwy zawodowiec, stanęła naprzeciw intruzów.

Nicka zamurowało.

– Pani Roso?

– Odsuń się, Nick. Nie zawsze byłam gosposią. Każdy *hijo de puta*[*] na tyle głupi, by tu wparować i nas zaatakować, zasługuje, żeby go zadźgać na miejscu jak prosię.

Zombie przypuściły atak.

---

* hijo de puta – (hiszp.) sukinsyn (*przyp. red.*)

Pierwszego z nich Rosa ciachnęła w ramię. Nawet nie stęknął, tylko odepchnął ją na bok i rzucił się na Nicka, który złapał jeden z garnków z kuchenki.

I to by było na tyle w sprawie kolacji.

Chlusnął gorącą zawartością garnka prosto w twarz futbolisty. Tym razem mięśniak wrzasnął i zatoczył się do tyłu. Nick przyłożył mu jeszcze rondlem, po czym odwrócił się, by pomóc Rosie walczyć z drugim. Ledwo zdążył do nich dołączyć, gdy ten pierwszy, którego właśnie zdzielił, złapał go od tyłu. I trzymał go w stalowym uścisku.

Nick warknął z bólu, gdy napastnik wykręcił mu poranione ramię.

– Odwal się!

Zdzielił zombie bykiem i wyrwał mu się.

Dwie sekundy później przez kuchnię przeleciało coś tak jasnego, że blask niemal go oślepił.

Zasłonił sobie oczy, ale słyszał, jak zombie wyją w agonii. Gdy opuścił dłoń i odzyskał wzrok, zobaczył coś takiego, że aż zatoczył się do tyłu.

Zombie zniknęły, a na ich miejsce pojawił się osobnik, który na pewno był najwyższym człowiekiem, jakiego kiedykolwiek spotkał.

Szczęka opadła mu w kompletnym osłupieniu.

– Wszystko w porządku, Roso? – zapytał przybysz nienaganną hiszpańszczyzną.

– *Si, Acheron. Gracias.*

Drzwi za plecami Acherona zatrzasnęły się, choć nikt ani nic ich nie dotknęło. Acheron podszedł do Nicka krokiem groźnego drapieżcy. Miał długie, czarne włosy z zielonymi pasemkami i ciemne okulary słoneczne, zza których nie było widać jego oczu. Ubrany był cały na czarno, miał T-shirt z fluorescencyjną podobizną czaszki wampira, a przez jedno ramię przerzucił sobie czarny plecak ozdobiony symbolem anarchii.

– Miło mi cię poznać, Nick.

Chłopak wyłapał dziwny, śpiewny akcent Acherona. W życiu czegoś takiego nie słyszał.

– Skąd pan wie, jak mam na imię?

– Wiem dużo rzeczy.

Aha… Przeszedł go dreszcz. Czy ten gość go śledził?

Nick rozejrzał się dookoła. Po napastnikach nie zostało ani śladu.

– Co się stało z mięśniakami?

– Mój demon ich zjadł.

Acheron powiedział to ze śmiertelną powagą, więc Nick prawie mu uwierzył.

– Aha – przytaknął. – A zaraz pewnie zjawi się zły wilk, by wszystko dokończyć, co? – zapytał z bezczelnym sarkazmem. – A może powinienem się raczej obawiać piernikowego ludzika?

Acheron posłał mu krzywy uśmieszek.

– Kyrian ma rację, z ciebie jest piep… – Zerknął na Rosę, po czym szybko się poprawił: – Pieroński mądrala.

Wyciągnął sobie telefon komórkowy z kieszeni, który w jego ogromnej dłoni robił wrażenie mikroskopijnego. Wstukał czyjś numer.

Nick zmarszczył czoło, gdy Rosa podeszła do zlewu, by zmyć krew z tasaka i noża, jakby nic nadzwyczajnego się nie wydarzyło. Czyżby w głowie dźwięczał mu motyw przewodni z *Rodziny Adamsów*?

Co to za wariatkowo?

– Czy to, co się właśnie wydarzyło, tylko mnie wyprowadziło z równowagi? Zachowujecie się oboje zbyt... zbyt... normalnie, jak na taką sytuację. To przecież... nie jest dzień jak co dzień.

Acheron parsknął śmiechem.

– Zależy, w jakich kręgach się człowiek obraca... – Zrobił pauzę, żeby powiedzieć coś do telefonu. – Hej, Kyrian, wyjdź już spod tego prysznica i zejdź na dół. Twój dom właśnie napadły zombie. Rosa i ten twój chłopak sobie z nimi poradzili. Pomyślałem, że może chciałbyś wiedzieć.

No, to przynajmniej wyjaśnia, dlaczego Kyrian niczego nie usłyszał i nie zszedł na dół sprawdzić, co się dzieje.

Acheron rozłączył się, podszedł do Rosy i powiedział coś szeptem po hiszpańsku. Nick nie miał pojęcia, jak to możliwe, ale zrozumiał jego słowa, choć nie znał tego języka.

– Zapomnij, co się stało. Jedzenie wylądowało na podłodze, bo zdarzył się mały wypadek. Nic niezwykłego nie miało miejsca. Nie było żadnej napaści. Zwyczajny dzień...

Spojrzał na Nicka, który cofnął się z obawy przed tym, co ten człowiek może spróbować mu zrobić. Gdy Acheron uniósł dłoń do góry, Nick rzucił się biegiem do drzwi wejściowych.

Uciekaj stąd! I to natychmiast! W głowie rozległ mu się oszalały, demonicznie brzmiący głos, ale nie miał zamiaru z nim dyskutować. Po prostu biegł ile sił w nogach.

Obiegł schody dookoła i stanął jak wryty, bo nagle zmaterializował się przed nim Acheron. Tylko że tym razem Nick nie zobaczył Acherona w postaci młodego mężczyzny.

Zobaczył...

Istotę mającą kły, cętkowaną, niebieskawą skórę, czarne wargi i rogi. Obraz ten błysnął i zniknął, niczym jakaś odjechana halucynacja.

Co było w tym gumbo?

To są moce nadprzyrodzone.

Nie wierzę w takie rzeczy. Ale jak miał zaprzeczyć temu, co widział na własne oczy? To nie było normalne. Tu nie chodziło o jakieś zombie powstałe w wyniku działania środków chemicznych czy broni biologicznej... Nie dało się logicznie wytłumaczyć tego, że Acheron stał teraz przed nim, że pojawił się znikąd. Podobnie, jak nie dało się wytłumaczyć wcześniejszego zatrzaśnięcia się drzwi.

To było niemożliwe.

Zupełnie niemożliwe.

Nick nie był już pewien, w co w ogóle może wierzyć. Przełknął ślinę.

– Czym ty jesteś?

Acheron się skrzywił.

– Jestem kompletnie skonsternowany. Pamiętasz dokładnie, co się zdarzyło.

To było stwierdzenie faktu, a nie pytanie... Jakby Acheron siedział w jego głowie.

– No tak, pewnie. Trudno zapomnieć napad zabójczych zombie i szalony personel kuchenny. Co to w ogóle za cyrk?

Acheron zaśmiał się złowrogo.

– Nawet nie masz pojęcia, Nick. Mnie natomiast nurtuje inne pytanie: dlaczego zombie cię tropią?

– E tam, stary. Ja mam ważniejsze pytanie: dlaczego masz rogi i czarne wargi?

Uśmiech Acherona przygasł.

– Co?

– Dopiero co cię zobaczyłem, gdy się tu nagle pojawiłeś jak znikąd. Miałeś rogi i niebieską skórę. Czym ty jesteś?

Acheron odpowiedział na to kolejnym pytaniem.

– Nażarłeś się jakichś interesujących warzyw czy co? Kryształki to nie koszałki opałki, a wąchanie kleju też nie wpływa dobrze na zdrowie, młody. Lepiej się od nich trzymaj z daleka, bo sobie zniszczysz ostatnie trzy szare komórki.

Akurat.

– Nic nie brałem, za to ty... ty nie jesteś człowiekiem. Nie jesteś ludzki.

Na twarz Acherona powrócił ten irytujący uśmieszek.

– Mały który człowiek jest.

– Bardzo śmieszne. Stary, ja cię widziałem. Widziałem, co zrobiłeś z zombie, gdy się zjawiłeś, a potem z Rosą... Wiem, że nie jesteś człowiekiem. Zabijesz mnie, bo to wiem?

Acheron zamarł, zastanawiając się nad możliwymi wyjściami. Nick Gautier go zaskoczył. Dzięki swoim mocom Acheron nie powinien mieć problemu z wymazaniem pamięci czternastolatka, tak jak to zrobił z Rosą. Nie, żeby lubił używać tych mocy. Generalnie rzadko się do nich odwoływał, ale czasami okoliczności tego wymagały.

Na przykład takie okoliczności, jak pojawienie się w kuchni żądnych krwi zombie.

Dopiero w późniejszym wieku niektórzy ludzie potrafili przeciwstawić się jego mocy. A nawet wtedy były w stanie dokonać tego tylko najsilniejsze umysły.

Właściwie, jeśli się nad tym zastanowić, nigdy dotąd nie oparł się mu żaden śmiertelnik. Tylko bogowie i garstka demonów potrafiła stawić mu opór lub przechytrzyć go.

Co więcej, jakimś sposobem Nick zobaczył jego prawdziwą, boską formę.

Jak mu się to udało?

Zabij go i z głowy.

To pewnie byłoby najlogiczniejsze wyjście. Ale Kyrian, z jakichś tajemniczych powodów, uparł się, że uratuje tego dzieciaka. Acheron zamknął oczy i – używając swojej mocy – wybiegł w przyszłość, żeby zobaczyć, co by się wydarzyło, gdyby zabił Nicka.

Nie było tam nic.

Tylko pustka nicości.

A niech to...

Dwa tygodnie temu, gdy Nick został ranny, zobaczył całe jego życie od początku do końca, i to ze szczegółami. A teraz nie był nawet w stanie zobaczyć, co Nick ma w kieszeni.

Niedobrze.

Bo to mogło znaczyć tylko jedno – ten dzieciak odegra ważną rolę w jego życiu i z tego właśnie powodu Mojry zasłoniły go przed oczami Acherona, by nie mógł wpłynąć na decyzje Nicka.

Nie znoszę tego. Właśnie dlatego starał się nikogo nigdy do siebie nie dopuścić. Nie miał prawdziwych przyjaciół, oprócz swojej demonicznej towarzyszki.

A ten gnojek stojący przed nim miał zmienić jego przyszłość. Nic dziwnego, że moce Acherona na niego nie działały.

Acheron westchnął i otworzył oczy. Walka z przeznaczeniem to daremny wysiłek. Wiele wieków temu nauczył się, że bez sensu jest nawet próbować. *Równie dobrze mogę zaakceptować to co nieuniknione i przedstawić się chłopakowi.* Zawsze, gdy ktoś próbował zmienić jego przyszłość, sprawy przybierały jeszcze gorszy obrót.

– Jestem Acheron Partenopaios.

Nick parsknął śmiechem.

– Rany, a ja myślałem, że to ja mam idiotyczne nazwisko. Twoi rodzice musieli cię naprawdę nie znosić.

Gdyby tylko wiedział...

– Mów mi Ash. Tak jest łatwiej i krócej.

Nick podał mu zdrową dłoń.

– Nick Gautier. No, to czym ty jesteś?

– To twój najlepszy przyjaciel w życiu albo ostatni wróg.

Nick podniósł głowę i zobaczył, że po schodach schodzi Kyrian.

– Aha, rozumiem – stwierdził z sarkazmem. – Bo mnie zabije, jak go wkurzę. Ha, ha, ha.

Kyrian przewrócił oczami.

Acheron wypuścił z płuc długo wstrzymywany oddech.

– Nic nie mówię, generale. Ale ostrzegałem cię, że ten dzieciak oznacza więcej kłopotów, niż to wszystko warte. Wygląda na to, że się nie pomyliłem.

Nick zrobił krok w stronę Acherona i zapytał przyciszonym głosem:

– Czy Kyrian wie o... no, wiesz? O twojej dziwnej przypadłości?

– Wie, wie. Za to Rosa nie wie, więc lepiej o tym przy niej nie rozmawiajmy.

– Dobra.

Kyrian zatrzymał się koło Acherona.

– Jak rozumiem, Nick zobaczył coś niezwykłego?

– Och, nic specjalnego – stwierdził Nick. – Tylko coś rodem z cholernych gier komputerowych.

Acheron pokręcił głową.

– Ogólnie rzecz biorąc, dobrze sobie z tym poradził.

Nick uśmiechnął się.

– Ash zapomniał dodać, że spanikowałem i rzuciłem się do ucieczki jak baba. Czy wiedziałeś, że twoja gosposia posługuje się nożami niczym zawodowiec i nie ma najmniejszych oporów, by kogoś poszatkować?

– O, zaskoczyła mnie ta nagła zmiana tematu – powiedział Acheron do Kyriana.

Kyrian parsknął śmiechem.

– Owszem, Nick. Dobrze znam jej nożownicze umiejętności. Właśnie dlatego ją zatrudniłem. I lepiej o tym pamiętaj, gdyby kiedykolwiek przyszło ci do głowy jej pyskować. Nie przepada za tym.

– Bez obaw. Na to zupełnie nie mam ochoty. – Nick wsadził sobie rękę do kieszeni. Zamyślił się nad tym, co wydarzyło się w ciągu ostatnich kilku minut. – Czyli masz psychotyczną gosposię, która włada nożami niczym jakiś ninja. A Acheron kim dokładnie dla ciebie jest?

Nagle sytuacja zrobiła się niezręczna. Zakłopotanie obu było tak wyraźne, że można by je nożem kroić.

– Aha – dodał Nick, gdy do niego dotarło, że nikt mu niczego nie zamierza wytłumaczyć. Jak to mówią, przeciwieństwa się przyciągają... – Jesteście bardzo bliskimi przyjaciółmi, tak?

Kyrian zmarszczył brwi.

– Co masz na myśli?

Acheron spojrzał ze złością na Kyriana.

– On myśli, że jesteśmy parą.

Kyrian odsunął się od Acherona.

– Nie, nie i nie. Zdecydowanie nie. Nie, żeby Acheron nie był przystojnym mężczyzną, choć nie powiem, żebym zwracał na to uwagę. Nie gustuję w facetach.

Nick patrzył to na jednego, to na drugiego. Na pozór wydawało się, że nie łączy ich nic poza faktem, że obaj są niezłymi zabijakami.

– No to skąd się znacie? Bo, pomijając kasę, ty robisz wrażenie zupełnie normalnego, podczas gdy Ash... nie bardzo.

Acheron uniósł brew.

– Chcesz powiedzieć, że ty nie masz żadnych ekscentrycznych kolegów?

– Nie takich, jak ty. Moi robią może różne dziwne rzeczy, na przykład jedzą galaretkę przez słomkę albo dają się wyrzucić ze spożywczaka za obżeranie się próbkami, ale do ciebie im daleko.

Acheron cmoknął z dezaprobatą.

– Nie zgodziłbym się. Ja się nie polewam Eau du Kaczy Mocz ani nie chodzę na bagna polować na wilkołaki, w przeciwieństwie do co niektórych twoich znajomych.

– No dobra, Bubba i Mark rzeczywiście żyją na innej planecie. Ale nikomu nie wymazują pamięci ani nie zatrzaskują drzwi samą siłą umysłu.

– A skąd wiesz, że to nie był wiatr? – zapytał Acheron.

– Ten sam wiatr, który przewiał cię na drugi koniec domu, aż wylądowałeś przede mną?

– Możliwe. Jakieś tornado. Ostatecznie jesteśmy w Nowym Orleanie. Takie rzeczy się zdarzają.

Nick przyjrzał się Acheronowi z rozbawieniem.

– Nie obraź się, ale nie jestem żadną Dorotką i nie widziałem, żeby dom wylądował na jakiejś kobiecie w pończochach w paski. No, ale jeśli wierzysz w takie rzeczy, to może dasz sobie wcisnąć dom na wzgórzu na zalewiskach, który mam do sprzedania, co? A tak a propos, skąd wiesz o Bubbie i Marku?

Ash milczał.

Twarz Kyriana była zupełnie beznamiętna.

– No? – dopytywał się Nick.

Ash odchrząknął, po czym odpowiedział:

– Czasem mi się nudzi. Wiesz, jak to jest, nieograniczone moce... miejscowe świry. Bywa, że czuję nieodpartą potrzebę namieszania komuś w głowie, a Mark stanowi idealny obiekt do zabawy. On po prostu chce widzieć te wszystkie rzeczy, więc wystarczy kilka strategicznie rozmieszczonych cieni, żeby go uszczęśliwić, a mnie zabawić.

– Stary, to nie w porządku. – Jednak z drugiej strony Nick prawie potrafił go zrozumieć. – A co z zombie? Też je podstawiasz?

– Nie. O nich wiem tyle, co ty. Właściwie przyszedłem tu, żeby cię ostrzec – zwrócił się do Kyriana. – Możesz mi wierzyć lub nie, ale nie wiem, ile osób zostało zainfekowanych. Wygląda na to, że to głównie nastolatki, a epicentrum jest w szkole Nicka. Prawdziwa strefa zero.

Zdezorientowana mina Kyriana dość dobrze odzwierciedlała to, jak Nick się czuł.

– Jak możesz tego nie wiedzieć, z twoimi mocami?

– Wiem, że trudno w to uwierzyć, nawet mnie samemu, ale są rzeczy, których nawet ja nie potrafię rozszyfrować. To właśnie jedna z nich. Ktoś to przede mną zasłania, pewnie istota odpowiedzialna za ich powstanie. Nie wiem, kto to jest, ale wygląda na to, że bokor wziął sobie na cel dyrekcję i szkolnych nerdów.

Nick zesztywniał.

– Czemu na mnie patrzysz, gdy mówisz o nerdach?

Ash pstryknął Nicka w połę jego koszmarnej, hawajskiej koszuli.

– Normalni ludzie się tak nie ubierają.

Nick przesunął dłonią po przodzie koszuli i kiwnął z przekonaniem głową.

– Halo, na mnie nawet to dobrze wygląda. Zresztą patrzcie, kto to mówi. Po co nosisz okulary słoneczne w domu, gdy w dodatku jest ciemno, nerdzie?

Ash uśmiechnął się pyszałkowato.

– Bo gdziekolwiek jestem, słońce świeci zawsze na mnie.

Nicka to zupełnie nie rozbawiło.

– Nick?

Odwrócił się na wołanie Rosy.

– Tak, proszę pani?

– Mówiłeś chyba, że jesteś głodny, nie?

– Tak, proszę pani.

– No, to chodź coś zjeść, zanim padniesz. – Zrobiła pauzę. Zatrzymała się w drzwiach do kuchni i popatrzyła na Asha. – Acheron? Kiedy się zjawiłeś?

Ash pokazał kciukiem na drzwi za plecami.

– Przyszedłem kilka minut temu.

Rosa zmarszczyła czoło.

– Dziwne. Nie słyszałam dzwonka.

Ash się uśmiechnął.

– Wiesz, jaki jestem, Rosa. Cichy jak duch.

Na dźwięk słów Rosy Nicka przeszył dreszcz. Nie pamiętała nic a nic z tego, co dotyczyło Asha. Pewnie powinien zwiewać stąd gdzie pieprz rośnie, ale w Acheronie było coś, co mu przypadło do gustu. Może i wyglądał na kogoś, kto byłby w stanie przerobić Rambo na ścierkę do podłogi, ale Nick czuł z nim jakąś więź. Jakby był jego dawno zaginionym bratem. To było takie dziwne, a jednak…

Trzymaj się od niego z daleka. Ash jest zły do szpiku kości. On cię zniszczy. Nick pokręcił głową w odpowiedzi na niski głos, który rozległ się echem w jego głowie.

Przez moment czuł się tak, jakby miał zaraz postradać rozum.

– Idziesz, Nick? – zapytała Rosa.

– Tak, proszę pani.

Była to jego standardowa odpowiedź na większość pytań zadawanych przez kobiety. Jego matka naprawdę nie lubiła słowa „nie". Posłusznie ruszył w stronę kuchni oraz jedzenia, którego nie mógł się już doczekać.

Acheron patrzył za Nickiem. Nie potrafił powiedzieć dlaczego, ale instynkt mu podpowiadał, że ten chłopak jest kluczem do wszystkiego, co się dzieje. Wyczuwał tu jakąś obecność, wyczuwał kogoś, kogo nie widział, nie słyszał i nie potrafił dotknąć.

Jakby coś kryło się w cieniu. I promieniowało złem oraz chłodem, co przyprawiało go o dreszcz. To była czysta nienawiść, nie był tylko pewien, w kogo skierowana.

W niego?

Czy w Nicka?

Kyrian ściszył głos, by ani Rosa, ani Nick nie mogli go usłyszeć:

– Czegoś mi nie mówisz...

– Miewasz czasem przeczucia, z których nie możesz się otrząsnąć?

– Każdej nocy.

Ash zaśmiał się krótko.

– Nadal chcesz, by Nick był twoim Giermkiem?

– Jest jeszcze na to za młody. Ale gdy osiągnie odpowiedni wiek, to, owszem, taki właśnie mam plan. Bo? Czegoś o nim nie wiem?

Ash poczuł, że tatuaż na jego bicepsie przesuwa się w stronę łokcia. Poprzez uczucie pieczenia Simi chciała mu dać znać, że zaczyna się niecierpliwić i chciałaby zejść z jego ciała i przybrać ludzką postać. Albo może męczyła ją niestrawność po zjedzeniu zombie w takim tempie.

Potarł ręką demonicę, co ją uspokoiło na chwilę.

– Robi wrażenie dobrego dzieciaka.

– Ale?

Ale jest w nim coś...

Nie tak.

Gdyby tylko potrafił to zdefiniować. Nie chciał martwić Kyriana bez powodu, więc wzruszył jedynie ramionami.

– Nie mam nic do dodania. No, może tylko żebyś nie dał się zjeść zombie na dzisiejszym nocnym patrolu. Szkoda by było stracić dobrego Mrocznego Łowcę.

Kyrian poruszył nogą i jeden z noży wysunął mu się z czubka buta.

– Myślę, że jakoś temu sprostam.

Ash nie był tego taki pewien. Kyrian zawsze z trudem sobie radził, gdy musiał zaatakować kogoś niepełnoletniego. Zresztą jemu samemu też brakowało do tego zimnej krwi.

Simi to co innego. Pożarła zombie w kuchni, zanim zdołał ją powstrzymać. To dlatego oślepił Nicka i Rosę. Jego mała demonica miała własne poglądy, a gdy tylko wyniuchała jakieś nieludzkie smakołyki, które – jak uważała – nie były jej zabronione, nie dało się jej powstrzymać.

Niedługo będzie ją musiał znowu wypuścić na wolność albo zacznie mu się kręcić po całym ciele i rzucać jak w tańcu świętego Wita.

– Słońce zachodzi. Mam odwieźć Nicka do domu?

Kyrian kiwnął głową.

– Dzięki. A ja tymczasem wyprawię się z Talonem do Dzielnicy Francuskiej. Może uda nam się rozpracować tę całą sprawę z zombie.

– Powodzenia.

– Nawzajem.

Kyrian ruszył w stronę drzwi prowadzących do garażu.

Ash odczekał, by się upewnić, że gospodarz zniknął, po czym poszedł do kuchni. Zatrzymał się i przyglądał się żartującemu z Rosą Nickowi. Chłopak miał w sobie jakiś wyjątkowy czar. Jakby aurę, która przyciągała innych i sprawiała, że chcieli go słuchać.

Niektórzy nazwaliby to charyzmą. Była to swego rodzaju moc, z którą niektóre istoty przychodziły na świat, a inne nabywały później w życiu. To było coś więcej niż urok osobisty, więcej niż miła osobowość.

Ash miał podobne zdolności, choć do niego ludzie lgnęli z zupełnie innego powodu. Właśnie dlatego zawsze miał się na baczności, na wypadek gdyby mieli stracić nad sobą kontrolę.

Zabawne, że Nick wydawał się na to odporny. I za to Ash czuł ogromną wdzięczność. Mało kto nie reagował na przekleństwo, którym obłożyła go ciotka przy narodzinach. Właściwie na palcach jednej ręki mógł policzyć ludzi, którzy przez całe wieki byli na niego odporni.

Coś jest nie tak z tym dzieciakiem.

To jakaś paranoja.

Doprawdy?

Ty też kiedyś byłeś człowiekiem, który nie znał prawdy o swoich narodzinach ani o swoim przeznaczeniu.

To kolejne przekleństwo nałożone na niego przez krewnych. Do swoich dwudziestych pierwszych urodzin nie miał pojęcia o tym, że jest bogiem. Nie wiedział, że jego prawdziwą matką jest atlantydzka bogini zniszczenia.

A kiedy już uwolniły się jego moce, niewiele brakowało, a zniszczyłby cały świat i cofnął ludzkość do epoki kamienia.

A co, jeśli ten niewinny dzieciak jedzący gumbo jest istotą taką, jak on?

Nie bądź głupi.

Czyżby? Gdy Ash był człowiekiem, nawet inni bogowie nie byli w stanie rozpoznać jego prawdziwej natury. Sama Artemida stała obok niego i uznała go za człowieka.

Znowu spojrzał na chłopaka. Zombie zjawiły się tu wyłącznie ze względu na Nicka. Acheron nie miał co do tego wątpliwości. Tylko dlatego zaatakowały.

Pytanie tylko po co...

ROZDZIAŁ 8

Nick zamarł na widok lśniącego czarnego auta Asha... Nie była to pierwsza lepsza bryka, tylko pieprzone porsche 911 turbo! Ale jazda! Serce zaczęło mu bić jak szalone na myśl o tym, że się czymś takim przejedzie.

– Skąd masz taką furę?

Ash spojrzał na niego jak na idiotę.

– No wiesz, wystawiłem dealerowi czek na naprawdę wysoką sumę. Czek się nie odbił, a potem wydarzyło się coś absolutnie niesamowitego... Sprzedawca dał mi kluczyki i pozwolił wyjechać z salonu. Czysta magia.

Nick spojrzał na niego z irytacją.

– To ja tu mam monopol na sarkazm.

– Uwierz mi, Nick, mam wiele lat praktyki za sobą, o wiele więcej niż ty. A teraz wskakuj.

– Wskakuj? Stary, czyś ty kompletnie zwariował? Nie mogę tego nawet dotknąć, bo jeszcze zostawię odciski palców czy coś w tym rodzaju.

– Och, prawdziwy koszmar. Jeśli do tego dojdzie, będę musiał sprzedać tego śmiecia i kupić sobie nowe cztery kółka. À propos, nie oddychaj na tapicerkę albo wypruję ci flaki.

I Ash błyskawicznie wśliznął się za kierownicę.

Nick się zawahał, choć dobrze wiedział, że Ash żartował. Takie samochody widział tylko na plakatach i w Internecie. Kosztowały więcej niż jego matka zarobiła przez ...

Przez piętnaście lat. Co najmniej.

Domy niektórych ludzi kosztują mniej. On sam mieszkał w domu, który pewnie był wart tyle, co opony do tej maszyny. Rany, jakie to uczucie posiadać coś tak pięknego?

– Nick, wsiadaj. Szkoda czasu.

Chłopak przygryzł wargę i złapał się za połę koszuli, żeby nie zostawić odcisków palców na nieskazitelnym, czarnym lakierze. Ash już położył jego plecak na podłodze. Boże, co za cudna bryka. Ostrożnie, by nie dotknąć butem jasnobrązowej, skórzanej tapicerki, wsiadł do środka i zatrzasnął drzwi.

– Jesteś handlarzem narkotyków?

– Nie. – Ash zaśmiał się krótko. – Treserem.

– Kim?

Ash włożył kluczyk do stacyjki po lewej stronie kierownicy i zapalił silnik. Niesamowite.

– Zarządzam ludźmi.

– Jakimi ludźmi?

– Takimi jak ty. Twardogłowymi. Upartymi. Irytującymi i wyszczekanymi.

Wrzucił wyższy bieg i docisnął pedał gazu.

Nick złapał klamkę i mocno przytrzymał, bo Ash włączył się w ruch z niemal ponaddźwiękową prędkością.

– Wyluzuj, młody. Przecież nie zamierzam zarysować tego auta.

Nick nie był tego taki pewny.

– Lubisz szybko jeździć, co? Ile mandatów zarobiłeś?

Ash nic nie odpowiedział. Może i lepiej, bo Nick nie chciał skończyć jako dekoracja na masce czyjegoś samochodu. Lepiej nie rozpraszać Asha, gdy prowadzi tak szybko.

A przynajmniej próbuje.

Nick aż się skulił, gdy Ash przecisnął się między dwoma ogromnymi autami z półautomatyczną skrzynią biegów.

– Boziu, twoi rodzice wiedzą, jak jeździsz? I skąd wziąłeś prawo jazdy? Kupiłeś je na wyprzedaży w supermarkecie?

Ash parsknął śmiechem.

– A kto mówi, że w ogóle mam prawo jazdy?

Nickowi wyrwał się okrzyk zaniepokojenia.

– Spokojnie, Nick. Pamiętaj, że potrafię wykonać paskudne sztuczki umysłu Jedi. Nic się nam nie stanie.

Zredukował bieg i wystrzelili do przodu jak z procy.

– Chyba już wolę zaryzykować spotkanie z zombie. Stoooop...!

Zaklął w chwili, gdy samochód oderwał się od ziemi, by uniknąć zderzenia z innym, włączającym się do ruchu.

Akurat... Sztuczki umysłu Jedi, aha.

Zerknął na Asha. Mimo że na zewnątrz było już bardzo ciemno, prowadził auto w okularach słonecznych.

– A właściwic jak nabyłeś te moce?

– To prezent na dwudzieste pierwsze urodziny.

– Masz aż tyle lat?

Nick założyłby się, że Ash ma nie więcej niż osiemnaście czy dziewiętnaście lat.

Ash znowu się zaśmiał.

– A nawet trochę więcej.

– No, to co musiałeś zrobić, żeby otrzymać taki dar? Sprzedać duszę czy coś w tym rodzaju?

Uśmiech zniknął z jego twarzy.

– Coś w tym rodzaju.

Nieźle. Nick dałby się pokrajać za takie moce.

– Komu ją sprzedałeś? Diabłu?

W przypadku kogokolwiek innego byłoby to idiotyczne pytanie, ale Nick widział, co Ash potrafi i zdawał sobie sprawę z tego, że takich umiejętności nie kupuje się w lokalnym supermarkecie.

Ash zawahał się, nim odpowiedział na pytanie Nicka. Nie lubił o tym rozmawiać ani nawet myśleć o swojej przeszłości, i to z wielu powodów. Ale z drugiej strony to, do kogo należy, nie było wielką tajemnicą. Ostatecznie większość znanych mu ludzi sprzedała swoje dusze jedynej osobie, która miała i nad nim kontrolę.

– Należę do bogini, Nick.

– Której?

– Artemidy. Słyszałeś o niej?

Nick podrapał się w ucho.

– Grecka bogini księżyca, tak?

– Księżyc jest z nią łączony, ale w rzeczywistości boginią księżyca jest Selene. Artemida to bogini łowów.

– I na co poluje?

– Na ogół na mnie – mruknął Ash pod nosem. Odchrząknął i powiedział głośniej: – Właściwie jest już na emeryturze. Większość starożytnych bogów zachowuje moc tak długo, jak pozostają czczeni przez swoich wyznawców.

– Większość?

No tak, bo niektórzy, jak Acheron, nie potrzebowali wyznawców, by nie utracić mocy. Ci byli naprawdę niebezpieczni, bo ich potęga nigdy nie malała. Niestety, Artemida potrafiła czerpać z jego mocy i robiła to, gdy tylko było jej to na rękę. Na szczęście dla świata, niespecjalnie obchodziło ją wykorzystywanie tych mocy, chyba że chciała użyć ich przeciw samemu Acheronowi.

Ponieważ Acheron nie odpowiedział na jego pytanie, Nick zadał kolejne:

– Należysz do tych słabych?

– Nigdy nie mówiłem, że jestem bogiem.

A jednak jakimś sposobem Nick wyczuł, że tak właśnie jest. Ta umiejętność również odróżniała go od innych.

Nastolatek pogrążył się w milczeniu, dumając nad słowami Asha. Ash się do tego nie przyznał wprost, ale było w nim coś, co emanowało taką mocą, że chłopak niemalże czuł to w kościach. Jeśli on nie był antycznym bogiem, to był czymś…

Równie potężnym.

– Wiesz, Ash, nadal mi nie powiedziałeś, kim jesteś?

– Najlepiej traktuj mnie jak potężnego nieśmiertelnego.

Nick uniósł brew. Skupił się na jednym słowie.

– Nieśmiertelnego?

– No, tak.

– To ile masz lat? Tak naprawdę? – Musi być bardzo stary. – Dwieście, trzysta?

Ash uśmiechnął się z wyższością.

– Ponad jedenaście tysięcy.

Nickowi aż szczęka opadła z niedowierzania. To niemożliwe. Nie mógł być aż taki stary.

– Pieprzysz!

– Oj, co za język.

– Dobra, chrzanisz. Nie ma mowy. Tak dawno temu nie było jeszcze ludzi na ziemi. Nabierasz mnie.

Ash pokręcił głową.

– Zapewniam cię, że ludzie już wtedy istnieli. Niektórych nawet znałem bliżej.

Nick zastanawiał się nad tym w milczeniu. Próbował sobie wyobrazić świat, z którego pochodzi Ash. Jacy byli wtedy ludzie?

A może Ash opowiada kompletne bzdury?

– Naprawdę mnie nie nabierasz? – zapytał.

– Wcale a wcale.

A jednak nadal nie chciało mu się to pomieścić w głowie. Ludzie naprawdę mogli być nieśmiertelni? Naoglądał się tego w filmach i naczytał w książkach, ale...

– Jak to możliwe? Jesteś wampirem czy czymś w tym rodzaju? Jak stałeś się nieśmiertelny?

– To kwestia dobrych genów.

Nick przewrócił oczami. Gładkie odpowiedzi Asha zaczynały go irytować. Chciał uzyskać odpowiedź na swoje pytania, i to natychmiast.

– Dajże spokój. Muszę wiedzieć, co z ciebie za gagatek. No i chciałbym się też dowiedzieć, jak sam mógłbym się stać nieśmiertelny... Dobra, jeszcze nie teraz, bo to by było do dupy, ale za parę lat, gdy będę w kwiecie wieku, trochę postawniejszy. – Uśmiechnął się szeroko do Asha. – Zrobisz ze mnie nieśmiertelnego?

Ashowi nie przypadło to do gustu.

– Posłuchaj, Nick. Nie lubię rozmawiać o swoich mocach. Mało kto wie, co potrafię. Obdarzyłem cię zaufaniem i zakładam, że dotrzymasz tajemnicy. Bo jeśli nie... – Przechylił głowę na bok, jakby zerkał na niego kątem oka zza okularów słonecznych. – Cóż, mamie na pewno bardzo by cię brakowało.

– Nie tak bardzo, jak mnie samemu by mnie brakowało, gdybyś mnie zabił. – Zamrugał jak dziewczyna i wtulił się w ramię Asha. – Proszę cię, Ash, nie rób mi krzywdy. Nie chcę umrzeć jako prawiczek. Daj mi przynajmniej szansę z kimś się przespać, zanim mnie wyślesz na tamten świat. Moja mama twierdzi, że muszę z tym poczekać do ślubu albo przynajmniej aż skończę studia. Poczekasz z dziesięć lat, zanim mnie wykosisz, co?

Ash odepchnął go.

– Ty naprawdę masz nie po kolei w głowie, wiesz?

– No, wiem. To przez tę całą farbę zlizaną ze ścian w dzieciństwie. Smaczne, ale nieźle niszczy chromosomy.

Ashowi wyrwało się ciche westchnienie. Ze wszystkich sił próbował nie śmiać się z błazeństw Nicka. Coraz bardziej lubił tego dzieciaka, bardziej niż powinien. W jego zachowaniu było coś zaraźliwego.

– Dziesięć lat, mówisz?

– Zgadza się. Możesz mnie zabić, gdy skończę dwadzieścia cztery lata, o ile nie będę już prawiczkiem. I ani dnia wcześniej.

– Niech ci będzie... Pod warunkiem, że będziesz trzymać buzię na kłódkę.

– Tak jest, nie pisnę ani słowa.

– Ale jak skończysz dwadzieścia cztery lata... – Ash zrobił pauzę.

– Jestem cały twój, skarbie.

Ash pokręcił głową.

– Wcale się mnie nie boisz, co?

– Wiesz, jak mnie goniłeś u Kyriana w domu, to się trochę posikałem w gacie. Wychodzi na to, że dotąd nie nauczyłem się korzystania z toalety. Mama się zgarbi, bo tyle pracy włożyła w to, żeby mnie nauczyć załatwiania się do nocnika. No, ale skoro pozwoliłeś mi przeżyć... Popełniłeś wielki błąd, bo teraz wiem, że twoim zdaniem jestem zbyt uroczy i śliczniutki, żeby mnie zabić.

Naprawdę trudno było się gniewać na kogoś z takim poczuciem humoru. I, szczerze mówiąc, Acheronowi przyjemnie było w towarzystwie kogoś, kto nie próbuje nic udowodnić, kto się go nie boi i nie staje przed nim na baczność. Sporo czasu minęło, odkąd spotkał kogoś, kto wiedział o tym, że Ash nie jest człowiekiem i w taki sposób go traktował.

– Rzeczywiście jesteś uroczy i śliczniutki, młody, ale lepiej nie zapominaj o tym, że jestem mięsożercą i pochodzę z czasów i miejsca, gdzie jedzenie trzeba było własnoręcznie zabić i obedrzeć ze skóry.

Oczy Nicka zrobiły się wielkie jak spodki, gdy próbował sobie wyobrazić Asha w stroju gockiego jaskiniowca w nabijanej ćwiekami, czarnej przepasce biodrowej, uganiającego się za tygrysami szablozębnymi i zabijającego je za pomocą włóczni… Czy jedenaście tysięcy lat temu tygrysy szablozębne jeszcze żyły?

Czy ludzie chodzili w przepaskach biodrowych? A może polowali nago?

Rany, nauczyciele mają rację. W niektórych sytuacjach te bzdury mogłyby się przydać.

Ale nie o to szło w tej rozmowie. Nie to Ash próbował mu powiedzieć.

– Po prostu lubisz, jak ludzie się ciebie boją, co?

– Tak samo jak ty lubisz irytować ludzi. I z tego samego powodu.

Dzięki temu ludzie trzymali się na dystans. Nick tak postępował, żeby nie dać innym okazji do naśmiewania się z niego lub też – gdy się jednak naśmiewali – by go to tak nie bolało.

Przed czym próbował się ochronić Ash? Ciekawe…

Wóz zatrzymał się przed domem Nicka, który, po wizycie w dzielnicy Kyriana, robił wrażenie jeszcze większej ruiny.

Trzeba było Ashowi przyznać, że w żaden sposób nie zareagował na widok rozwalającej się rudery.

Nick zagwizdał cicho na widok kilku osób na ulicy, które stanęły jak wryte i gapiły się na samochód.

– Rany, sąsiedzi pewnie nieźle teraz świrują. Najpierw przyjeżdża po mnie lexus, a potem wracam do domu w porsche. Aż się dziwię, że nie zadzwonili jeszcze po policję, by zgłosić podejrzaną aktywność.

Ash uśmiechnął się i wyłączył silnik.

– Wydaje mi się, że SPP mają dziś ważniejsze rzeczy na głowie niż sprawdzanie, jakie auta podjeżdżają pod twój dom.

Nick zmarszczył brwi na dźwięk nieznajomego słowa.

– SPP?

– Stróże porządku publicznego.

– Aha... Fajny anagram.

– Akronim – poprawił go Ash. Tym razem odezwał się z wyjątkowo mocnym akcentem. Brzmiało to gardłowo, niemal jak warkot. To był naprawdę super dźwięk.

– Zaraz... Powiedz to jeszcze raz.

– Akronim.

Tym razem brzmiało to jak wymowa przeciętnego przechodnia.

– Niesamowite, że możesz się tak po prostu pozbyć akcentu. Jak ty to robisz?

– Trening czyni mistrza. A teraz, jeśli nie masz nic przeciwko temu, muszę cię stąd wyrzucić i zająć się swoimi sprawami.

– Czyli?

– Użeraniem się z ludźmi... Aktualnie użeram się z tobą. Wysiadaj, Nick.

Nick otworzył drzwi i wysiadł z auta. Ash chwycił jego plecak i ruszył za nim krótkim, rozsypującym się chodnikiem, zarośniętym trawą i usianym kamykami. Nie wspominając o kilku karaluchach, które przed nimi uciekały. Parę schowało się pod rośliną, którą przysłał Nickowi Bubba.

Starając się nie myśleć o insektach, Nick dotarł szybko do drzwi, które w tym samym momencie otworzyły się z impetem od środka. Mama objęła go ciasno.

– Ręka! Ręka! – jęknął, bo go zabolało.

Natychmiast go puściła.

– Przepraszam, Misiu. Tak się bałam, a potem cię zobaczyłam... Chętnie bym cię stłukła na kwaśne jabłko. Nie waż się nigdy więcej tak mnie niepokoić. Zrozumiano?

Nick roztarł sobie obolałe ramię, które aż go piekło od tych jej uścisków.

– Wiesz, mamo, słyszałem, że istnieje lekarstwo na tego rodzaju gwałtowne huśtawki nastrojów. Może powinnaś nad tym pomyśleć?

– Tylko mi tu nie pyskuj – odpowiedziała z uśmiechem. – Nie po tym, co przez ciebie dzisiaj przeszłam. Należy ci się za to szlaban. Gdyby nie to, że byłeś w pracy, to byś go dostał.

Odwróciła się w stronę drzwi, by je zamknąć, i zamarła na widok stojącego na werandzie Acherona. Zbladła jak ściana, przerażona jego posturą.

– Mamo, wszystko w porządku. To znajomy pana Huntera. Podrzucił mnie do domu.

Acheron podniósł plecak Nicka do góry.

– Przyniosłem tylko to z samochodu, pani Gautier. Przepraszam, jeśli panią wystraszyłem.

Matka Nicka uśmiechnęła się, bo przyłapała się na tym, że się w niego uporczywie wpatruje.

– Nie ma sprawy. Ja tylko…

Ash też się uśmiechnął.

– No wiem, wiem. To wszystko przez mój wzrost i te ciuchy. Wiele osób się mnie boi.

I jeszcze ta zabójcza aura, promieniująca z niego, do której Nick zaczynał się z wolna przyzwyczajać.

– Pan też pracuje dla pana Huntera? – zapytała mama Nicka.

Ash postawił plecak na podłodze koło drzwi.

– Nie, proszę pani. Jesteśmy po prostu starymi kolegami.

Uśmiechnęła się.

– Wygląda pan za młodo, by mieć starych kolegów.

Nick parsknął śmiechem na myśl o tym, że popełniła ten sam błąd, co wcześniej on.

– Uwierz mi, mamo, on jest dużo starszy, niż się zdaje.

– Cóż, dziękuję, że przywiózł pan mojego chłopca do domu. Jestem bardzo zobowiązana.

– Nie ma sprawy. – Acheron odwrócił się do Nicka. – Trzymaj się z dala od kłopotów, mały. Do zobaczenia.

– Dzięki, Ash.

Kiwnął głową i odszedł.

Mama zamknęła drzwi na klucz i wzięła plecak Nicka z progu, żeby się o niego nie potknąć.

– Trochę dziwny, co?

– Nawet nie masz pojęcia.

– Jak ci poszedł pierwszy dzień u pana Huntera?

– W porządku. – Pomijając zombie, niepoczytalność Rosy, no i Acherona. Ale po co ją jeszcze bardziej straszyć. Nie ma potrzeby, żeby oboje świrowali.

– To dobrze. Lepiej pójdę się przygotować do pracy – oświadczyła i ruszyła w stronę swojego pokoju.

Nick zatrzymał ją.

– Chyba jednak nie.

– Że co?

– Chcę, żebyś rzuciła pracę. I to dzisiaj.

Westchnęła i wywinęła mu się.

– Przestań gadać bzdury, Nick. Dobrze wiesz, że nie mogę rzucić pracy. Potrzebne nam pieniądze.

– Nie, mamo, mówię poważnie. Pan Hunter będzie mi płacić cztery tysiące miesięcznie za pracę u niego.

Rozdziawiła usta ze zdziwienia, a oczy aż zmrużyła z gniewem.

– A za co konkretnie?

– Załatwianie spraw. Tak jak mówił.

– O nie, nie, nie. Nie zgodzę się na coś takiego. Nikt nie płaci takich pieniędzy za załatwianie spraw zgodnych z prawem. Masz zrezygnować z pracy u niego jutro z samego rana.

– Nie, mamo. Wszystko jest legalne. Mówię ci.

Nadal nie chciała mu uwierzyć.

– Nie za takie pieniądze. Nie ma mowy. Masz mnie za kompletną idiotkę? Dość długo żyję na tym świecie i…

– Mamo, posłuchaj, proszę cię. On jest nadziany, nawet sobie nie wyobrażasz, jak bardzo. Ash twierdzi, że Kyrian uważa, że i tak będzie mi mało płacił. On nie ma pojęcia, ile to jest kasy. Poważnie.

– Nikt nie jest tak nadziany, żeby płacić jakiemuś dzieciakowi czterdzieści osiem tysięcy dolarów rocznie za załatwianie spraw. Sam się nad tym zastanów.

Jeszcze wczoraj by się z nią zgodził, ale po dzisiejszym dniu… Z jakiegoś powodu wierzył Kyrianowi, wierzył w czystość jego intencji.

– Mówię ci. Uwierz mi. Byłem u niego w domu. W życiu czegoś takiego nie widziałem. Możesz przestać tańczyć. Będę zarabiał dość, nawet pracując na pół etatu. Nie musisz pracować, możesz zostać w domu.

Tak jak zawsze marzyli.

– Sama nie wiem… – Matka zawahała się.

– Proszę cię, mamo, zaufaj mi.

Jej twarz się rozluźniła. Ujęła jego policzek w dłoń.

– Coś ci powiem. Popracuj dla niego przez parę tygodni, a jak dostaniesz pierwszy czek, to zobaczymy, dobrze?

Nick skrzywił się, bo dotarło do niego, jaką taktykę postanowiła zastosować. To była odmowa. Nie słuchała tego, co mówił.

– Czemu mi nie wierzysz?

– Myślę, że go źle zrozumiałeś.

– Nic podobnego.

Odsunęła mu włosy z twarzy.

– Zobaczymy, Nick. Zobaczymy.

Boże, jak on nie znosił tego jej tonu. Był taki protekcjonalny. W gruncie rzeczy chciała powiedzieć, że on nie ma pojęcia, o czym mówi. Nie był idiotą i świetnie to wyczuwał.

Miał to gdzieś. Był zbyt zdegustowany, by się dalej kłócić, zwłaszcza że i tak było to skazane na porażkę.

Poszła się przebrać.

– Na kuchence masz jajka z serem, jeśli jesteś głodny.

Nick aż się wzdrygnął. Powinien był pomyśleć i przynieść jej trochę gumbo Rosy. Ona by o nim nie zapomniała. Następnym razem...

– Jestem najedzony. Może ty chcesz jeszcze trochę? Gosposia Kyriana mnie nakarmiła tak z godzinę temu.

– Smakowało ci? – zawołała z drugiego pokoju.

– Tak.

Wystawiła głowę przez drzwi.

– Bardziej niż moje gotowanie?

Już miał powiedzieć, że tak, co było zgodne z prawdą, ale odezwał się jego instynkt samozachowawczy.

Kiedyś popełnił już ten błąd i powiedział, że Menyara piecze lepsze ciasteczka. Matce niezbyt się to spodobało.

– Nie. Nikt nie robi takiego gumbo, jak ty.

Puściła do niego oko, po czym zamknęła drzwi.

Nick westchnął z ulgą. Udało mu się ominąć minę i nie dostać po uszach. Rzadko mu się zdarzało zdać taki egzamin. *Coraz lepiej radzę sobie z kobietami.*

Dziś mama, a jutro może prawdziwa dziewczyna...

Jak Kody.

Może powinienem do niej zadzwonić? Ostatecznie nie widział się z nią w szkole, a nadal miał jej Nintendo.

Przecież wiesz, że nie masz jej numeru.

Prawda. To pewien problem. Zajmie się tym w szkole z samego rana. Tym razem nie stchórzy. Zaprosi ją na orleańskie pączki.

Nick podszedł do stołu i wziął zaczytany egzemplarz „Hammer's Slammer", po czym poszedł do siebie, żeby poczytać. Kartkował ją, gdy matka odsunęła koc na bok.

– Wychodzę. Coś ci potrzeba, zanim pójdę?

– Nie, nic.

– Dobrze. Mennie powiedziała, że później wpadnie i sprawdzi, czy wszystko u ciebie w porządku. Wrócę o świcie.

Nick odłożył książkę. Będzie musiała złapać tramwaj do pracy i z powrotem, a przecież na ulicach krąży pewnie jeszcze więcej zombie niż wcześniej. Matka byłaby dla nich tylko małą przekąską.

– Mógłbym pójść do pracy z tobą?

– Musisz odpocząć.

– No tak, ale wydarzyło się tyle dziwacznych rzeczy. To był taki popier… – Ugryzł się w język, zanim użył słowa, za które dostałby szlaban. – To był taki pokręcony dzień. Wolałbym nie puszczać cię samej.

Na jej pięknej twarzy z wolna wykwitł uśmiech.

– Będziesz mnie bronił?

– Od tego jestem, nie?

– Dobrze. Weź kurtkę, a ja powiem Mennie.

Nick zrobił, jak mu kazała. Nieczęsto pozwalała mu iść ze sobą do klubu, gdy następnego dnia rano musiał wstać do szkoły. Jednak mówił szczerze, nie podobała mu się perspektywa, że miałaby być sama na ulicach. Nawet w najlepszych okolicznościach Nowy Orlean potrafił być niebezpieczny, a skoro była wszystkim, co miał …

Będzie jej bronił aż do ostatniego tchu.

W końcu udało mu się założyć kurtkę na chore ramię i wyjść na werandę. Do mamy właśnie dołączyła Mennie.

– Czemu nie weźmiesz mojego auta, *Cherise*?

Mama zawahała się.

– Wiesz, że nie lubię być odpowiedzialna za cudzą własność. Poza tym w Dzielnicy Francuskiej ciężko znaleźć miejsce do parkowania. No i drogo. A Bourbon Street jest już zamknięta.

– To zostaw samochód na Royal Street. Proszę cię, Cherise. Wolałabym, żebyście nie krążyli sami nad ranem po ulicach. Pomyśl o tym biedaku, Nickym.

Mama spojrzała na niego, po czym kiwnęła głową.

Menyara podała jej kluczyki i cmoknęła Nicka w policzek.

– Uważaj na mamę.

– Zawsze.

Cherise uśmiechnęła się do przyjaciółki.

– Zostawię kluczyki rano na blacie.

– Świetnie.

Matka odwróciła się i zeszła kilka stopni w dół, gdzie Menyara zaparkowała swojego granatowego taurusa. Obok stał ich rozklekotany, czerwony yugo, który wymagał naprawy, ale nie było ich na nią stać. Nick wsiadł do środka jako pierwszy. Dziwnie było siedzieć w samochodzie Mennie bez niej. Zwykle jeździli nim, tylko kiedy zbliżał się huragan i trzeba było się ewakuować, a ich własne auto było zepsute.

Albo gdy Nickowi trzeba było założyć szwy.

Nic chciał o tym myśleć, więc zajął się zapinaniem pasa. Tymczasem matka zapaliła silnik.

Przeczesała mu włosy palcami.

– Wiesz co, skoro mam auto, mógłbyś zostać w domu.

– Nie. Nadal musisz dojść na Bourbon z Royal Street.

Pokręciła głową.

– Mój mały, groźny buldog.

– Jestem od ciebie większy.

– A ja wredniejsza.

Zawsze tak mówiła, ale to była nieprawda. Jego matka była najłagodniejszą osobą, jaką znał. To dlatego był w stosunku do niej taki opiekuńczy. Pod pewnymi względami pozostała niewinnym dzieckiem, które widziało w ludziach tylko dobro.

To się w głowie nie mieściło, ale broniła nawet jego ojca, o którym naprawdę nie dało się powiedzieć nic dobrego. Był niczym diabeł wcielony.

Nick zamknął oczy i wsłuchał się w ciche dźwięki zydeco dochodzące z samochodowego radia. To był ulubiony gatunek muzyczny matki: zydeco oraz Elvis. Jak mówiła, zydeco trafia do jej cajuńskich korzeni, a Elvis przypomina o czasach, gdy była małą dziewczynką i bawiła się z siostrą i kuzynkami. Lubiły się przebierać za Elvisa. Aż się skrzywił na tę myśl, a w głowie zabrzmiała mu piosenka Mojo Nixona *Elvis Is Everywhere*. Będzie teraz za nim chodziła przez parę dni.

To przebieranie się za Elvisa nie miało zresztą sensu, bo wszystkie były dziewczynami. Choć z drugiej strony, jakie on miał prawo mówić o zdrowym rozsądku, zwłaszcza po dzisiejszym dniu.

Dotarli do Royal Street i zaparkowali dwie przecznice od klubu. Nick wysiadł i rozejrzał się po ulicy, po której kręciło się sporo turystów. Niektórzy zatrzymywali się przed witrynami sklepów z antykami czy biżuterią. Byli niedaleko sklepu pani Lizy. Pewnie teraz zamyka i podlicza kasę, żeby zdeponować pieniądze w banku.

Odprowadził matkę do klubu, a gdy zapukała do drzwi, zawahał się.

– Mogę zajrzeć do pani Lizy?

Skrzywiła się i popatrzyła na niego podejrzliwie.

– Na pewno nie planujesz nic innego?

– Obiecuję. Nie lubię, jak sama odnosi pieniądze do banku.

Matka cmoknęła go w policzek.

– Sama nie wiem, jak udało mi się wychować takiego wspaniałego syna. No, idź, ale szybko wracaj.

– Dobrze.

Skinął głową Johnowi, który wpuścił matkę do środka. Potem wrócił na Royal Street i poszedł do sklepu z lalkami.

Tak jak się spodziewał, pani Liza stała właśnie przy kasie i robiła bilans z płatności kartami kredytowymi. Gdy zapukał do okna, podniosła głowę i uśmiechnęła się na jego widok.

Przeszła przez sklep, otworzyła drzwi i wpuściła go do środka.

– Co za niespodzianka. Co ty tu robisz, skarbie?

– Odprowadziłem mamę do pracy i wpadłem sprawdzić, czy nie chce pani, żebym poszedł z panią do banku.

Zamknęła drzwi na klucz od środka.

– Miło z twojej strony. Owszem, przydałoby mi się towarzystwo. Już prawie skończyłam. Masz ochotę na colę czy coś innego?

– Ma pani ciastka?

– Zawsze.

Nick minął ją i poszedł na zaplecze, gdzie zwykle trzymała swoje świeżo upieczone ciasteczka. Och, tak, to dopiero było coś...

Nie miał pojęcia, co ona do nich dodawała, ale po prostu rozpuszczały się w ustach. Zawsze miał ochotę opchać się nimi do bólu.

– À propos – zawołał, łapiąc garść smakołyków. – Dzięki za przysłanie ciastek do szpitala. Poprawiła mi pani wtedy humor.

– Ależ proszę, panie Gautier. Zacząłeś już pracę u Kyriana?

– Dzisiaj. – Wrócił z zaplecza i stanął koło niej przy kasie. – Poznałem jego znajomego, który się nazywa Ash Parteno-coś-tam-coś-tam. Nazwisko nie do wymówienia.

Zamarła.

Nick nie był pewien, co to znaczy.

– Zna go pani?

– Owszem.

Wsadziła banknoty do niebieskiej koperty, której używała do depozytów.

– A wie pani, jak wymawia się jego nazwisko?

– Z szacunkiem. – Puściła do niego oko. – Par-te-no-pa-ios. A-che-ron Par-te-no-pa-ios.

– Niezłe. Chyba nigdy się nie nauczę tego wymawiać. Niech pani pomyśli, jak to jest, gdy się jest w przedszkolu i człowiek się tak nazywa. Straszne, co? A mnie się zdawało, że Gautier to niełatwe nazwisko. Dopiero gdy miałem prawie dziesięć lat, przestałem pisać je przez „sz".

Parsknęła śmiechem.

Nick skończył ostatnie ciastko, gdy ona sięgnęła po swoją kurtkę. Założyła ją i poszła włączyć alarm, podczas gdy on czekał na nią przy drzwiach. Gdy alarm zaczął pikać, wypuściła go na zewnątrz i zamknęła drzwi na klucz.

Liza wzięła go pod zdrową rękę.

– Wiesz, brakuje mi tych naszych spacerków. Może mogłabym cię jednak wykraść Kyrianowi, co?

– Musiałaby pani z nim o tym porozmawiać. Zapłacił za mój szpital, więc poniekąd ma mnie na własność.

– Pewnie też ci lepiej płaci, co?

– Tylko trochę. Ale nie piecze ciasteczek z czekoladą.

Śmiejąc się, doszli do bankomatu i zdeponowali pieniądze.

Nick odprowadził ją do samochodu i pomachał na pożegnanie, aż siadła za kierownicę i zostawiła go samego na ulicy przed sklepem. Już miał wrócić do klubu, gdy usłyszał dziwny dźwięk dochodzący z alejki koło sklepu pani Lizy.

Całkiem jak jakiś pies...

Nie, to był ten sam dźwięk, który usłyszał wcześniej przed domem Kyriana. Dźwięk polujących na niego zombie.

Na skórze poczuł zimny wiatr. Mógłby przysiąc, że niebo pociemniało.

Wszystkie latarnie na ulicy nagle zgasły, rozległy się alarmy w kilku samochodach.

– Co do...

Coś wypadło z alejki w takim tempie, że nie zdążył tego nawet dobrze zarejestrować. Wpadło prosto na niego i ścięło go z nóg.

ROZDZIAŁ 9

Poczuł mocne uderzenie w pierś i runął na ziemię. Przetoczył się na bok i zerwał się na równe nogi, gotów stanąć do walki, choć ramię znowu mu pulsowało. Rany, czy ono kiedykolwiek przestanie boleć?

Poczuł ucisk w żołądku, gdy rozpoznał Stone'a. W pierwszej chwili pomyślał, że Stone też jest zombie, ale gdy mu się lepiej przyjrzał, dotarło do niego, że...

Wyglądał zupełnie normalnie, przynajmniej jak na Stone'a.

– Co ty wyprawiasz?

Niewiele brakowało, a Nickowi wyrwałaby się wyjątkowo wredna inwektywa, którą miał na końcu języka. Nie chciał jednak zdradzić Stone'owi, jak bardzo wyprowadził go z równowagi.

Stone się zaśmiał i popchnął Nicka.

– Przestraszyłem cię, dziewczynko?

No dobra, koniec szczypania się.

– Jesteś monstrualnym palantem.

Stone złapał go z siłą, która wydawała się niemal nieludzka.

– Jeszcze to odszczekasz, Gautier. A przy okazji wyplujesz zęby.

Nick próbował się wyrwać. Stone mocniej nacisnął na jego kark, aż mu się wszystko rozmazało przed oczami i zaczęło dzwonić w uszach. Co to za kung fu czy inny wolkański ucisk na nerwy? Nick był niczym szczeniak, którego ktoś złapał za kark. Jego ciało zwiotczało i po prostu wisiało w rękach Stone'a.

Co za żenada. Wkurzyło go to do bólu.

– Puść go, Stone. I to już.

Stone zacieśnił ucisk, gdy z cienia wynurzył się Caleb Malphas. Był obrońcą i gwiazdorem szkolnej drużyny futbolowej, któremu Stone zazdrościł władzy i popularności.

Na szczęście nie był ani tak głupi, ani tak okrutny jak Stone.

Napastnik odepchnął Nicka od siebie.

– Ja tylko się z nim trochę bawiłem.

Ciemne włosy Caleba były odgarnięte do tyłu, odsłaniając jego idealne rysy. Spojrzał gniewnie na Stone'a.

– Co ty powiesz? Lepiej się stąd zabieraj, bo jeszcze sam się z tobą zabawię.

Stone zmrużył oczy.

– Nie jesteśmy w szkole, Malphas. Tutaj jestem kimś innym niż tam.

Caleb wkroczył w jego przestrzeń osobistą. Stanął tak blisko, że prawie się dotykali nosami.

– Ja też, Blakemoor. Uwierz mi, zwierzę, które siedzi w tobie, nie poradzi sobie z demonem, który tkwi we mnie. A teraz znikaj, zanim posmakujesz, co może ci się stać, gdy nie masz futbolowych ochraniaczy.

Stone skrzywił się, zamrugał i cofnął się. Posłał Nickowi drwiące spojrzenie, w którym kryła się obietnica kolejnej rundy, gdy w okolicy nie będzie Caleba.

– Szkoda kostek na ciebie, tylko bym je sobie poobcierał.

Posłał mu jeszcze jedno posępne spojrzenie, wsadził ręce do kieszeni i przeszedł na drugą stronę ulicy.

Nick spiorunował drania wzrokiem.

– Powinieneś się cieszyć, że mam rękę na temblaku. W przeciwnym razie już by ci brakowało paru zębów... dupku.

– Nie stać cię na lepszą zniewagę?

Nick odwrócił się z wściekłością do Caleba.

– A co, chcesz sam posmakować?

Caleb się roześmiał.

– Podoba mi się twoja ikra, Gautier. Szkoda, że już nie grasz w mojej drużynie.

Nick nachmurzył się, bo wyczuł, że Caleb miał na myśli coś więcej niż drużynę piłkarską.

– Co ty tu robisz?

– Szedłem właśnie do „Trzech B". Zaraz są zajęcia z Markiem i Bubbą z Zasad Obrony przed Zombie i Walki z Nimi. Lepszej rozrywki nie było od czasu, gdy Stone podpalił się na lekcji chemii.

Nick roześmiał się na to wspomnienie. Stone popisywał się przed Casey. Strącił próbówkę z czymś łatwopalnym, co wybuchło i podpaliło mu rękaw. Niestety, pani Wilkins szybko złapała gaśnicę i Stone utracił jedynie brwi oraz szczyptę godności.

Połowa klasy liczyła na to, że spotka go los Freddie'ego Kruegera, ale nic z tego nie wyszło. Przeżył i nadal ich wszystkich nękał.

– Idziesz też? – zapytał Caleb.

Brzmiało to bardzo kusząco, ale Nick zawahał się.

– Mam wrócić do matki do pracy.

Bo by go zabiła, gdyby się nie zjawił.

– To się nie dowiesz, co można przyrządzić z rozjechanego na drodze zombie. No, dalej, Nick. Nie możesz tego przepuścić, to najlepsza rozrywka na skali maksymalnego superanctwa. – Caleb wyciągnął telefon i podał go Nickowi. – Zadzwoń i zapytaj, czy możesz iść.

Nick miał wątpliwości. Caleb nigdy nie zachowywał się specjalnie przyjaźnie. Właściwie to zupełnie go dotąd ignorował.

Więc co go obchodzi, czy on pójdzie, czy nie? Chyba że to jakaś sztuczka, jak wtedy, gdy lubiany gość prosi

Carrie White na bal maturalny tylko po to, by oblać ją krwią i nabijać się z niej.

No, tak, chyba bym głupio wyglądał w sukni balowej. Co gorsza, nie miał zdolności telekinetycznych Carrie, by się na nich odegrać.

Caleb przyglądał mu się ze zmarszczonym czołem.

– Na co czekasz?

Na uderzenie pioruna, bo, bądźmy szczerzy, to wydawało mu się bardziej prawdopodobne niż że najpopularniejszy gość w szkole zaprasza go na wspólny Bubbizod.

– Czemu jesteś dla mnie miły?

Na ustach Caleba zaigrał chytry uśmieszek.

– Wróg mojego wroga jest moim przyjacielem.

– A kto jest twoim wrogiem?

Caleb wzruszył ramionami.

– Nie uwierzyłbyś, gdybym ci powiedział... Wiem, co sobie myślisz. Jak taki lubiany gość jak ja może w ogóle mieć wrogów czy jakieś problemy, co?

No, w sumie tak.

– Jakoś nie zauważyłem, żeby ostatnio rzucano tobą o szafki.

– Bo nie jesteś cały czas ze mną. Uwierz mi. Niczyje życie nie jest łatwe. Wszyscy mają jakieś blizny, które boją się pokazać, od czasu do czasu każdy wali głową w przysłowiową szafkę, popchnięty przez kogoś większego i groźniejszego.

Akurat. Mógłby się założyć, że kiepski dzień Caleba nijak się ma do jego kiepskiego dnia.

– Niby co? Dostałeś szlaban od rodziców za jeżdżenie samochodem mamy czy zapomniałeś powiedzieć sprzątacze, żeby wypucowała twój pokój?

Caleb zignorował jego sarkazm.

– Dzwonisz do matki czy nie? Ja mam to właściwie gdzieś, po prostu chciałem być miły.

Przysięgam, że jeśli skończę oblany świńską krwią, to przyjdę po ciebie z siekierą. Wziął telefon od Caleba i wbił numer do klubu.

Po szóstym dzwonku telefon odebrała Tiffany.

– Cześć, Tiff, tu Nick. Mama jest gdzieś w pobliżu?

– Pewnie, pewnie. Zaczekaj.

Gdy Nick czekał, aż matka podejdzie do telefonu, Caleb podszedł do jednej z witryn sklepowych. Nick nadal nie był pewien, dlaczego tamten to robi. Znali się, ale nigdy nie spędzali razem czasu. Caleb przeniósł się do ich szkoły na długo przed Nickiem i, mimo że na wiele zajęć chodzili razem, Caleb prawie nigdy się do niego nie odzywał. Chyba po to, by mu powiedzieć, że ma zbierać swój śmierdzący tyłek z drogi, gdy chciał się dostać do swojej szafki.

Mimo że go lubiano i grał w drużynie piłkarskiej, Caleb był samotnikiem. Ignorował większość osób, nigdy nie mówił o swoim życiu ani rodzicach. A jeśli ktoś go o to zapytał, szybko zmieniał temat. Jednak sądząc po ciuchach i zachowaniu, jego rodzice musieli być wyjątkowo nadziani. Po szkole krążyły plotki, że ojciec Caleba jest jednym z najbogatszych ludzi w mieście.

Oczywiście były i inne plotki, na przykład o tym, że Caleb jest byłym więźniem i gry w futbol amerykański nauczył się w poprawczaku. Według innej miał nawet zabić swojego ojca i sprzedać jego wątrobę na czarnym rynku.

Z tego, co Caleb powiedział przed chwilą, Nick wywnioskował, że w domu musi mieć niewesołą sytuację. No, bo z jakiego innego powodu gość tak przystojny, zamożny i lubiany miałby snuć się po mieście w drodze na prowadzone przez dwóch świrów treningi walki z nieistniejącymi stworzeniami?

Choć z drugiej strony... Po tym, co się dzisiaj zdarzyło, zombie nie były już czystą fikcją.

– Nick? Wszystko w porządku? – zapytała matka, która właśnie podeszła do telefonu.

– Tak, nic mi nie jest. Jestem kilka przecznic od klubu. Odprowadziłem panią Lizę i wpadłem na kolegę ze szkoły...

– Dzień dobry, pani Gautier – zawołał Caleb do telefonu.

Nick rozmawiał dalej.

– To Caleb Malphas. Chce wiedzieć, czy mogę iść z nim do Bubby do sklepu, na jedno z jego szkoleń.

– O, Boże, a czego on dzisiaj uczy?

– Walki z zombie.

Mama westchnęła ze zmęczeniem.

– Będzie tam znowu jakiś dynamit?

– Wątpię. Po ostatnim wypadku agenci Biura ds. Alkoholu, Tytoniu, Broni Palnej i Materiałów Wybuchowych dość ostro go obsztorcowali. Zawsze po tym, jak na horyzoncie pojawia się władza, Bubba na jakiś czas kładzie uszy po sobie.

– Ile to potrwa? – chciała wiedzieć.

Zerknął na Caleba.

– Jak długo?

Caleb uśmiechnął się figlarnie.

– Ma być godzina, ale zwykle po jakichś trzydziestu minutach albo Bubba, albo Mark doznają poważnego uszkodzenia i musimy jechać do szpitala. Jeśli szybko wyjdą z izby przyjęć albo poparzenia nie są zbyt poważne, zwykle wracamy na dalszą część szkolenia, ale na ogół kończy się przed czasem. Lepiej powiedz mamie, że to potrwa godzinę, bo musimy jeszcze wliczyć czas na zaśmiewanie się do łez w drodze powrotnej.

Caleb wcale nie żartował, co było smutne.

– Tak z godzinę, mamo.

– I nie będziesz sam?

– Nie, proszę pani. Caleb jest ze mną. To raczej postawny gość.

– Ile on ma lat?

Nick zagryzł zęby z frustracji. Dlaczego zawsze muszą grać w tę w grę, gdy jest to kwestia prostego „tak" lub „nie"? Rany, matka powinna być prawniczką.

– Ile masz lat?

Caleb zrobił pauzę, jakby musiał się nad tym zastanowić.

– Piętnaście.

– Piętnaście – Nick powtórzył do słuchawki.

– Czym zajmują się jego rodzice?

Tym razem nie wytrzymał i nie zdążył ugryźć się w język.

– A jakie to ma znaczenie?

– Dla mnie ma. Jeśli chcesz iść na to spotkanie, to lepiej odpowiedz.

Nick przewrócił oczami w reakcji na tę irytującą uwagę.

– Czym się zajmują twoi rodzice?

Caleb zrobił dziwną minę. Gdy się odezwał, jego głos brzmiał bardzo spokojnie:

– Mój tata jest brokerem, a mama, choć z oporami, pozostaje jego konkubiną, która sprzedała mu swoją duszę za ekwiwalent ferrari.

Nick wypuścił powietrze z płuc. Ten Caleb miał gadane.

– Jego tato jest maklerem giełdowym.

– A mama?

– Prowadzi dom.

Jego mama zawahała się, po czym przepytywała go dalej:

– To dobry chłopak?

– Nie, mamo, istny Szatan. Szczerze mówiąc po szkoleniu planowaliśmy iść się napić i zrobić sobie tatuaże, a potem poszukać jakichś tanich dziwek, z którymi moglibyśmy się trochę zabawić za kasę z jego funduszu powierniczego.

Caleb parsknął śmiechem.

Mama nie podzielała jednak jego poczucia humoru.

– Nie mów do mnie tym tonem, Nicku Gautier, bo dostaniesz szlaban aż do czasu, gdy się zestarzejesz i osiwiejesz. Odpowiadaj na pytania.

Czy ona nie rozumie, na czym polega sarkazm?

Do Nicka dotarło, że musi grać grzecznie, więc zapanował nad swoim głosem.

– Tak, to dobry chłopak. Nigdy nie miał żadnych kłopotów w szkole, wszyscy go chwalą. To kapitan drużyny futbolowej. No, i psychopatyczny zabójca, który chowa ciała w lodówce, gdy tylko jego rodzice wyjadą z miasta.

No, cóż... rzeczywiście próbował wyzbyć się sarkazmu, ale w jego przypadku było to niemożliwe.

Caleb znowu się zaśmiał, a potem nachylił się bliżej, by mama Nicka mogła go usłyszeć.

– Poza tym jem małe dzieci na śniadanie i znęcam się nad zwierzątkami dla zabawy. Ale terapeuta twierdzi, że mój stan się poprawia.

Jego matka odpowiedziała na to ostro:

– Tylko mi się tu nie wymądrzajcie.

Nick wyszczerzył zęby do Caleba.

– Przepraszam, mamo. Nie mogliśmy się oprzeć.

Poszła porozmawiać z szefem, po czym wróciła do telefonu.

– No, dobrze. Możesz iść, ale za godzinę masz być tu z powrotem.

– Tak jest, proszę pani. Będę.

– Kocham cię, skarbie.

Nick poczuł, że robi się czerwony jak burak. Odwrócił się od Caleba.

– Ja też cię kocham – powiedział ściszonym głosem. Rozłączył się i oddał telefon Calebow. – Ani słowa o tym. Caleb uspokoił go gestem ręki.

– Spoko. Sam bym chciał mieć mamę, którą bym mógł kochać. Moja jest wredną psychopatką, która wolałaby, bym nie żył. Zresztą nie cmokałeś do słuchawki, więc z czego się tu naśmiewać?

Tym razem. I tylko dlatego, że byli, gdzie byli.

Caleb schował telefon do kieszeni i ruszyli w stronę sklepu Bubby.

Po drodze myśli Nicka powędrowały w stronę Stone'a i ich dziwnego spotkania.

– Jak myślisz, co Stone robił za sklepem pani Lizy?

To nie było w jego stylu: kręcić się po mieście w pojedynkę. Był tchórzem, który potrzebował widowni.

Caleb poderwał brodę w stronę księżyca w pełni.

– Pewnie się kręcił po okolicy ze swoimi kolesiami i znalazł jakieś śmietniki do obwąchania.

– Że co?

– Jest pełnia księżyca, Nick. Zwierzę w Stonie pewnie wzięło górę. Pewnie próbował się gdzieś teleportować i przez swój młody wiek wszystko pochrzanił. Myślę, że wylądował za sklepem z lalkami, bo Liza wzywała dziś wcześniej bogów i on to usłyszał. Może jej moce w jakiś sposób wpłynęły na niego.

Nick prychnął w odpowiedzi na te nonsensy.

– Boziu, ty też zaczniesz teraz pleść te wszystkie bzdury o wilkołakach?

– A co, nie wierzysz w nie?

– Wierzę tylko w zombie i to tylko dlatego, że je dzisiaj widziałem. Reszta... to kompletne brednie.

– Mieszkasz w Nowym Orleanie, jesteś katolikiem, nie wspominając o tym, że przyjaźnisz się z Bubbą i Markiem, a mimo to nie wierzysz w demony, wilkołaki i wampiry? – Caleb pokręcił głową.

– Jedyne wampiry, jakie widziałem, to byli goci kręcący się pod domem Anne Rice, którzy piją napoje truskawkowe i wmawiają sobie nawzajem, że to krew.

– Ale z ciebie sceptyk.

Nick był z tego bardzo dumny. Nie podobało mu się, gdy ktoś próbował mu coś wmówić. Wolałby wyjść na zblazowanego niż na ofiarę losu.

– A z ciebie, jak rozumiem, nie.

– Ja w to wszystko wierzę.

– Czemu?

– Powiedz, Nick, nigdy ci się nie zdarzyło iść ulicą i poczuć dotknięcie zła na plecach? Wiesz, to takie mrowienie, wrażenie, że coś jest nie tak, ale nie umiesz powiedzieć dokładnie co? To demon obok ciebie. Przygląda ci się i chce się tobą zabawić.

Nick nie wierzył w ani jedno jego słowo.

– Próbujesz mi tylko namieszać w głowie.

– Próbuję przygotować cię na spotkanie z rzeczywistością.

– Rzeczywistość to dobra praca, opłacanie rachunków i trzymanie się z dala od kłopotów.

Z dala od celi śmierci.

Caleb posłał mu filuterne spojrzenie.

– Jej, ty naprawdę wierzysz w te wszystkie bzdury o *status quo*.

– To nie żadne *status quo*. Tak wygląda prawda.

– Jak sobie chcesz.

Caleb zatrzymał się na chodniku przed „Trzema B". Podszedł do drzwi, otworzył je i wpuścił Nicka pierwszego do środka.

– Sklep jest zamknięty. Szkolenie odwołane… – Mark zrobił pauzę, gdy wyszedłszy z pokoju na zapleczu, zobaczył ich. – A to, wy. Wchodźcie.

Nick zmarszczył brwi. Dziwne powitanie.

– Co się dzieje?

Mark nie odpowiedział, minął ich, podszedł do drzwi, którymi właśnie weszli, zamknął je na klucz i wywiesił w nich napis „zamknięte".

– Nie uwierzysz.

Ruchem ręki kazał im iść za sobą na zaplecze.

O, cholera. Już się nie mógł doczekać. Zawsze gdy z ust Marka padały te słowa, chodziło o coś naprawdę niesamowitego.

Gdy jednak weszli na zaplecze, Nick stanął jak wryty. Przed komputerem siedzieli Bubba i ten mały dupek Madaug. Jak to możliwe, że tu jest, choć przez cały dzień nie odbierał telefonu?

Nick miał ochotę go udusić.

Okulary Madauga były nieco przekrzywione. Chłopak szarpał swe krótkie włosy, czytając kod na monitorze.

– Jak on się tu dostał? – Nick zapytał Marka.

Mark posłał mu zdziwione spojrzenie.

– No jak, na nogach.

Nick skrzywił się.

– Poważnie pytam. Cały dzień stawaliśmy na uszach, żeby go namierzyć. Kiedy tu przylazł?

– Parę godzin temu.

Madaug nie zwracał na nich uwagi. Wskazał na fragment kodu.

– Widzisz, Bubba? O tym właśnie mówiłem. Ten algorytm został napisany, by podprogowo stłumić przednią część zakrętu obręczy*, a ten stymuluje korę czołowo-oczodołową** oraz ciało migdałowate***, tym samym podnosząc poziom serotoniny.

Nick spojrzał wilkiem na Caleba, który na szczęście, robił wrażenie nie mniej zdezorientowanego niż on sam.

Za to Bubba i Mark chyba doskonale rozumieli ten żargon, z którego on nie pojął ani słowa.

– No tak. – Bubba podrapał się po zaroście na brodzie. – Ale nie rozumiem, jak uzyskałeś kontrolę nad podwzgórzem?

– Nie uzyskałem. Powinno to wpłynąć tylko na somatyczny układ nerwowy****, z niewielkim skutkiem ubocznym w postaci wzrostu napięcia w podwzgórzu, co daje szansę zahamowania agresywnych zachowań. Nie rozumiem, jak straciłem kontrolę. Co ja przegapiłem, Bubba?

Nick odchrząknął.

– Mogę ci powiedzieć, czego ja nie rozumiem. Niczego. O czym wy gadacie?

Mark zerknął kątem oka na Nicka.

– O „Łowcy Zombie".

* zakręt obręczy – część układu limbicznego, odpowiedzialna za przepływ myśli (*przyp. red.*)

** kora czołowo-oczodołowa – część kory mózgowej związana z odczuwaniem emocji i zachowaniami interpersonalnymi (*przyp. red.*)

*** ciało migdałowate – część układu limbicznego, który reguluje stany i zachowania emocjonalne, głównie za reakcje negatywne – agresję, reakcje obronne, strach (*przyp. red.*)

**** somatyczny układ nerwowy – część obwodowego układu nerwowego, która w dużym stopniu poddaje się świadomej kontroli. Związany jest z pracą mięśni szkieletowych i gruczołów skórnych (*przyp. red.*)

Nick musiał ugryźć się w język, żeby nie zakpić.

– A to się czymś różni od waszych normalnych rozmów?

Mark westchnął z irytacją.

– Nie mówimy o zabijaniu zombie, Nick, tylko o grze.

Madaug odwrócił się do Nicka i powiedział:

– Stworzyłem grę komputerową, która się nazywa „Łowca Zombie". To nad tym pracujemy.

Nick się uśmiechnął.

– O, fajnie. Mogę zagrać?

– Nie! – wrzasnęli jednocześnie Mark, Bubba i Madaug.

Bubba pociągnął łyk napoju gazowanego.

– Nick, uwierz nam. Z tą grą nie chcesz mieć nic wspólnego.

– Czemu?

Madaug przeszył go wzrokiem.

– Bo każdy, kto w nią zagra, zamienia się w zombie.

Akurat... Nick nie wierzył w ani jedno jego słowo.

– Opowiadasz.

– Nie, chłopie, to prawda. – Bubba wskazał na Madauga ręką, w której trzymał puszkę. – Twój koleżka to niezły bystrzak.

Aha, bystrzak, którym walą w szafki...

Nick nie potrafił pojąć, jak Madaug może mieć dość oleju w głowie, by stworzyć grę, ale za mało, by unikać ludzi, którzy go prześladują.

Madaug poprawił sobie okulary na nosie.

– Odkryłem, że pewna sekwencja światła i dźwięku może odmienić fale mózgowe. Bo, widzisz, mózg jest jak komputer. Jeśli obejdziesz niektóre elementy oprogramowania, możesz się włamać i zmienić czyjś twardy dysk.

Nick musiał przyznać, że brzmiało to imponująco.

– Gdzieś ty się tego wszystkiego nauczył?

– Moja mama jest neurochirurgiem w Tulane, a tata zajmuje się badawczo neurologią kryminalistów. Przy stole, gdy pochłaniamy niejadalne dania mamy, muszę wysłuchiwać ich nudnych jak flaki z olejem rozmów. Tata pracuje teraz nad sposobami tłumienia agresywnych zachowań. Właśnie tak wpadłem na pomysł tej gry. Zwędziłem jego notatki, sam trochę nad tym posiedziałem, a potem Bubba nauczył mnie podstaw programowania. Zaprojektowałem wielopoziomową grę, która zmienia aktywność mózgu gracza.

– Widzisz, ile się można nauczyć, jak się słucha rodziców? – Caleb klepnął Nicka w zdrowe ramię.

Nick skrzywił się drwiąco.

– Moi rodzice o takich rzeczach nie rozmawiają.

Gdyby jednak ktoś chciał się kiedykolwiek nauczyć tańca na rurze albo wypruwania ludziom flaków, to wystarczy zapytać Nicka.

No, ale to zupełnie inny temat, i to nie na dziś, bo niewiele by im pomógł.

– No, to kto ma tę grę? – Nick zapytał Madauga.

– Dałem kopię Brianowi, bo wiecznie się nade mną znęcał. Chciałem sprawdzić, czy dam radę go przeprogramować, żeby czuł wzrost napięcia za każdym razem, gdy najdzie go ochota, żeby się do mnie przyczepić. Zamiast dawać mu przyjemność, znęcanie się miało w nim budzić strach, a to z kolei zmuszać go do rezygnacji z takich działań. Taki był plan.

Bubba pociągnął kolejny łyk.

– On był świnką doświadczalną Madauga.

Madaug aż zbladł.

– No tak, tylko że teraz nie mogę znaleźć gry. Nie wiem, kto ją ma. Podobno ludzie w nią grają i dlatego wszędzie pełno jest zombie.

Bubba parsknął śmiechem.

– Grają, i to po dwie, trzy osoby na raz. Bo przecież, Boże broń, żeby dzieciaki grały w gry jak dawniej, czyli w pojedynkę, u siebie w pokoju, jak było w naszych czasach. Co to za maniacy komputerowi nam dzisiaj rosną? Tacy, którzy mają kolegów i grają w gry komputerowe grupowo? Niesłychane. Mówię wam, koniec świata.

Nicka zaskoczył ten wybuch.

– Bubba, ale przecież ty i Mark też jesteście kumplami, nie?

– No, coś ty. Mark jest moim sługusem.

Mark się wyprostował.

– Wolę określenie „pomagier”. Sugerowałem kiedyś miano „padawan”, ale Bubba się wykręcił, twierdząc, że w książkach i filmach mentorzy zawsze giną, a on nie miał zamiaru zginąć, jak już nauczy mnie wszystkiego, co wie o zabijaniu zombie.

– Ale w takim razie czemu pozwolił ci zostać swoim pomagierem? To nie to samo? – dopytywał się Nick.

Mark parsknął śmiechem.

– Ach, nie. W filmach to pomagierzy zawsze umierają.

Nick nie bardzo pojmował tę pokrętną logikę.

Bubba nie zwracał na niego uwagi i ciągnął dalej:

– A ponieważ Madaug zaprogramował to tak, by odstraszać od siebie Briana, podejrzewamy teraz, że gra zadziałała odwrotnie, więc zamiast tego zombie go tropią. Musimy przeprogramować kod i przywrócić je do normalności.

Ta teoria brzmiała dobrze, ale Nick miał z nią jeden problem.

– Ale w takim razie dlaczego zasadzili się też na mnie?

Bubba i Madaug osłupieli.

– Co?

– Kilka godzin temu dwóch z nich wytropiło mnie w pracy – wyjaśnił Nick. – Niewiele brakowało, a byłoby po mnie.

Bubba pokręcił głową z niedowierzaniem.

– To niemożliwe. Program działa tylko na Maduaga i jego DNA.

Nick podniósł do góry zdrową rękę i pokazał im bandaż w miejscu, gdzie został ugryziony. Po raz kolejny.

– Możliwe czy nie, chcieli ze mnie zrobić Nicka McNuggetsa.

Bubba złapał go za rękę, odsunął bandaż i przyjrzał się dwóm ranom.

– A to ciekawe…

Jego nonszalancja zszokowała Nicka. Gdyby na jego miejscu stał Stone, może byłoby to nawet zabawne, ale jakoś nie śmieszyło go to, że stał się gryzakiem zombie.

– Bubba, nie jestem twoim projektem naukowym. Nie chcę być ciekawostką, a już na pewno nie kościstą przekąską dla zombie.

Bubba zerknął na Madauga.

– Czemu próbują zjeść Nicka?

Madaug wzruszył ramionami.

– Nie wiem, dlaczego w ogóle próbują kogokolwiek zjeść. Koniec kropka. Program miał ich uspokoić, mieli się zrobić pasywni, a nie agresywni.

– Porażka na całej linii, chłopie – stwierdził Nick.

Madaug popatrzył znowu na kod i dopiero wtedy odpowiedział na wybuch Nicka.

– Z tego, co dzisiaj zaobserwowałem, gdy program zaczyna działać, atakują, kogo mają pod ręką. Nie widziałem natomiast, żeby kogokolwiek poza mną próbowały wyśledzić. Nadal nie rozgryzłem, dlaczego za mną łażą i nie trzęsą się ze strachu.

Caleb skrzyżował ręce na piersi.

– Madaug, zmieniłeś ich w zombie. To chyba jasne, że chcą twojej mózgownicy?

Nick parsknął śmiechem.

– Powiedziałbym, że to dlatego, że to bezmyślne mięśniaki, ale pewnie byś się na to obraził.

– I musiałbym ci złamać drugą rękę.

Bubba odstawił swój napój.

– Nie zmuszajcie mnie, żebym was rozdzielił. Już mi się skończyła na dzisiaj cierpliwość do dzieciaków. – Wskazał na strzaskane wcześniej gabloty. – Nadal się nie dowiedziałem, kogo mam pozwać do sądu o koszty napraw w sklepie.

– Nie mam zielonego pojęcia. – Nick wskazał na Madauga. – Lepiej pozwij dzieciaka z bogatej rodziny, który to wszystko rozpętał.

Zanim Madaug zdążył powiedzieć coś w swojej obronie, ktoś załomotał w drzwi, a zaraz potem rozległy się jęki osoby, która próbowała dostać się do środka.

Mark oparł głowę o ścianę, jakby był w agonii.

– Błagam, niech to będzie jakiś dowcip Tabithy.

Bubba zdjął siekierę z haczyka na ścianie.

– Pilnuj komputerowca – powiedział do Marka. – Idę to sprawdzić.

Mark jęknął jeszcze głośniej.

– Oby to nie była policja. Nie mam już kasy na kaucje. – Zerknął na Nicka. – Zaraz, zaraz... Mógłbym cię sprzedać na eBayu* i nieźle na tym zarobić.

Nick wskazał na swoje uszkodzone ramię.

– Nie w moim obecnym stanie. Lepiej sprzedaj Caleba albo Madauga. Na pewno znajdzie się ktoś, kto chętnie kupi dwóch białych chłopców w świetnym stanie.

Wychylił się zza Marka, który na szczęście zmył już z siebie smród kaczej uryny, chcąc sprawdzić, kto przyszedł.

Z siekierą na ramieniu Bubba otworzył drzwi i do środka wpadła grupka gotów. Trajlowali jeden przez drugiego, więc Nick nie potrafił ich zrozumieć.

Ostatni z nowo przybyłych zagwizdał tak przeraźliwie, że dźwięk odbił się echem od ścian. Nick rozpoznał wśród nich Tabithę, gdy się do niego odwróciła. Miała na sobie spodnie tak obcisłe, że na pewno w niektórych stanach taki strój był nielegalny.

Zresztą może w Luizjanie też.

Spojrzała na Bubbę.

– Potrzebna nam broń, B. Dużo broni.

Bubba się skrzywił.

– Po co? Co się dzieje?

– Kto wypuścił te wszystkie zombie? – zapytał jeden z gotów.

* eBay – założony w 1995 w Kalifornii internetowy portal aukcyjny (*przyp. red.*)

– Strasznie są szybkie – włączył się inny. – Jak jakieś zmutowane superzombie, które się nażarły amfy.

Najwyższy z przybyszów pokazał swoje zapuchnięte, zaczerwienione oko.

– Założyłbym się, że wyglądają jak drużyna futbolowa, z którą graliśmy kilka tygodni temu. To właśnie tak dorobiłem się podbitego oka. Próbowałem powstrzymać Tabithę przed popełnieniem morderstwa.

Kompletnie oszołomiony Madaug ominął Nicka.

– Eric? To ty?

Chłopak z podbitym okiem odwrócił się do niego z surową miną. Czarne włosy miał nastroszone jak Rob Smith z zespołu The Cure. Nosił jeszcze mocniejszy makijaż niż Tabitha – składała się na niego czarna szminka, męska konturówka do oczu i czarna pomada do policzków. Nawet paznokcie miał pomalowane na czarno. Czerń od stóp do głów.

– Co tu robi mój młodszy brat?

– Mazel tov, Eric! – Bubba klepnął go w plecy z taką siłą, że ten aż się zatoczył. – To twojemu bratu zawdzięczamy te wszystkie zombie.

Na twarzy Erica odmalowało się niedowierzanie.

– Chyba żartujesz? Madaug? – Eric odwrócił się do brata. – Co do cho... Co ty wyprawiasz? Dostaniesz szlaban do końca życia.

– Wiem – odparł smętnie Madaug. – Próbuję to naprawić, ale... – Pokręcił głową, jakby nagle przyszło mu coś na myśl, lecz zaraz to odrzucił. – Zresztą, nieważne. Ty się i tak do niczego nie nadajesz. Oblałeś egzamin z nauk ścisłych w czwartej klasie.

Eric popchnął go.

Madaug odpowiedział tym samym.

– Nie zaczynaj ze mną, ty pokręcony transwestyto. W głowie mi się nie mieści, że mamy te same geny. Założyłbym się, że mama i tata znaleźli cię na poboczu drogi.

– A ciebie w ściekach, imbecylu.

Tabitha ich rozdzieliła.

– Przestańcie. Oszczędźcie energię na ważniejsze sprawy. Na nieumarłych.

Bubba oparł siekierę obuchem o podłogę.

– Chwila moment. Sam nie wierzę, że to mówię, ale... mamy do czynienia z niewinnymi dzieciakami, którym Madaug namieszał w głowach, oraz paroma wybitnie głupimi dorosłymi, którzy nie powinni trwonić życia na gry komputerowe. Nie możemy ich zabić. – Spojrzał surowo na Tabithę. – To nie są nieumarli, Tabby. To jak najbardziej żywi idioci. Musimy ich uratować.

Tabitha westchnęła z odrazą.

– Ja bym wolała ich wszystkich poprzebijać kołkami i resztę zostawić w rękach Boga.

– A ja bym wolał nie trafić do więzienia na resztę życia – stwierdził stanowczo Eric. – Nie obraźcie się, ale wiem, jak traktuje się w więzieniu przystojniaków.

A ja jestem zdecydowanie zbyt przystojny, by ktoś mi się oparł.

Mark parsknął śmiechem.

– Och, błaaaagam. Z tą czarną szminką i długimi włosami wzięliby cię za kobietę. W takim stroju raczej nie trafiłbyś do męskiej celi. Wsadziliby cię z prostytutkami. Wiesz co? Więzienie mogłoby się okazać dla ciebie nie takie złe.

– Chorzy na ADD – wtrącił się Bubba. – Poproszę o uwagę. Musimy wyjść na ulice i odszukać tych ludzi, zanim jeszcze kogoś zjedzą. Przyprowadźcie ich tutaj, żebyśmy mogli spróbować odkręcić to, co Madaug namieszał.

Eric zacisnął usta w wąską kreskę.

– A gdzie ich będziemy trzymać, co? W wannie?

Bubba spojrzał na niego, następnie podszedł do ściany, zdjął z niej pistolet i pokazał im ukrytą za ścianą...

Celę. Była cała miękko wyściełana, wzmocniona stalowymi zbrojeniami. Z sufitu zwieszały się kajdanki. Nick w życiu czegoś takiego nie widział.

Tabitha zaśmiała się.

– O Boże, Bubba ma erotyczny loch!

Bubba spiorunował ją wzrokiem.

– Jesteś za młoda, by w ogóle mieć o tym pojęcie.

– Chyba żartujesz, nie? Moja ciotka prowadzi sex shop Pandora's Box przy Bourbon Street. Sądząc po tych kajdankach, chodzisz tam na zakupy.

Bubba westchnął, mocno zirytowany, i zerknął na Erica.

– Mógłbyś jej założyć kaganiec?

– A myślisz, że jak dorobiłem się tego podbitego oka, co? Powiem ci tylko, że ona się nie bije jak dziewczyna. Może i pochodzi z rodziny, gdzie króluje estrogen, ale jakiś facet nieźle ją wyszkolił.

Mark uniósł brew.

– Mnie to wygląda na kiepską kreskę do oczu. Jesteś pewien, że to baba cię pobiła?

Bubba zagwizdał.

– I znowu zmieniliśmy temat. Gadanie z wami jest jak próba łączenia wody z ogniem. Błagam, przez następne pięć minut darujcie sobie sarkazm i skupcie się. Wiem, że domagam się cudu, ale to kwestia życia lub śmierci. Dobra?

– Dobra, dobra – odpowiedzieli zgodnym chórem.

Bubba pokiwał głową.

– Musimy przywrócić bezpieczeństwo w mieście. Macie się rozglądać za zombie. A gdy je znajdziecie…

– Przebijcie je kołkami! – Tabitha wyciągnęła jeden ze swoich stalowych szpikulców, by zilustrować swoje słowa.

Bubba wyrwał jej go z ręki.

– Nie. Macie je przyprowadzić tutaj. Będziemy z Markiem czekać, żeby się nimi zająć. Wszystko jasne? Nikogo nie zabijajcie. Zero przelewu krwi.

Tabitha przewróciła oczami.

– Co za marnowanie tak świetnie się zapowiadającej nocy.

Madaug spojrzał ze zdumieniem na swojego brata.

– Mama i tata wiedzą, że spotykasz się z wariatką o morderczych skłonnościach?

– Nie, i jeśli im powiesz, to ci przykleję palce do klawiatury klejem kropelka.

Na szczęce Madauga pojawił się tik nerwowy, a jego policzki zrobiły się jaskrawoczerwone.

– Mama powiedziała, że jeśli jeszcze raz to zrobisz, ogoli ci głowę przez sen.

– Dzieci! – wrzasnął Bubba. – Po mieście krążą niebezpieczne stworzenia. Musimy je dopaść.

Madaug zrobił krok w stronę drzwi.

Bubba zatrzymał go i popchnął z powrotem na zaplecze.

– Ty nie. Musisz tu zostać i dalej pracować nad remedium.

Caleb popatrzył na Nicka.

– Gotowy?

Nick zerknął na zegarek.

– Zostało mi jeszcze czterdzieści pięć minut. Potem dostanę szlaban.

– No chodź, Kopciuszku. Zabierajmy się za to wszystko, zanim wybije północ, a ty zamienisz się z powrotem w dynię.

Caleb wyprowadził go ze sklepu i ruszyli ulicą w stronę ich szkoły. Miało to o tyle sens, że ostatecznie tam się wszystko zaczęło.

A pomyśleć, że jeszcze rano najbardziej się bałem tego, że się spóźnię...

No proszę, a teraz bał się, że ktoś dorwie się do jego mózgu i mu go wyżre.

Może powinienem zabierać ze sobą do szkoły piłę łańcuchową? Tego nie obejmowała lista broni zakazanej na terenie szkoły...

Szli ulicą, a jego myśli powędrowały z powrotem do Madauga i jego rodziny.

– Nie wydaje ci się to dziwne, że brat Madauga nie chodzi do naszej szkoły?

Caleb wsadził sobie ręce do tylnych kieszeni.

– Pewnie jest za głupi i się nie dostał.

– Myślisz?

– Dobre geny nie zawsze oznaczają inteligencję. Wiem, co mówię. Pochodzę z długiego rodu bardzo głupich ludzi. Przeraża mnie myśl o tym, że dzielę ich geny. No, ale na szczęście jestem od nich dużo bardziej rozgarnięty.

Nick nie chciał nawet myśleć o swoim genomie, bo mogłoby mu się od tego zrobić gorzej. Żył w ciągłym strachu, że którego dnia coś mu się w mózgu przełączy i stanie się takim potworem jak jego ojciec. Za każdym razem, gdy próbował o tym porozmawiać z mamą, zbywała go, mówiąc, że to absurd. A jednak nie potrafił się opędzić od uczucia, że ma w sobie coś, co chce się wydostać na zewnątrz. Coś złowrogiego, zimnego i pozbawionego uczuć.

– Masz rodzeństwo? – zapytał Caleba, próbując w ten sposób oderwać się od tych myśli.

– Nie rodzone. Reszty nie liczę. A ty?

– Nie.

Caleb pokiwał głową.

– No, to czym się zajmuje twój tata, Nick?

– Nie rozmawiam o tacie. – Z nikim. Tylko Bubba i Mark wiedzieli, że jego ojciec to przestępca. Innym po prostu nigdy niczego na ten temat nie mówił. – Nie jest częścią naszego życia i wolę, by tak pozostało.

– Rozumiem. Ja ze swoim też nie mam za wiele do czynienia.

– Czemu nie?

– Nie uwierzyłbyś, jakbym ci powiedział. No, ale co tam. Co nas nie zabije, wymaga tylko kilku wieków terapii.

– No tak, oraz na ogół mnóstwa środków przeciwbólowych.

Caleb parsknął śmiechem.

– Hej, słuchaj, jak się rozdzielimy, to przeczeszemy większy obszar. Spotkamy się przy katedrze?

– Dobra.

– No to do zobaczenia.

Nick skręcił w boczną uliczkę prowadzącą do Bourbon Street, gdzie kręciły się tłumy ludzi, którzy mogli stać się kolejnymi ofiarami. *Ciekawe, jak odróżnić zombie od pijanego turysty?*

Nie będzie to łatwe, ale gdyby był zombie ruszającym na łowy, tam właśnie by poszedł, bo łatwo się tam wtopić w tłum.

Idąc ulicą, zauważył, że latarnie brzęczą coraz głośniej. Zwolnił, gdy zrównał się z budynkiem Lalaurie Mansion, najbardziej nawiedzonym, emanującym złem miejscem w Nowym Orleanie. Jeśli coś takiego jak wrota do piekieł w ogóle istnieje, to ten dom stał właśnie na tym miejscu. Od wczesnego dzieciństwa ten budynek Nicka przerażał.

A dziś nawet bardziej niż zwykle.

Nagle powiał wiatr. Zwichrzył mu włosy i przyprawił o dreszcz. Nad głową przeleciał mu ogromny kruk, który następnie przysiadł na kutym balkonie i wbił w niego wzrok.

Wiem, że to idiotyczne, ale mógłbym przysiąc, że ten ptak mi się przygląda.

Ptaszysko przechyliło głowę na bok. To go przeraziło, nie mniej niż sam budynek.

W tym domu dziesiątki osób zostały poddane brutalnym torturom i zamordowane metodami, o jakich jego matka nie chciała nawet mówić. Każda rodzina, w posiadaniu której znalazł się ten dom od czasów rodziny Lalaurie, widywała i słyszała duchy tych, którzy stracili życie z rąk okrutnej psychotyczki Delphine Lalaurie. Była zdolna do takiego bestialstwa, że jej własna kucharka wywołała w kuchni pożar, próbując w ten sposób uciec przed szaleństwem swojej pani.

Nawet doświadczeni strażacy, przyzwyczajeni do widoku śmierci i makabry, zwymiotowali, gdy natrafili na okaleczone ofiary, które Delphine pozostawiła po sobie.

Pomóż mi...

Nick odwrócił się na pięcie, żeby zobaczyć, kto to powiedział. Brzmiało to jak głos dziecka.

Tak się boję. Dlaczego nic nie widzę? Czy ktoś tu jest?

– Jestem tutaj – zawołał Nick. – A ty?

Rozległ się bezcielesny śmiech. Latarnia nad jego głową rozsypała się w drobny mak.

Nick zaklął i odskoczył na bok, gdy posypało się na niego szkło.

Z boku domu zobaczył cień dziewczynki.

– Pomóż mi znaleźć mamusię. Proszę.

Weszła do małej alkowy prowadzącej do wewnętrznego ogrodu.

– Poczekaj!

Nick pobiegł w jej stronę. Chciał jej pomóc. Wyciągnął rękę, żeby ją zatrzymać.

Jego dłoń przeniknęła jej ciało.

Co do...?

Dziewczynka nagle odwróciła się do niego i od razu poczuł ucisk w żołądku. Jej twarz pokrywały blizny, a duże oczy były tylko upiornymi cieniami.

Odsłoniła kły i zaatakowała.

ROZDZIAŁ 10

Nick zatoczył się do tyłu. „Mała" dziewczynka nagle urosła do ponad metra osiemdziesięciu. Górowała nad nim wyraźnie. Złapała go za poły koszuli wyposażonymi w szpony rękami i zaśmiała mu się prosto w twarz.

– Trzeba było zrobić to, czego chcieli od ciebie twoi kolesie, Gautier. Czemuś im wtedy nie pomógł obrabować i zabić tamtą parę? Twoja wielkoduszność to wielki błąd. Dobroć cię osłabia, a wtedy my możemy się tobą karmić.

Nachyliła się, by ugryźć go w szyję.

Kopnął ją i rzucił się biegiem w stronę ulicy.

Gdy tam dotarł, drogę zatarasowały mu kolejne trzy stwory. Wyglądały jak ludzie, ale w ich oczodołach zamiast oczu tańczyło zimne światło. Temperatura w alejce spadła gwałtownie o dwadzieścia stopni. Zadygotał z zimna. Co gorsza, ci nowo przybyli śmierdzieli niczym zady mułów zaprzężonych do bryczek w Dzielnicy Francuskiej.

Rany, czy oni się nigdy nie kąpią?

Postać po lewej syknęła i błysnęła ostrymi, nierównymi kłami.

– Naprawdę myślisz, że przed nami uciekniesz?

Naprawdę.

Nick cofnął się o krok. Szukał sposobu, by się koło nich przebić. Zastawili mu resztę ulicy. Nie było jak się tam przedostać, nie dotykając ich. A za plecami miał ślepą alejkę.

Cholera...

– Czego chcecie? – zapytał Nick, starając się znaleźć trzecie wyjście.

Dziewczynka złapała go od tyłu.

– Zabić cię.

I zatopiła zęby w jego szyi.

Nick syknął i z całych sił przyłożył jej zdrową ręką w brzuch. Poluzowała uścisk, więc zdołał wykręcić jej ramię i odskoczyć od niej.

Wtedy ruszyli na niego pozostali.

Gdzie jest siekiera, gdy człowiekowi naprawdę by się przydała?

A jeszcze lepiej wyrzutnia rakietowa?

Nagle zobaczył kruka, który zanurkował w dół i wylądował mu na chorym ramieniu. Gdy tylko dotknęły go pazury ptaka, jego ciało przeszył jakby impuls elektryczny. Było to tak intensywne i bolesne, że aż go zatkało. Na pół minuty wszystko zamarło. Wiatr, napastnicy, ptak.

Jego serce.

A gdy świat powrócił do normalności, stało się to z takim impetem, że aż się zapowietrzył. Jego zmysły były bardziej wyostrzone niż kiedykolwiek wcześniej. Zdał sobie sprawę z tego, że ramię już go nie boli.

Walcz. Głos wewnętrzny brzmiał demonicznie.

Gdzieś w głębi Nick poczuł przypływ mocy, która promieniowała teraz przez całe jego ciało. Ptak wrócił na balkon i dalej miał go na oku. Napastnicy przypuścili atak.

Choć Nick wiedział, że poruszają się z nadludzką prędkością, widział ich ruchy jak w zwolnionym tempie. Jakby coś go nagle opętało.

Pierwszy z nich zaatakował go.

Nick uchylił się od ciosu i skontrował. Stwór zatoczył się do tyłu. Nick odwrócił się, by przyłożyć kolejnemu głową. Trzeci wrzasnął z wściekłością i od tyłu przypuścił atak na Nicka. Chłopak przerzucił go ponad sobą, cisnął nim o ziemię i trzasnął go pięścią w klatkę piersiową.

Napastniczka kopnęła go tak, by wpadł na mur. Nick obrócił się na pięcie i zablokował jej uderzenie wymierzone w szyję. Niczym na filmie, uderzała go raz za razem, a on odparowywał każdy jej cios.

Kiedy ja się nauczyłem kung fu?

Matka mu zawsze mówiła, że filmy z Jackie Chanem to strata czasu. Najwyraźniej nauczył się przez osmozę... Bo inaczej nie dało się tego wytłumaczyć.

Mógłby teraz podbić cały świat.

Niech mi tylko ktoś podrzuci jakieś nunczaku.

Odepchnął napastniczkę kopniakiem, potem złapał innego ze stworów i rzucił go z impetem na nią. Kilka sekund później wszyscy leżeli na ziemi, a on stał nad nimi nawet nie zdyszany w idealnej pozycji *soto biraki jigo hontai dachi**.

I co na to powiesz, Chucku Norrisie?

Ptak zakrakał, jakby chciał w ten sposób wyrazić swoją aprobatę, po czym odleciał w noc.

Nick się wyprostował. Ramię wcale go nie bolało. Co więcej, miał w nim pełną władzę, choć według lekarzy i fizjoterapeuty miał ją odzyskać dopiero za ładnych parę miesięcy.

Co się dzieje? Pomyślałby, że to sen, gdyby nie to, że wiedział, iż nie śpi.

Stworzenia wyparowały w delikatną mgiełkę, która rozwiała się w ciemnościach, gdy temperatura wróciła do normy.

Nagle przed sobą zobaczył jakiegoś człowieka. Do złudzenia przypominał on jego ojca, tylko na twarzy

* *soto biraki jigo hontai dachi* (jap.) – w karate postawa obronna przed kopnięciem (*przyp. red.*)

miał dziwny znak w kształcie podwójnego łuku. Ubrany był cały w czerń. Długi skórzany płaszcz sięgał mu aż do kostek. Włosy miał tego samego koloru co Nick, tylko dłuższe. Miał metr dziewięćdziesiąt wzrostu i zadbaną kozią bródkę. No i, podczas gdy Nick miał niebieskie oczy, jego były nie mniej czarne niż ciuchy.

Nick zebrał się w sobie, gotowy do kolejnej bójki.

– Kim pan jest?

– Spokojnie, Nicky. Jestem przyjacielem, chcę ci pomóc.

– Niby jak?

Mężczyzna otworzył dłoń, na której pojawiła się kula światła. Tańczyła i migotała w ciemnościach. Twarz przybysza sposępniała. Zamknął dłoń i światło zniknęło.

– Nawet nie wiesz, jaki jesteś ważny, ile mocy i stworzeń będzie o ciebie walczyć. Ale uwierz mi, młody, tak naprawdę obchodzisz tylko swoją matkę oraz mnie.

Nick nie był tego taki pewien.

– A pan to niby kto?

– Twój wujek, Ambrose.

Akurat.

– Nie mam wujka.

– Oczywiście, że masz, Nick. Nosisz nawet moje imię.

Pokręcił głową. Imię dostał po ojcu i dziadku. Przynajmniej tak mu zawsze mówiono.

– Mama nigdy o panu nie wspominała.

– Jestem wujkiem ze strony twojego ojca, ona mnie w gruncie rzeczy nie zna. Ale to bez znaczenia. Moim zadaniem jest ochronić cię przed popełnieniem wielkiego błędu.

– Jakiego błędu? Przed rozmową z panem?

Ambrose się roześmiał.

– Świat nie jest taki, jak ci się zdaje, młody. Wszystko schowane jest za zasłoną. Ona cię zaślepia, podobnie jak zaślepia większość ludzi. – Odgarnął Nickowi włosy sprzed oczu i, gdy tylko to zrobił, Nick poczuł przeszywające uderzenie. – Daję ci przenikliwość. Umiejętność dostrzegania tego, co jest ukryte. To mój dar dla ciebie, choć już wcześniej go posmakowałeś. Teraz jest doskonalszy, niezawodny. Nie chcę, by ktokolwiek cię nabrał.

Nick zatoczył się do tyłu. Nagle zobaczył, że Ambrose nie jest człowiekiem, lecz...

Czymś innym.

Jego skórę pokrywały czarne i czerwone cętki. Miał jaskrawożółte oczy. Ambrose nie był człowiekiem i to Nicka przeraziło.

– Czym ty jesteś?

– Przyjacielem. Zawsze. Jestem jedyną istotą, której kiedykolwiek będziesz mógł zaufać.

Słowa przychodzą łatwo, za to czyny mają często katastrofalne skutki. Nick nie był taki głupi, żeby choć przez chwilę uwierzyć, że ten gość mówi prawdę.

– Stary, nie znam cię i nie mam zamiaru ci ufać.

– Znasz mnie dużo lepiej, niż ci się zdaje. Zajrzyj w głąb siebie. Przekonasz się, że mówię prawdę.

Nick spojrzał. To, co zobaczył, sprawiło, że aż mu krew zamarła w żyłach. Nie chciał w to uwierzyć. Nie mógł wręcz tego znieść, więc rzucił się do ucieczki, ale nie był w stanie. Jakby jakaś niewidzialna siła miała go w swojej władzy.

– Wiem, że mi nie ufasz. Wcale się nie dziwię. Ale z czasem nauczysz się słuchać. Tym razem, dla twojego własnego dobra, uwolniłem twoje moce wcześniej.

Ambrose musiał być pod wpływem jakichś środków. Nie było innego wytłumaczenia.

– Jakie moce? Naćpałeś się? – zapytał Nick.

Na jego ustach pojawił się figlarny uśmieszek, w którym odsłonił przed Nickiem kły.

– Nie, ale nie wolno ci słowem pisnąć na temat tego, czego cię nauczę. Nikt, a już zwłaszcza Acheron, nie może się o tym dowiedzieć.

– Skąd wiesz o Acheronie?

– Och... Jeszcze za wcześnie, byś to zrozumiał. Z moim majstrowaniem wiążą się jednak pewne kłopoty. Te mortenty, które cię przed chwilą zaatakowały, to tylko kilka takich produktów ubocznych. Ale nic się nie martw. Będziesz w stanie stawić im czoła, z każdym ich atakiem będziesz się robił silniejszy. Nie zostawiam cię bezsilnego.

– Posłuchaj – przerwał mu Nick. – Nie wiem, czegoś ty się nawąchał...

Próbował minąć Ambrose'a, ale ten zatrzymał go.

– Jestem po twojej stronie, Nick. Masz niewielu przyjaciół, a jeszcze mniej jest osób, którym możesz ufać.

– Tak jak Nekodzie?

Nie miał pojęcia, dlaczego jej imię nagle przyszło mu do głowy. Ale tak się stało. A wraz z nim przed oczami stanęła mu jej uśmiechnięta twarz.

Zaszokowana mina Ambrose'a to był dodatek specjalny.

– Nekoda?

Nie był aż taki bystry, jak mu się zdawało. Nick utwierdził się w podejrzeniach, że Ambrose może kłamać.

– Nie znasz jej?

Ambrose przechylił głowę, jakby wsłuchiwał się w kosmos.

– Jak możesz znać kogoś, kogo ja nie znam?

– To całkiem proste. Ostatecznie ciebie też nie znam.

Pokręcił głową.

– Coś jest nie tak... To niemożliwe.

I rozwiał się w nicość.

Nick rozejrzał się dookoła, obrócił się na pięcie. Nic.

Zwariowałem.

Być może, ale ramię nadal sprawowało się jak trzeba i zupełnie go nie bolało.

I wtedy, równie szybko, jak przyszła, jego moc się ulotniła. Wylała się z niego, pozostawiając po sobie tylko ból w każdej części ciała. Ramię doskwierało mu tak mocno, że nogi się pod nim ugięły. Katusze nadchodziły falami, ich moc rosła, aż zamgliło mu się przed oczami.

W jednej chwili stał, a zaraz potem ulica podjechała do góry i zwalił się z nóg. Ostatnie, co usłyszał, to głęboki, kobiecy głos:

– Należysz do nas, Nicku Gautier. Nauczysz się, gdzie twoje miejsce w szeregu. Zadbamy o to, byś umarł…

ROZDZIAŁ 11

Kruk zostawił Nicka i wzleciał w niebo, a potem zniknął, bo wezwano go daleko od Nowego Orleanu. Gdy pojawił się z powrotem, nie był już w Dzielnicy Francuskiej, gdzie lubił polować, ale wiele mil stamtąd. Przeleciał nad ogrodzeniem z drutu ostrzowego*.

Był tutaj często wzywany, więc znał więzienie w Angoli nie gorzej, niż którykolwiek z więźniów.

Przeleciał obok wieży strażniczej i skierował się do centrum przyjęć, budynku, gdzie trzymano również więźniów skazanych na karę śmierci.

Naprawdę nie chcę tego robić.

Ale nie miał wyboru. Gdy go wezwano, musiał słuchać. Takie były zasady. Nawet chwila wahania mogła go drogo kosztować.

* drut ostrzowy (żyletkowy) – unowocześniona wersja drutu kolczastego, trudniejszy do przecięcia, bardziej odporny na korozję, stosowany w więziennictwie i wojsku (*przyp. red.*)

Przysiadł na parapecie, a chwilę później jak znikąd pojawiła się dłoń, która złapała go za gardło i wciągnęła do środka.

Caleb przybrał ludzką postać i spojrzał na jednego z najpotężniejszych demonów, jakie kiedykolwiek chodziły po świecie. Czyste, nieskażone zło. Adarian Malachai, niezdolny do dobroci czy litości.

Bez słowa pchnął Caleba głową na ścianę. Następnie podciągnął go w górę i przytrzymał za włosy.

– Co ty wyprawiasz? – warknął Calebowi do lewego ucha.

Caleb skrzywił się, gdy poczuł smak krwi lecącej mu z nosa. Wiedział jednak, że lepiej nie stawiać oporu. Adarian zrobiłby się jeszcze okrutniejszy i pobił go jeszcze dotkliwiej.

– Uczę Nicka, zgodnie z twoim poleceniem.

Ręka na włosach Caleba zacisnęła się mocniej.

– Za pomocą mortentów? Zwariowałeś? Mógł zginąć! Czemu ich nie powstrzymałeś, zanim go zaatakowali?

Te słowa zaskoczyły go na więcej sposobów, niż był w stanie policzyć. Co Adariana obchodzi, że jakiś smarkacz się przekręci?

– Nie wiedziałem, że na nich wpadnie, ale jak się już pojawili, uznałem, że to idealna okazja, by zaczął się uczyć walki. Byłem tam cały czas i wszystko obserwowałem. Tak naprawdę nic mu nie groziło. Zresztą jeśli umrze, ty będziesz żyć. Co w tym złego?

– Głupi jesteś.

Puścił go.

Caleb odwrócił się i odepchnął go od siebie, jednocześnie przybierając swoją prawdziwą formę. Wiedział, że nie powinien, ale nie potrafił zignorować ataku. Ostatecznie był demonem, nie miał w zwyczaju potulnie łykać bzdetów serwowanych mu przez innych.

– Odpuść sobie, Malachai. Nie jesteś taki potężny, jak ci się zdaje.

Adarian się roześmiał.

– Należysz do mnie, więc nawet nie próbuj mnie straszyć. Zęby zjadłem na załatwianiu demonów silniejszych i starszych od ciebie.

Pewnie i tak. Tyle że w niczym nie zmieniało to faktu, że Caleb oddałby wszystko, by posiąść moc wystarczającą do zniszczenia Adariana. *Jak to możliwe, że stałem się niewolnikiem tego…?* Nie znał wystarczająco nikczemnego słowa, którym mógłby go opisać.

Niestety, Caleb doskonale wiedział, jak się znalazł w tej sytuacji. I nienawidził tego wspomnienia nie mniej, niż nienawidził Adariana.

– Zrobiłem dokładnie to, o co mnie prosiłeś. Obserwowałem ten twój zasmarkany pomiot przez ostatnie kilka lat, w nic się nie wtrącając.

– Czemu się z nim do tej pory nie zaprzyjaźniłeś?

Caleb osłupiał.

– Przecież mi powiedziałeś, żebym tego nie robił.

Adarian złapał go za gardło. Jego oczy świeciły głęboką, zabójczą czerwienią.

– A teraz ci mówię, żebyś go chronił z narażeniem własnego życia. Do gry przystąpiła jakaś nowa moc. Nie potrafię jej rozpoznać, ale ona ma na niego oko. Masz zadbać o to, by był bezpieczny. Bo, mówię ci, jeśli coś się stanie mojemu synowi, przyjdę po ciebie, a jak już skończę, to będziesz marzyć o schowaniu się z powrotem w tej obleśnej dziurze, z której cię wyciągnąłem.

Caleb poczuł, jak zęby mu się wydłużają i zaostrzają w odpowiedzi na tę groźbę.

– Dowodzę legionami.

– A ja dowodzę tobą. Lepiej o tym nie zapominaj.

Gdyby tylko mógł...

– Któregoś dnia się od ciebie uwolnię, Malachai.

– Lecz nim nadejdzie ten dzień, masz robić, co ci każę. Pilnuj chłopaka i jego matki. Nie pozwól, by im się cokolwiek stało. Zrozumiano?

– Zrozumiano. No ale jak mam go wyszkolić, jeśli nikt nie może na niego napaść?

Wargi Adariana wykrzywiły się w sardonicznym uśmieszku.

– Masz głowę na karku. Znajdziesz jakiś sposób. I pamiętaj, jestem tu, w więzieniu, bo tak postanowiłem. Mogę stąd wyjść i znaleźć cię, kiedy tyko zechcę.

Nie kłamał. Adarian siedział za kratkami, bo karmił się okrucieństwem innych i złem ich dusz. Więzienne życie dawało mu niezwykłą siłę jakby znajdował się w fabryce baterii Energizer. Dzięki temu mógł odeprzeć każdy atak.

Tylko nie ze strony syna. Obecność Nicka mogłaby go błyskawicznie osłabić. Ten smarkacz nie miał pojęcia, że unikając ojca, pozwala Adarianowi zachować pełnię sił, ze szkodą dla wszystkich innych.

Adarian przyciągnął Caleba bliżej do siebie.

– Lepiej mnie nie zdradź, Malphas. Nie w tej sprawie.

Można by pomyśleć, że Adarian kocha syna, ale Caleb za dobrze go znał. Tu nie chodziło o miłość, lecz o moc. Jeśli Adarian utrzyma Nicka przy życiu, ale z dala od siebie, będzie mógł odbudować swoją armię poprzez syna, a wtedy nie będzie na świecie czy poza nim potęgi zdolnej go powstrzymać.

Żadnej.

Jedyna poza Nickiem osoba zdolna zniszczyć armię Malachai siedziała teraz w więzieniu, słaba jak chory kociak. Moce Adariana rosły, Jareda zaś słabły pod kuratelą wrednej strażniczki, zupełnie nieświadomej tego, jak ważny jest jej więzień.

Zmieniała się równowaga sił na świecie, tak jak w czasach poprzedzających początki dziejów, które obejmowała pamięć ludzkości. Wtedy miała miejsce najkrwawsza z bitew. Caleb, jeden z najbardziej zażartych wojowników, ledwo przeżył i wspomnienie o tym nadal mu doskwierało. Za walkę z ojcem Adariana zapłacił wszystkim.

A teraz służył jego synowi.

Życie było do niczego.

– Będę ci posłuszny... panie.

Adarian się uśmiechnął.

– Grzeczny chłopiec. I pamiętaj, mój syn musi stać się zły do szpiku kości. Musisz go odmienić, nieważne jak. Słyszysz?

– A jeśli nie będę mógł go odmienić inaczej, niż zmuszając go do zabicia matki?

Adarian znowu złapał go za gardło.

– Niech tylko włos jej spadnie z głowy...! Spróbuj pozwolić, by zrobił to kto inny, to zapłacisz za to w sposób, o jakim ci się nie śniło w najgorszych koszmarach. Cherise należy do mnie i nikomu innemu nie wolno jej tknąć.

Tego rozkazu Caleb nie umiał zrozumieć. Znowu można by pomyśleć, że to miłość, ale Malachai potrafił kochać tylko samego siebie i swoje dążenie do potęgi.

Ukłonił się nisko i odsunął od Adariana.

Siłą woli powstrzymał drwiący uśmieszek. Zmienił się z powrotem w kruka i wyleciał przez okno. A gdy znalazł się już poza polem widzenia Adariana, wyciągnął pazury i wyprostował środkowy z nich.

Opiekuj się chłopakiem. Akurat.

Cóż za ironia losu. Przyszłość całego świata, rodzaju ludzkiego oraz demonów była w rękach czternastolatka, który nie miał nawet pojęcia o swoich wrodzonych, niewykorzystanych mocach.

Czternastolatka, który najbardziej martwił się tym, że może dostać szlaban od matki, i który nie nadawałby się nawet na przekąskę dla Caleba i przedstawicieli jego rodzaju. Co za marnowanie mocy.

A ja jestem tym dupkiem, który musi go chronić.

I to nie tylko przed demonami, ale również przed wilkołakami, takimi jak Stone i innymi, którzy mieli naturalne skłonności, by wziąć sobie Nicka za cel, bo wyczuwali, że nie jest do końca człowiekiem.

Caleb westchnął ze zmęczenia. Czy te upokorzenia nigdy się nie skończą?

ROZDZIAŁ 12

Halo? Panie Ludzki Chłopcze? Słyszysz Simi? A może umarłeś? Halo? Halo?

Nicka obudziło dźganie palcem w ramię.

– Au! Proszę mnie przestać szturchać!

Otworzył oczy i zobaczył przed sobą jedną z najładniejszych dziewczyn, jakie się kiedykolwiek nad nim pochyliły.

Rany...

Następnym razem najpierw sprawdzę, kto to, zanim się niegrzecznie odezwę. Dziewczyna była prześliczna i nie miał nic przeciwko temu, by weszła w jego strefę prywatną, gdy najdzie ją na to ochota, nawet jeśli zrobi to tylko opuszkiem palca.

Długie czarne włosy z krwistoczerwonymi pasemkami związała w kucyki. Na szyję założyła nabijaną ćwiekami obrożę, dopasowaną do skórzanego czarnego gorsetu. Miała może siedemnaście albo osiemnaście lat. Czerwone oczy (pewnie jakieś dziwaczne szkła kontaktowe) obrysowane były czarną konturówką. Do tego włożyła króciuteńką, czarno-czerwoną spódniczkę, fioletowe legginsy i jaskrawoczerwone martensy z motywem czaszki i róży.

Przechyliła głowę na bok ruchem, który wydał mu się ptasi. Przyglądała mu się z konsternacją.

– Czemu śpisz na ziemi, Panie Ludzki Chłopcze? Simi uważa, że to nie jest zbyt bezpieczne. Ani wygodne. Ktoś mógłby uznać, że nie żyjesz, i coś ci zwędzić. Albo mogliby cię zabić. No, może nie, gdyby pomyśleli, że już nie żyjesz, chociaż z drugiej strony ludzie w kółko robią dziwne rzeczy, na przykład zabijają zmarłych, chociaż tamci już nie żyją. Zresztą nieważne. Chyba powinieneś wstać i tu nie spać. Straciłeś dach nad głową? A może jesteś jednym z tych specjalnych ludzi, którzy nie mają domu i śpią na ulicach? Niektórzy z nich są całkiem mili. Niektórzy nawet częstują Simi czymś do picia, ale *akri* mi zabrania, żebym się nie nabawiła niestrawności. Nie takiej, jak po zjedzeniu czegoś gumowego, tylko gorszej. Tak mówi *akri*.

Miała dziwny śpiewny głos, ujmujący i pełen wdzięku. Jednak przez to było trudno ją zrozumieć, zwłaszcza z takim bólem głowy, jaki mu teraz dolegał.

– Co? – zapytał.

Wyrwało jej się pełne umęczenia westchnienie.

– Jesteś jednym z tych ludzi, którzy nie rozumieją, jak Simi mówi? Nie ma sprawy. Właśnie dlatego Simi nie zawraca sobie głowy rozmawianiem z większością ludzi, bo, nie obraź się, dziwni jesteście. A niektórzy nawet głupi. Bardzo głupi. Głupi jak buty. To pewnie przez brak rógów. Widzisz, tylko bardzo inteligentne stworzenia mają rógi… no, poza tymi ryczykrowami, bo one to nie mają rozumu. Ale *akri* mówi, że od każdej reguły jest wyjątek. Więc od rógowej zasady też musi być wyjątek, czyli krowy. No ale smaczne są, więc Simi im wybaczy zaniżanie średniej inteligencji rógatych gatunków.

Spojrzała z uwagą na jego głowę.

– Hm, założę się, że byłby z ciebie niezły przystojniak, jakbyś miał rógi. Nie żebyś bez nich nie był przystojny, choć trochę jesteś młody. Ile ty masz właściwie lat? Cztery, w ludzkich latach? A nie, to nie tak, prawda? Dziewięćdziesiąt?

Ona tak poważnie?

– Czternaście.

– Aha. – Przyłożyła sobie palec do warg, jakby się nad czymś zastanawiała. – Nigdy bym nie zgadła. No, ale i tak jesteś młody. Czy Simi może ci pomóc znaleźć miejsce na noc, które by nie było niebezpieczne? Mój *akri* może pomóc, gdyby był nam potrzebny. Zawsze pomaga.

Nick pokręcił głową.

– Kim jesteś?

A raczej, z jakiej jesteś planety? Najwyraźniej na Planecie Szaleństwa brakuje dziś jednej zasiedziałej mieszkanki.

Podała mu dłoń w koronkowej rękawiczce.

– Ja to Simi, a ty, Panie Ludzki Chłopcze?

Uścisnął jej dłoń. Zrobił to ostrożnie, jakby szaleństwem można się było zarazić.

– Nick.

Puściła jego dłoń i dotknęła brzegu temblaka.

– Jesteś zraniony, tak? Byłeś już wcześniej, zanim zasnąłeś na ulicy?

– Tak.

Nick dźwignął się z ziemi, a Simi zerwała się na równe nogi.

Rany, ale ona wysoka. Przynajmniej z metr osiemdziesiąt, także dzięki butom na koturnach.

Zmarszczyła czoło, nachyliła się i dotknęła jego szyi.

– Krwawisz, panie Nicku. Tak ma być?

Nick odsunął jej dłoń i dotknął skaleczenia. Próbował sobie przypomnieć, co się stało, ale nie potrafił. Ostatnią rzeczą, jaką pamiętał, było pożegnanie z Calebem, gdy ruszył w stronę Bourbon Street.

– Głęboka ta rana?

– Simi nie radziłaby przebywania w pobliżu żadnego Daimona, bo gdyby był akurat głodny, mógłby się skusić i wypić twoją krew oraz pożreć duszę. No, ale krew nie tryska ani nic takiego. Chyba przeżyjesz. – Przerwała, jakby się nad tym musiała zastanowić. – No, tak, zgadza się. Ludzie umierają tylko, jak tryska i nie przestaje tryskać. Ale jakbyś nie przeżył i padł od tego trupem, to czy Simi może cię zjeść? *Akri* mówi, że Simi nie wolno jeść żywych ludzi, ale nigdy nie powiedział nic o świeżo zmarłych ludziach. Może właśnie dlatego nie dopuszcza mnie do świeżo zmarłych, ale...

– O czym ty gadasz? – przerwał jej Nick. – Ty tak na serio?

Zamrugała niewinnie.

– O co chodzi? – Zagryzła wargę i spojrzała na swoją dłoń. – Simi nie robi się chyba niewidzialna, co? Ooo, to by było kiepsko. Obiecałam *akri*, że nie będę już tego robić w miejscach publicznych. Czasem Simi nie może się oprzeć. To jak z sosem barbecue na sałatkach. Bez tego się po prostu nie da. To odruch, bo trzeba czymś zamaskować ohydny smak króliczego żarcia.

Nick odsunął się od niej. Wariatka, i to przez duże „w". Czy w Nowym Orleanie ostała się jakakolwiek dziewczyna poniżej dwudziestki, która ma po kolei w głowie?

Kody...

Tak, teraz zdecydowanie przydałaby mu się porcja Kody.

Odchrząknął i spojrzał na Simi.

– Nie, nie robisz się niewidzialna. Jestem już spóźniony, więc muszę lecieć...

Zagrodziła mu drogę.

– Słyszałeś to?

– Co?

– Zombie! Idą po nas. Hura! Mniam, mniam!

Ian St. James był w pokoju swojego starszego brata, Madauga, choć nie powinien. Groziło mu za to poważne okaleczenie, nie wspominając o wrzaskach rodziców. Ale Madaug zawsze miał najfajniejsze gry, którymi nie lubił się dzielić z młodszym bratem.

Co za świnia!

On o niczym nie wie, więc nie dostanę łomotu… Madaug zniknął z domu ładnych parę godzin temu. Dało to Ianowi dość czasu, by zakraść się przed komputer brata i zagrać w jego najnowszą kreację: „Pułapkę Śmiertelnej Gorączki Pokemonów". Jego brat sięgnął po postaci z „Pokemona" i skrzyżował je wszystkie z postaciami z „Mortal Kombat". Na przykład Charizard strzykał teraz śliną z kwasem i potrafił wyrwać przeciwnikowi kręgosłup, zaśmiewając się przy tym do łez. Grę wypełniała walka na śmierć i życie tocząca się w strumieniach krwi, co przyprawiłoby ich matkę o omdlenie, gdyby kiedykolwiek się o tym dowiedziała.

Ale tak długo, jak ona o niczym nie wie, Ianowi nie grozi szlaban.

Uśmiechnął się od ucha do ucha, odpalił komputer i skrzywił się na widok okropnej tapety Madauga z mangą, ocierającą się o hentai*. Kolejna rzecz, na widok której mama by się chyba przekręciła. Dziewczyna na rysunku miała na sobie tak niewiele, że równie dobrze mogłaby być zupełnie naga. No i sposób, w jaki unosiła nogę w kopniaku... Ianowi aż się zrobiło niedobrze.

Błe!

– Nie rozumiem tego.

Ian zasłonił dziewczynę ręką i szybko otworzył menu, żeby poszukać gier. Brat powtarzał mu, że za kilka lat to zrozumie, że to przyjdzie razem z włosami rosnącymi w dziwnych miejscach i nowymi zapaszkami ciała. Szczerze mówią Ianowi całkiem podobało się bycie dziesięciolatkiem i wcale mu się nie spieszyło do tego, żeby dorosnąć i zacząć śmierdzieć, zwłaszcza tak jak Madaug.

Aż zadygotał na samą myśl o tym, przeglądając jednocześnie listę gier. Zatrzymał się, bo jedna z nich przykuła jego uwagę.

– *Łowca Zombie*?

O tej grze Madaug mu nie wspomniał. Ooo, to naprawdę nieźle się zapowiadało. Kliknął na nią i czekał, aż się załaduje. Roztarł ręce, zachichotał na myśl o tym, że zaraz zrobi coś, co by naprawdę wkurzyło brata, gdyby się o tym dowiedział.

---

* hentai – odmiana mangi lub anime z elementami pornografii (*przyp. red.*)

Ian lubił sytuacje, gdy upiekło mu się coś, czego nie powinien w ogóle robić.

Nagle usłyszał jakiś dźwięk za drzwiami.

Zerwał się, przerażony, że to Madaug wraca i znajdzie go u siebie w pokoju, przy komputerze. *Już nie żyję. Już nie żyję. Już nie żyję.* Brat skopie mu tyłek tak, że pobeczy się jak baba.

Szybko wyłączył komputer i zerwał się od biurka. Z łomoczącym sercem podszedł do drzwi i otworzył je.

To nie był Madaug.

To był jakiś wysoki, straszny gość, którego nigdy wcześniej nie widział. Wpatrywał się w Iana nabiegłymi krwią, zapuchniętymi oczami.

– Mózg – warknął.

Ian przewrócił oczami. No błaaaagam. Co jest z tymi nastolatkami, którym się wydaje, że takie głupoty mogą przestraszyć dobrze podrośnięte dzieci?

– Nie przestraszysz mnie takimi rzeczami.

Podniósł wyzywająco brodę do góry.

Gość złapał go i wbił mu zęby w ramię.

Ian wrzasnął, po czym zrobił to, co mama mu zawsze powtarzała, że ma zrobić, gdyby złapał go jakiś facet. Z całych sił kopnął go w przyrodzenie.

Zombie zatoczyło się do tyłu, ale nadal tkwiło w drzwiach, tarasując drogę ucieczki.

Ian poczuł ogarniającą go panikę. Zadygotały mu wargi. *Przepraszam, że jestem u ciebie w pokoju, Ma-*

daug. Już nigdy tu nie wejdę, jeśli mnie nie zaprosisz. Przysięgam...

Pod warunkiem, że wcześniej zombie nie wyżre mu mózgu.

Ian dopadł biurka Madauga i rozejrzał się za jakąś bronią. Cholera, jego brat z tą swoją szajbą na punkcie komputerów nie miał niczego, czym dałoby się huknąć zombie w łeb. Ian wypatrzył tylko niedojedzone kanapki z szynką, figurkę Yody z kiwającą się głową, pustą puszkę po napoju Dr Pepper, okruszki po czipsach, tłuste pudełko po pizzy sprzed dwóch dni, stertę płyt kompaktowych i futerał na okulary. Do niczego!

Myśl, Ian, myśl...

Zombie znowu go chwyciło.

Ian złapał jedyną rzecz, którą miał w zasięgu.

Ołówek.

Ołówki nadają się nie tylko do odrabiania zadań domowych... Można nimi zrobić różne rzeczy. Zresetować Nintendo, rozsupłać sznurowadła, wyczyścić brud zza paznokci, narysować coś na ścianie...

I dźgnąć zombie.

– Aaaaaa! – krzyknął i z całych sił wbił ołówek w ramię napastnika.

Zombie wrzasnęło.

Niczym przerażony zając Ian przecisnął mu się między nogami i czmychnął do schodów.

– Mamo! – zawołał, uciekając przed niebezpieczeństwem. Na szczęście nie brakowało mu w tym wprawy. Ostatecznie miał dwóch starszych braci, których często ponosiło i których nie raz nachodziła wielka ochota, by zrobić krzywdę młodszemu bratu. W porównaniu z nimi zombie wypadało dość blado. – Mamo! – krzyknął znowu, wpadając do kuchni. Obiegł dookoła wyspę, przy której stała, zajęta przygotowywaniem kolacji. – Pomocy! Zombie mnie goni!

Westchnęła sfrustrowana, gdy otoczył ją rękami w pasie.

– Na litość boską, co ty wyprawiasz, skarbie?

Ian próbował wyjaśnić, ale ledwo wykrztusił kilka słów, zombie znalazło się już w kuchni. Gapiło się na niego ciężko.

Ołówek nadal tkwił mu w ramieniu. Intruz zawarczał.

Mama Iana spojrzała ostro na nastolatka.

– Danny? Co ty tutaj robisz? Jak się dostałeś do środka? Nie słyszałam dzwonka.

– Mamo, on chce mi zjeść mózg.

Cmoknęła na niego z dezaprobatą.

– Ian, nie gadaj bzdur. Danny chodzi z nami do kościoła. Nie znasz go?

– Nie.

Na pewno by pamiętał, gdyby kiedykolwiek w kościele pojawiło się zombie. Kuśtykanie i warczenie raczej się rzuca w oczy.

Jego matka znowu zwróciła się do Danny'ego.

– Przyszedłeś po datek? Słyszałam, że twoja grupa młodzieżowa...

Danny złapał mamę Iana i ugryzł ją w głowę.

Wrzasnęła.

– Nie krzywdź mojej mamy! – Ian rzucił się na niego z impetem. Zombie cofnęło się i puściło jego matkę. Ian przywarł do nogi Danny'ego i gryzł go tak długo, aż poczuł krew.

Nikomu nie wolno atakować mojej mamy!

Danny pisnął jak dziewczyna. Tymczasem matka Iana złapała rondel, w którym przygotowywała ciasteczka. Zaczęła walić nim Danny'ego w głowę, aż się od nich odsunął.

– Schowaj się za mną, Ian.

Choć raz Ian posłuchał polecenia.

Wycofywała się, byle jak najdalej od Danny'ego, w stronę drzwi wejściowych.

Ian już myślał, że udało im się uciec, aż obejrzał się za siebie.

Pod drzwiami tłoczyły się kolejne zombie. Wszystkie robiły wrażenie wygłodniałych...

Serce Caleba zamarło, gdy przyleciał pod postacią kruka i zobaczył Nicka oraz jakąś nieznaną dziewczynę ciasno otoczonych przez zombie, z którymi próbowali walczyć.

Malachai mnie zabije...

Wyglądało na to, że zombie biorą górę. Nick krwawił mocno z licznych ran po ugryzieniach. Za to dziewczyna lepiej radziła sobie z napastnikami.

Caleb zebrał swoje moce i wysłał z umysłu falę, żeby rozpędzić zombie.

Nie posłuchały. A nawet zaatakowały Nicka z jeszcze większą agresją.

– Co, do cholery?

Jedna z pierwszych lekcji każdego demona polegała na nauce kontrolowania umarłych. Właśnie tego miał się teraz uczyć Nick.

Ale moce Caleba nie podziałały na zombie.

Jak to możliwe? To nie miało najmniejszego sensu, co go jeszcze bardziej rozwścieczyło.

Nagle zrozumiał, dlaczego nie ma nad nimi kontroli.

Nie byli martwi. Te zombie stworzono z żywych. A żywych był w stanie opętać lub na nich wpływać, ale nie był w stanie ich kontrolować bez współpracy z ich strony.

Caleb jęknął sfrustrowany, sfrunął ku ulicy, schował się w cieniu i przybrał ludzką postać. Jego demoniczna natura podpowiadała, by unicestwić zombie, ale w ten sposób by się zdemaskował. Już trzy lata temu przekonał się, że nie ma władzy nad Nickiem.

Jeśli się zdradzi ze swoimi mocami i Nick to zobaczy, nie da się tego odkręcić. To by była niezła wtopa. Już nigdy nie odzyskałby zaufania Nicka. Oczywiście mógłby spróbować wyczyścić pamięć Nicka stosowaną przez ludzi, niezręczną i nieprecyzyjną metodą – uderzeniem w głowę...

Może by to nawet zadziałało.

Albo przyprawiło go o wstrząs mózgu.

Albo jeszcze gorzej, zabiło.

A ponieważ przetrwanie Caleba było uzależnione od Nicka... Lepiej nie ryzykować.

Dlatego pobiegł w głąb alejki, by pomóc w walce, po czym stanął jak wryty, bo dotarło do niego, że dziewczyna towarzysząca Nickowi wcale nie jest dziewczyną. Ona również była demonem.

I to demonem *charonte*.

Cholera, sytuacja mocno się komplikowała. Natychmiast stłumił swoje moce. Problem z demonami *charonte* polega na tym, że cechuje je silny terytorializm. Nie tolerują u siebie innych demonów. Jeśli nie jesteś *charonte*, jesteś dla nich śmieciem, a śmieci się zjada. Dosłownie. Powoli i ze smakiem oraz – dość często – z sosem barbecue.

Charonte należały do najpotężniejszych demonów, więc uznał, że najlepiej będzie nie znaleźć się w zasięgu jej czujników.

Ani w jej menu.

Tylko dlaczego jest z Nickiem i nie atakuje go? Nie miał pojęcia. Demony *charonte* zwykle z nikim się nie zadają, chyba że z tymi, którzy trafiają na ich stół.

– Nick! – zawołał Caleb, gdy jedno z zombie rzuciło się Nickowi do szyi. – Za tobą!

Na okrzyk Caleba Nick obrócił się na pięcie i zobaczył przed sobą Bretta Guidry'ego, kolegę z klasy, który właśnie na niego szarżował. Widok Caleba ucieszył Nicka. Wskazał Bretta brodą i oznajmił:

– Musimy odholować tych gości do Bubby. Ktoś ma pomysł, jak to zrobić?

Simi spojrzała na niego uważnie.

– A muszą nadal oddychać?

– Tak – odpowiedzieli zgodnie Nick i Caleb.

– A niech to. – Simi wydęła wargi. – No, to nie ma zabawy.

Westchnęła teatralnie.

Nick był przytłoczony czekającym ich herkulesowym wyzwaniem. Jak trójka uczniów szkoły średniej ma zaprowadzić tuzin zombie do sklepu Bubby, nie dając się po drodze zjeść?

Czemu nie zostałem w domu?

Skup się na pozytywach...

Rzecz w tym, że nie dostrzegał żadnych pozytywów.

Trzeba było nauczyć się porządnej rąbanki. I nie miał tu na myśli rąbania mięsa na kości ani drewna na opał. Bo, bądźmy szczerzy, to akurat nieszczególnie by mu się teraz przydało. Ale co innego, gdyby mógł rozbić Armię Ciemności, albo chociaż potraktować zombie piłą łańcuchową i wysłać je w niebyt.

A jeśli nie w niebyt, to przynajmniej jak najdalej stąd.

Zombie zacieśniły krąg wokół nich. Nick stanął gotowy do walki wręcz.

Nagle Simi złapała jego oraz Caleba za ręce i odciągnęła ich na bok. Zawahała się, gdy stanęli pod znakiem ulicznym.

– Gdzie jest Bubba?

Nick pokazał w kierunku sklepu.

– Dobrze. – Simi puściła ich ręce. – Lećcie, chłopaki, a ja zaraz przyprowadzę tych tutaj.

Nick pokręcił głową. Przypomniało mu się wszystko, co matka mu zawsze powtarzała.

– Nie ma mowy. Nie zostawię dziewczyny na pastwę świrów.

Caleb zerknął przez ramię na zbliżających się napastników.

– Słuchajcie, jak będziemy tak stać i gadać, to koniec z nami. – Złapał Nicka i pociągnął go za sobą. – Zostaw ją na przynętę. Musimy jeszcze przecież otworzyć drzwi.

Nick chętnie by mu się postawił, ale Caleb trzymał go bardzo mocno. Miał do wyboru albo pójść z nim, albo stracić drugie ramię.

Byli w połowie przecznicy, gdy z ciemności wychynęły kolejne dwa zombie i zagrodziły im drogę.

Nick zaklął, stanął jak wryty i posłał pierwszego z nich kopniakiem z powrotem w alejkę.

– Ile ich jest?

Caleb pokręcił głową.

– Zaczynam się zastanawiać, czy Madaug nie sprzedał przypadkiem licencji gry firmie Sony czy komuś takiemu. Skąd one się biorą? Z farmy klonów w Racoon City? Co się dzieje?

Nick cofnął się, żeby nie dać się ugryźć.

– Zaraz nam nieźle dokopią. To właśnie się dzieje.

Kopnął nożycami najbliższe zombie. Sprawdził, czy Simi prowadzi resztę.

– Czuję się coraz bardziej jak James Bowie podczas bitwy o Alamo*.

Caleb odepchnął zombie od siebie.

– Może, tylko że my nie umrzemy.

Też bym chciał być tego taki pewny. Sprawy wyglądały raczej niewesoło i jeśli miałby postawić na kogoś pieniądze, postawiłby na zombie.

Mimo to opanował ogarniającą go panikę i parł dalej w stronę sklepu, ciągnąc za sobą zombie i cały czas z nimi walcząc. Rany, jak któreś jeszcze raz dotknie jego chorego ramienia, zapomni o zakazie zabijania i pójdzie na całość, z piłą łańcuchową czy bez.

* Alamo – właśc. El Alamo, klasztor wybudowany na pocz. XVIII w. w miasteczku San Antonio de Bexar w Teksasie; w 1836 r. oblegany przez 5-tysięczną armię meksykańskiego dyktatora, gen. Antonio Lópeza de Santa Anna; chcący zachować niezależność Teksańczycy, w liczbie ok. 190, dowodzeni przez trapera Davy'ego Crocketta i pułkownika Jamesa Bowie, przez 13 dni walczyli z wojskami wroga; zanim Meksykanie zdobyli Alamo, stracili ponad 1,5 tys. żołnierzy; bitwę tę nazywa się Teksaskimi Termopilami (*przyp. red.*)

– Naprawdę nie lubię być marchewką na przynętę.

– Lepsze to niż być mięsem armatnim.

Caleb zdzielił zombie.

Niby racja.

Nick dotarł do sklepu jako pierwszy. Otworzył drzwi i zawołał Bubbę, Madauga oraz Marka.

– Lezie za nami cała grupa. Trzeba zrobić sporo miejsca. No i bądźcie gotowi do zamknięcia celi na klucz.

Już przyprowadzenie ich do sklepu nie było łatwe, nie wspominając o próbie wtłoczenia ich do tego pomieszczenia...

Gdzie podziewają się X-Meni, gdy są potrzebni?

Nick złapał wiszący na ścianie za ladą oścień elektryczny, kolejny przyrząd, który Bubba trzymał „na wszelki wypadek"... Zaczynał rozumieć jego paranoję, co więcej, był mu za nią wdzięczny.

Bubba miał rację. Nigdy nie wiadomo, kiedy się człowiekowi coś takiego przyda. Opłaca się mieć pod ręką oścień i siekierę. Nie był tylko do końca pewny na ile niezbędna jest wyrzutnia rakietowa oraz detonator.

Oścień może się przynajmniej okazać pomocny w zapędzaniu ich do środka. Jednak gdy tylko Nick dotknął nim najbliższego zombie, Bretta, od razu zorientował się, że Mark i Bubba poważnie zmodyfikowali napięcie elektryczne w przyrządzie. To nie był typowy oścień, jakiego używa się do poganiania bydła lub ludzi. Ten raził prądem z wielką siłą. Wstrząs był tak silny, że zombie padło na ziemię, jakby potraktowano je paralizotarem o napięciu miliona woltów.

– Co, do...?

Nick spojrzał na Bubbę, który wyszczerzył zęby z nieskrywaną dumą.

– Sąsiedzi nie narzekają, jak traktuję ludzi prądem, tylko jak do nich strzelam.

Mark potwierdził.

– Gorzej, że ciężko ich potem wytaszczyć ze sklepu, a jeśli się ich zostawi tutaj, to, jak się obudzą, zwykle są nieźle wkurzeni i chcą się mścić.

Madaug, Caleb i Simi dalej próbowali zapędzić zombie do celi.

Nick potraktował prądem kolejne zombie, które chciało zaatakować Simi. To było nawet zabawne. Szturchał je ościeniem, one zaś wrzeszczały i padały na ziemię niczym zdychające ryby. Zaczął się nawet zastanawiać nad tym, co by się stało, gdyby były mokre, ale nie był aż tak okrutny, żeby to sprawdzić. Na ich szczęście.

Poraził kolejne zombie, które chciało go ugryźć w głowę. Napastnik runął na ziemię i zadygotał. Nick uznał, że mógłby się do tego przyzwyczaić, zwłaszcza jeśli nie groziło mu za to trafienie za kratki.

Gdy uporał się już z ostatnim zombie, a Bubba z Markiem ciągnęli pierwsze do celi, odkryli coś szokującego.

Po ustąpieniu skutków porażenia zombie zaczynały zachowywać się jak zwykli ludzie.

– Zabieraj łapy! – warknął Brett i odepchnął od siebie Bubbę. – Mój tata jest prawnikiem. Pozwę cię do sądu za naruszenie nietykalności cielesnej.

Bubba uniósł brew.

– Może to jeszcze przemyśl, chłopcze. Bo jeśli mam stanąć przed sądem za naruszenie nietykalności cielesnej, to zamierzam na to zapracować. Dobrze się nad tym zastanów.

Brett zbladł. Rozejrzał się po sklepie, jakby budził się z koszmarnego snu.

– Jak ja się tu dostałem?

Nick wycelował w niego oścień, bo nadal nie dowierzał, że Brett wrócił do normalnego stanu. Zbyt wiele razy widział to na filmach. Jakiś idiota myśli, że z potwora ulotniło się już to, co go opętało, a tu nagle potwór zabija wszystkich dookoła, bo przestali się strzec. Wykluczone! Nick nie miał zamiaru zostać karmą inteligentnego zombie.

– Próbowałeś mi wyżreć mózg z czaszki, psycholu.

Brettowi opadła szczęka.

– Co?

– To prawda, chłopie. Rzuciłeś się Gautierowi do gardła. I mnie też.

Madaug wziął oścień od Nicka i przyjrzał się jego szpikulcom.

– A niech mnie, Nick. Znalazłeś remedium. Właśnie tak to wszystko odkręcimy.

– Porażeniem prądem? – zapytał Nick, próbując powstrzymać uśmiech na myśl o potraktowaniu Stone'a ościeniem.

Madaug potaknął.

– Napięcie elektryczne działa na centralny układ nerwowy... Myślę, że tworzy się przepięcie, w wyniku którego oprogramowanie siada i mózg restartuje się do wyjściowego ustawienia sprzed gry. Wszystko się cofa. Cholera, Nick, jesteś geniuszem!

Nick oparł sobie oścień o zdrowe ramię.

– No to niech mnie ktoś klepnie w tyłek i da mi ciastko w nagrodę.

Simi podeszła do niego i trzepnęła go w prawy pośladek.

– Ejże! – krzyknął Nick, rozcierając sobie obolałe siedzenie.

Zamrugała niewinnie.

– Przecież prosiłeś. A może wolałbyś, żeby klepnął cię któryś z facetów?

Sama sugestia wprawiła Nicka w przerażenie.

– Jeśli już ktoś musi mnie tam dotykać, to zdecydowanie wolę, żebyś to była ty niż któryś z nich.

A jeszcze lepiej by było, gdyby to była Kody.

– My też wolimy – odpowiedzieli szybko faceci.

Na ich oczach jeden po drugim ekszombie dochodzili do siebie. Wszyscy byli zdezorientowani i zdumieni tym, co im się przydarzyło.

I żaden z dwunastki leżącej pokotem na ziemi nie pamiętał gry Madauga.

Ani jeden.

Nick spojrzał wilkiem na Madauga.

– Myślisz, że jak ich poraziłem prądem, mogłem wywołać amnezję?

Martwiło go to, bo sam też miał lukę w pamięci. Czyżby on również był zombie i o tym nie wiedział?

Błagam, niech się nie okaże, że zeżarłem czyjś mózg.

To by była chyba jedyna rzecz gorsza od jajek w proszku serwowanych przez matkę.

Madaug podrapał się w brodę i popadł w zadumę.

– Nie wiem. Musimy zbadać konkretny przypadek.

Bubba zamarł i odwrócił się do niego.

– Czyli?

Madaug przeczesał sobie włosy dłonią.

– Musimy znaleźć Briana, porazić go i zobaczyć, co się stanie. To jedyna osoba, o której wiem na pewno, że przemieniła się w zombie po zagraniu w moją grę.

Nick rzadko występował w roli osoby powołującej się na zdrowy rozsądek. Zaśmiał się nerwowo i powiedział:

– Zdajesz sobie sprawę z tego, że on jest w więzieniu? I że policja nie przepada za osobami, które się tam zjawiają wyposażone w ościenie i paralizatory? Tak tylko mówię.

Simi zaczęła podskakiwać.

– Niech go policja zastrzeli!

Mark roześmiał się kpiąco.

– Przy naszym szczęściu jeszcze by do niego strzelili z prawdziwego pistoletu i go zabili. A wtedy niczego byśmy się nie dowiedzieli.

Jakby to był ich największy problem w tym momencie.

Akurat.

Madaug nie ustąpił.

– Musimy albo go stamtąd wyciągnąć, albo sami się tam dostać i potraktować go prądem. Jak inaczej mamy się dowiedzieć, czy to działa? No bo może to tylko tymczasowe i oni znowu zmienią się w zombie? Sami się nad tym zastanówcie.

Nick zadumał się nad tym. Myślał o spędzeniu reszty życia za kratkami, o ile wcześniej matka nie zabije go gołymi rękami.

– Założę się, że żaden z was, byłych zombie, nie ma ochoty posiedzieć w celi, aż wszystko załatwimy, co?

Brett złapał go za koszulę.

– Nie wiem, w co wy gracie, Gautier, ty i ten komputerowy świr, ale jeśli tylko spróbujesz przeszkodzić mi w wyjściu stąd, to ci wytatuuję bieżnik swoich butów na jajach.

Ta groźba sprawiła, że Nick odruchowo się skulił.

Ale zanim zdał sobie sprawę z tego, co się dzieje, Simi złapała Bretta za rękę i ścisnęła ją tak mocno, że Nick usłyszał trzask kości.

Brett wrzasnął z bólu.

Simi nie rozluźniła uścisku.

– Nick jest przyjacielem Simi. Kiedy mu grozisz, Simi bardzo się to nie podoba i ma ochotę cię zeżreć. Uwierz mi, wolałbyś, żeby jej to nie przyszło do głowy. A teraz znikaj stąd, mendo, albo Simi powie *akri*, że nie wie, co się stało z tobą i twoim przeżutym ciałem. Nie lubię kłamać, ale nie ma reguł bez szachrajstw. Za chwilę przydarzy ci się jedno z nich. – Popchnęła go w stronę celi. – A teraz właźcie tam wszyscy i siedźcie cicho.

Po ich minach sądząc, nie bardzo mieli na to ochotę, ale brakowało im odwagi, żeby się przeciwstawić Simi.

Bubba rozpromienił się.

– Fajną masz koleżankę, Nick. Nie przebiera w słowach, co?

– Raczej nie.

Rzecz w tym, że niektóre słowa spośród tych w których nie przebierała, nie miały sensu. I kto to jest ten *akri*, o którym ona w kółko gada? Musi być z niego prawdziwa twarda sztuka, skoro potrafi nad nią zapanować.

Mark zamknął na klucz drzwi do ukrytej celi i zasunął ścianę, by nikt wchodzący do sklepu nie mógł zobaczyć ich nowych więźniów.

Caleb zmarszczył brwi.

– A jak zaczną wołać o pomoc?

– Nic im to nie da – odparł Bubba. – Pomieszczenie jest dźwiękoszczelne, a w ścianach jest tyle metalu, że nie działa żadna komórka. Będą tam siedzieć, aż ich wypuścimy.

Mark zaśmiał się nerwowo.

– No to lepiej nie dajmy się zabić, bo umrą z głodu.

Nick spojrzał na niego.

– Mark, jest bardzo wiele powodów, dla których nie chcę dzisiaj umrzeć, ale śmierć głodowa zakładników, którzy wcześniej byli zombie, nie figuruje na mojej liście. – Zerknął na Madauga. – Nie chcę też iść do więzienia. Nie jestem w stanie wyrazić, jak bardzo nie chcę iść do więzienia i jak bardzo nie chcę umrzeć.

Niestety, miał przeczucie, że czekało go albo jedno, albo drugie.

ROZDZIAŁ 13

Nick? – Usłyszał głos Marka przez drzwi, gdy wychodził spod prysznica. – Dzwoni twoja mama. Jest warta grzechu bardziej niż Angelina Jolie w kostiumie kąpielowym, pokryta błotem... Nie, żebym mówił, że twoja mama to laska, chociaż, nie, żebym mówił, że nią nie jest, ale nie fantazjuję na temat twojej mamy, no bo to by było zwyczajnie nie w porządku w stosunku do ciebie... Co nie znaczy, że twoja mama nie jest warta fantazjowania... ale... Cholera, w mojej głowie brzmiało to dużo lepiej. Chodzi o to, że nieźle się wściekła. Lepiej weź telefon, zanim mi uszy zwiędną.

Nick zamarł. Interesująca tyrada. Ciekawe te Marka marzenia na jawie. Zresztą nieważne. Znając Marka, były pewnie ohydne. Do licha, dobrze chociaż, że wymarzona dziewczyna Marka to nie zombie.

Uchylił drzwi tylko na tyle, by wziąć telefon. Przyłożył go do ucha i przygotował się na falę jej gniewu.

– Co ty wyprawiasz?! – No, tak, była na niego wściekła. Żar jej głosu mógłby stopić czapy lodowe na obu biegunach. – Gdzie ty się podziewasz, chłopcze?! Masz pojęcie, która godzina?! Dostaniesz taki szlaban, że się nie pozbierasz, i to jak tylko cię dorwę! I lepiej się pospiesz, i to już! Jeśli nie stoisz właśnie w drzwiach, a nie stoisz, to masz przechlapane! Zrozumiano?! Nick? Czy ty słuchasz, co ja do ciebie mówię?! Co masz do powiedzenia na swoją obronę? No, młody człowieku?

Zupełnie nie wiedział, co powiedzieć, żeby się jeszcze bardziej nie wściekła, a tego przecież nie chciał. Do głosu doszedł jego instynkt samozachowawczy.

Cenię sobie wolność, ale na horyzoncie majaczą mi poważne ograniczenia. Szkoda, że nie ma prawników gotowych negocjować w imieniu dzieci z rodzicami.

– Na które pytanie mam najpierw odpowiedzieć?

– Lepiej się nie wymądrzaj, Nicholasie Gautier. Jestem teraz zbyt wściekła na ciebie, by to znieść.

Musiał powściągnąć swój temperament. Jeśli czegoś się w życiu nauczył, to tego, że jego matka nie radzi sobie z bezpośrednią konfrontacją. Potulnemu, skruszonemu Nickowi często udawało się uniknąć kary, nawet jeśli na nią zasługiwał.

– Przepraszam, mamo. Nie miałem zamiaru się wymądrzać. – Chciał tylko, by przestała się na niego wydzierać... – Byłem cały... – Przerwał, nim powiedział „we krwi", bo to rozwścieczyłoby ją jeszcze bardziej. – ... umorusany po zajęciach. – Małe kłamstewko, ale w ten sposób oszczędzi jej zawału, a sobie szlabanu do czasu, gdy osiągnie średni wiek i wyłysieje. – Ja... eee... Postanowiłem wykąpać się u Bubby, bo nie chciałem wracać taki brudny do klubu. Mógłbym ci narobić kłopotów. – No, a poza tym na widok jego zakrwawionych ciuchów wpadłaby w panikę i zadzwoniła na policję. Jeszcze tego teraz Bubbie potrzeba. Kolejne aresztowanie odnotowane w jego policyjnej kartotece. – Powinienem był najpierw do ciebie zadzwonić. Przepraszam. Chyba siedziałem pod prysznicem dłużej, niż zamierzałem. Wiesz, że Bubba ma prysznic parowy pod sufitem? Rany, mamo, co za łazienka. W życiu czegoś takiego nie widziałem.

Nie dała się zbić z tropu.

– Nic ci się nie stało?

– Nic, szanowna pani.

Okazanie szczypty szacunku zawsze działało na nią uspokajająco.

Westchnęła.

– No to w takim razie w porządku. Ale nieźle mnie nastraszyłeś, Nick. Chcę, żebyś to wiedział.

– Przepraszam, mamo. À propos, Bubba powiedział, że odprowadzi mnie do klubu.

– To bardzo miło z jego strony. – Jej głos w końcu brzmiał normalnie, a nie jakby miała ochotę stłuc go na kwaśne jabłko, jak parę chwil temu. – Podziękuj mu ode mnie.

– Dobrze. Możemy po drodze wstąpić gdzieś, żeby coś przekąsić?

Jej ton znowu się zaostrzył, jakby go o coś oskarżała.

– Myślałam, że zjadłeś u pana Huntera.

– Zjadłem, ale znowu jestem głodny.

– Aha. – Tak szybko przechodziła od złości do spokoju, że zaczął się zastanawiać, czy przypadkiem nie chce zostać ferrari pośród matek. Rozpędzała się w ciągu 0,65 nanosekundy czy coś w tym rodzaju. A może i szybciej. – Pewnie znowu rośniesz. Przyjdziesz po pieniądze?

– Nie, Kyrian dał mi trochę.

– A to czemu?

Bum! Gniew powrócił. Zabarwiony strachem albo podejrzliwością, ale zdecydowanie dominowała złość.

– To kasa na taksówkę. Na wypadek, gdybym musiał ją wziąć, by dojechać do pracy lub do domu. Mam nie jeździć tramwajem po zmroku. Kyrian powiedział, że nie chce, by coś mi się stało.

Razem z pieniędzmi, które dał mu pan Poitiers, miał prawie dwieście dolców. Jak tak dalej pójdzie, to może naprawdę zacznie coś dokładać do swojego żałosnego funduszu na studia.

– Nie jestem pewna, co mam o tym myśleć, Nick.

A o czym tu myśleć? Z jego punktu widzenia sprawa była prosta – dają mu kasę i nic za to od niego nie oczekują, czemu więc miałby nie brać?

– Mogę iść coś zjeść, gdy będziesz się zastanawiać, co o tym myśleć?

Westchnęła z irytacją.

– Przysięgam, że jesteś najbardziej wyszczekanym dzieciakiem pod słońcem. Tak, Nicky, zjedź coś i bądź tu za godzinę, albo sama po ciebie przyjdę. Zrozumiano? I, mówię ci, wolałbyś, żebym po ciebie nie przychodziła.

– Tak jest, proszę pani.

– Kocham cię, skarbie.

To musi być jakaś mutacja macierzyńskiej choroby dwubiegunowej. Inaczej nie dało się wytłumaczyć tej przeraźliwej huśtawki nastrojów.

– Ja też cię kocham, mamo. I naprawdę przepraszam, że się przeze mnie martwiłaś.

– Nie ma sprawy. W tym jestem dobra. Nie zapomnij o warzywach, jak będziesz kupował jedzenie. Frytki i keczup się nie liczą.

– Tak jest, proszę pani.

Nick odłożył telefon i włożył dżinsy oraz koszulkę „Trzech B", którą pożyczył mu Bubba. Było na niej napisane BEZKONKURENCYJNA BRAWURA I BYSTROŚĆ. Najfajniejsze było logo na plecach, czyli zdjęcie Bubby ze strzelbą na ramieniu, opartego o ogromny, dymiący komputer z podziurawionym kulami monitorem. Napis głosił:

Problemy z komputerem?
Wykręć 1-888-Ca-Bubba
Poradzę sobie z twoimi kłopotami...
Jak nie jednym sposobem, to innym.

A pod spodem dodano małym drukiem: *Rozwiążemy za ciebie rozmaite problemy, od zombie po gryzonie i wampiry. Jeśli przypętał się do ciebie szkodnik, my się nim zajmiemy. Po prostu daj nam znać. My ci uwierzymy.*

Bubba naprawdę miał nie po kolei w głowie, ale Nick uwielbiał reklamy sklepu, które kręcili razem z Markiem. Były przezabawne. I zawsze kończyły się sloganem „Ca'Bubba".

Smutna prawda wyglądała tak, że Bubba naprawdę wykorzystał komputery kilku osób do ćwiczeń ze strzelania. Wolał nie myśleć o Marku i jego kaczym moczu przeciwko zombie.

Potrząsnął głową, wytarł włosy i zszedł na dół do Bubby, Marka, Simi, Caleba i Madauga, którzy rozmawiali o włamaniu się do kryminału.

Zostanę aresztowany i matka mnie zabije.

Simi wskazała na schematyczny rysunek miejscowego aresztu, nakreślony przez Bubbę z pamięci na podstawie jego licznych – jak to nazwał – „niefortunnych ograniczeń wolności".

– Simi mogłaby to potraktować napalmem i...

– To by ich mogło zabić, Simi – zauważył Nick.

Posłała mu niewinne spojrzenie.

– No i?

Nick wpadł w takie osłupienie, że nie wiedział, jak odpowiedzieć na jej szczere pytanie.

Zrobił to za niego Madaug.

– Brian potrzebny nam żywy, żebyśmy mogli przeprowadzić test.

– A niech to. – Simi skrzyżowała ręce na piersi i wydęła wargi. – Nie dacie mi się zabawić. Na pewno nie chcecie mojego *akri*?

Zignorowali ją.

Caleb opadł na oparcie krzesła i przyjrzał się im wszystkim uważnie.

– A prawnik mógłby pójść się z nim zobaczyć?

Bubba pokiwał głową, studiując swój diagram.

– No tak, ale prawnik go stamtąd nie wyciągnie.

Caleb uśmiechnął się z wyższością.

– Zależy od prawnika.

Bubba podniósł wzrok i się skrzywił.

– Znaczy?

Oczy Caleba zamigotały jak u demona przyglądającego się swojej ofierze.

– Znam pewnego prawnika, który jest mi coś winien.

– Znasz prawnika? – W głosie Bubby zabrzmiało niedowierzanie.

Caleb przesunął dłońmi po froncie koszuli.

– Ejże, pod tymi... Pod tymi okropnymi ciuchami bije serce kogoś, kto zna właściwych ludzi gotowych zrobić czasem coś niewłaściwego za właściwą cenę.

Bubba nadal nie był przekonany, podobnie jak Nick.

– No tak, ale to trzeba załatwić, zanim znowu ktoś zginie. Musimy się dowiedzieć, czy to rzeczywiście jest remedium.

Caleb wyciągnął swój telefon komórkowy z kieszeni.

– To się da załatwić. Zaufajcie mi.

Nick miał nie mniejsze wątpliwości niż Bubba. Nie wspominając o pewnym naprawdę ważnym elemencie, którego jeszcze nie przedyskutowali.

– A ile to będzie kosztowało?

Caleb uniósł rękę do góry.

– Cześć. Mówi Malphas, szukam Virgila Warda. Jest?

Wyszczerzył zęby w szerokim uśmiechu, czekając przy słuchawce.

Nick usłyszał z drugiej strony niski głos, ale nie potrafił rozróżnić słów.

– Cześć, Virg. Dawno się nie słyszeliśmy. – Caleb zaśmiał się z czegoś, co musiał powiedzieć Virgil. – Nie, nic podobnego. Właściwie to chcemy się dostać do więzienia, a nie wyleźć z niego.

Zrobił pauzę i słuchał.

– Tak, zgadzam się. Sam wiesz, że mam na drugie imię „idiota". Założyłbym się nawet, że to ty mi je nadałeś. No, to co, pomożesz? – Przewrócił oczami. – Nie, nie oddam ci za to mojej duszy. Przecież ja nie mam duszy. Tak, wiem, że nawet jak na prawnika jesteś wyjątkowym krwiopijcą, ale będziesz się musiał zadowolić pieniędzmi, podobnie jak reszta mieszkańców ziemi.

Nick spojrzał spode łba na Marka, Bubbę i Madauga. Robili wrażenie nie mniej zmieszanych niż on. Z Caleba jest niezły dziwak.

– Naprawdę tego chcesz w ramach rekompensaty? – Caleb posłał im promienny uśmiech. – Załatwione. Możesz się z nami spotkać przed aresztem za jakieś dwadzieścia minut? To do zobaczenia. Dzięki, stary. Tak, mam pełną świadomość, że jestem twoim dłużnikiem. – Rozłączył się i mrugnął do reszty. – No, chodźmy potraktować zombie prądem.

Nickowi w głowie się nie mieściło, że Caleb tak szybko to załatwił.

– Jestem pod wrażeniem.

– Eee tam. Jeden z was będzie musiał upuścić trochę krwi dla wampirycznego prawnika. I to nie mogę być ja.

Nick przewrócił oczami w odpowiedzi na dziwaczne poczucie humoru Caleba.

– A czemu nie? Boisz się małego ugryzienia?

Caleb parsknął śmiechem.

– Jestem anemikiem.

– A ja katolikiem. Może też się nie kwalifikuję?

Caleb pokręcił głową.

– Simi ma w torbie sos barbecue. On wygląda trochę jak krew, jak się go odpowiednio wyciśnie. No i nie krzepnie między zębami tak jak krew. I nie beka się po nim. Nie wspominając już o tym, że dużo lepiej smakuje. Zwłaszcza niż krew grupy A. Błe! Już prędzej bym zjadła swoje buty. – Wyprostowała się i podniosła jeden palec do góry w geście, który skojarzył się Nickowi z niedźwiedziem Smokey walczącym z pożarami lasów. – Pamiętajcie, dzieciaki, że trzy demony na cztery wolą sos barbecue od hemoglobiny.

– Aha. – Bubba odsunął się od niej, co było wiele mówiącym gestem, bo jeśli Bubba nie chce mieć z kimś do czynienia, to znaczy, że ten ktoś naprawdę jest bardzo dziwny. – A skoro o tym mowa... Chyba powinniśmy się zapakować do auta.

Bubba złapał kluczyki oraz oścień i wyprowadził ich na zewnątrz, do swojego ogromnego, czarnego nissana armady. Jak sam mówił, kupił to auto, bo było jednym z nielicznych, do których mógł zmieścić cały swój sprzęt do zabijania zombie.

Świetnie się też nadawał do samochodowych pikników.

Nick spojrzał z powątpiewaniem na oścień, po czym wsiadł do środka, gdzie już tłoczyli się pozostali.

– Tak z czystej ciekawości... Jak przemycimy do więzienia metrowej długości oścień?

Caleb zapiął pas.

– Do tego nam właśnie potrzebny Virgil. On potrafi przemycić wszystko.

– Masz o nim wysokie mniemanie, co?

Caleb wzruszył ramionami.

– Znam go od dawna. Widziałem, jak robił rzeczy, na widok których byś porządnie zbladł.

– Na przykład?

Caleb nie rozwinął przerwanego wątku.

Bubba wsiadł za kierownicę i pojechali do lokalnego aresztu. Nick zamilkł, bo opanowały go dawne wspomnienia z nielicznych wizyt u taty. Nie tutaj, tylko w więzieniu, ale to właściwie to samo.

– Trzymaj tego bachora ode mnie z daleka, Cherise. Nie chcę oglądać jego wstrętnej mordy. Nie przyprowadzaj go tutaj.

Ja też cię kocham, tato.

Nick nadal nie potrafił zrozumieć, jak jego piękna i miła matka mogła zadać się z takim potworem. To nie miało najmniejszego sensu. Kiedyś powiedziała mu, że miała słabość do niegrzecznych chłopców. Była jednak pewna różnica między facetem takim jak on sam, trochę czupurnym, i takim jak ojciec – regularnym świrem.

Czemu kobiety i dziewczyny lecą na psychopatów? Nawet w szkole takie wredne świry jak Stone mogły przebierać w laskach, podczas gdy miłym gościom, pokroju Nicka, odpowiadały one na propozycję randki gestem ze środkowym palcem. Nie potrafił tego pojąć.

Oczywiście w jego przypadku nie pomagał fakt, że matka zmuszała go do noszenia tych paskudnych koszul.

Zresztą nieważne.

Miał tylko nadzieję, że – chociaż był obciążony DNA, które łączyło go z psycholem i zabójcą – nigdy nie skończy w takim miejscu jak to. Tej jednej obietnicy złożonej matce nie miał zamiaru złamać.

Bubba zajechał od tyłu i zaparkował pod latarnią.

– Co teraz? – zapytał Caleba.

– Czekamy na Virgila.

– Jak rozpoznamy jego samochód? – zapytał Mark.

Nim Caleb zdążył odpowiedzieć, ktoś zapukał w okno od strony Bubby. Bubba tak się przeraził, że aż podskoczył pod sufit.

– Co, do cholery?

Caleb wskazał głową...

Nick spochmurniał na widok znajomego Caleba.

Virgil wyglądał zupełnie inaczej, niż się spodziewał. Miał trochę ponad metr osiemdziesiąt wzrostu i nie więcej niż szesnaście czy siedemnaście lat. Choć był ubrany w garnitur, jak na prawnika przystało, robił raczej wrażenie nastolatka wybierającego się na pogrzeb.

Niemożliwe, żeby rzeczywiście był prawnikiem...

Prawda?

Caleb otworzył drzwi i wysiadł, żeby z nim porozmawiać.

– Cześć, Virgil.

Virgil zmierzył wzrokiem pasażerów siedzących w samochodzie. Było w nim coś zdradliwego... choć z drugiej strony mogła to być poza złego prawnika.

– Co konkretnie mam zrobić?

Caleb zerknął na Nicka, po czym odparł:

– Słyszałeś o tym dzieciaku z St. Richard's, który próbował dzisiaj rano zjeść kolegę z klasy?

– No i?

– Musisz go porazić prądem, a potem powiedzieć nam, co się stało.

Virgil roześmiał się, nie otwierając przy tym ust. Po chwili dotarło do niego jednak, że Caleb wcale nie żartuje. Natychmiast spoważniał.

– Po co?

– Chyba znaleźliśmy remedium na zaprogramowane zombie.

Przez twarz Virgila przemknęła fala różnych emocji. Zdumienie, zaintrygowanie, a w końcu zrobił minę dającą im do zrozumienia, że mają nierówno pod sufitem.

– Kompletnie wam odbiło, co?

– Nie, mówię poważnie. W samochodzie siedzi dzieciak, który napisał grę przemieniającą ludzi w zombie.

Caleb wskazał Madauga, który pomachał do Virgila.

Virgil zerknął krzywo na Caleba.

– To przez program? Nie przez magię?

– Nie, nie przez magię.

– Szkoda. Mnóstwo ludzi zabiłoby za eliksir. Moglibyśmy nieźle zarobić.

Caleb wzruszył ramionami.

– Będą musieli znaleźć inny sposób na przemianę żywych w zombie. A tymczasem chcemy się upewnić, że ci, których przemieniliśmy z powrotem w ludzi, rzeczywiście mieli kontakt z tą grą. Jedyną osobą, co do której wiemy na pewno, że w nią grała, jest ten, który siedzi teraz w więzieniu. – Podał Virgilowi oścień. – Tylko uważaj, żebyś sam się nim nie dotknął. To nie jest zwykły oścień o niskim napięciu. Bubba przerobił go i teraz wali milionem woltów.

– Aha – powiedział wolno Virgil. – Niech sprawdzę, czy dobrze zrozumiałem... Czyli ten superplan wymyślony przez was, bystrzaków, polega na tym, że mam wnieść nielegalny, zmodyfikowany oścień na teren okręgowego aresztu przed nosem ludzi wyszkolonych w zabijaniu, znaleźć dzieciaka, który czeka, aż stanie przed sądem oskarżony o próbę morderstwa i porazić go, żeby znormalniał. Coś jeszcze?

– Nie. To by było na tyle.

Virgil wypuścił wolno powietrze z płuc i spojrzał z powątpiewaniem na oścień.

– Masz u mnie wielki dług.

– Wiem.

Nie mówiąc nic więcej, Virgil ruszył w stronę frontowego wejścia do budynku.

Nick bardzo chciał zobaczyć ten cud z bliska.

– Hej, Bubba? Otworzysz drzwi? Muszę rozprostować nogi.

– Pewnie.

Nick wyskoczył z SUV-a i ruszył w stronę budynku, by ocenić sytuację. W środku roiło się od policjantów. Jakże by nie? Ale najbardziej rzucały się w oczy wykrywacze metalu. Nie było szansy, by Virgil dostał się do środka bez postrzału.

To będzie ciekawe.

Nick właśnie zajął stanowisko, gdy Virgil pewnym krokiem wszedł do środka. Kilku funkcjonariuszy przywitało go i zachowywało się tak, jakby w ogóle nie widzieli ościenia. Virgil przepuścił go przez skaner, podczas gdy sam przeszedł przez bramkę z wykrywaczem, cały czas gawędząc z policjantami.

Zakładał buty z powrotem, gdy oścień wyjechał na taśmie po drugiej stronie. Jeden z funkcjonariuszy podniósł go i podał Virgilowi.

– Proszę nie zapomnieć parasola, panie Ward.

– Dzięki, Cabal. Wiem, że na dzisiaj nie zapowiadano deszczu, ale lepiej być zawsze przygotowanym.

– Prawda, zwłaszcza tutaj, w Nowym Orleanie. Nigdy nie wiadomo, kiedy będzie oberwanie chmury. Ja tam zawsze mówię, że jak się komuś nie podoba pogoda, to powinien tylko chwilę zaczekać.

Virgil roześmiał się, wziął od niego oścień i ruszył korytarzem.

Nick stał kompletnie zbaraniały, aż Virgil zniknął mu z pola widzenia. Nikt słowem nawet nie wspomniał na temat broni.

Jakbym to był ja, to by mnie już dawno rzucili na ziemię i jeszcze potraktowali kulką w głowę.

Zszokowany tym, co właśnie zobaczył, wrócił do samochodu.

Bubba spojrzał na niego spod uniesionych brwi.

– Szybko.

Nick zapiął pas.

– Chciałem tylko zobaczyć, czy Virgilowi uda się wejść.

Caleb robił wrażenie zadowolonego z siebie, ale nic nie powiedział.

– No i? – chciał wiedzieć Mark.

– Nie pytaj jak, ale dostał się do środka. Nic nie zauważyli. Jakby ten oścień był niewidzialny czy coś w tym rodzaju.

Bubba zmarszczył czoło.

– Niby jak?

Simi westchnęła z irytacją.

– Przecież to wampir, ludzie. Jeeezu, żaden z was tego nie zauważył?

– Większość prawników to wampiry – odparł drwiąco Mark. – Jeszcze nie spotkałem żadnego, który by nie był krwiopijcą albo kolekcjonerem dusz.

Telefon Caleba zaczął dzwonić. Odebrał.

– Tak? – Przez chwilę słuchał, po czym powiedział: – Poczekaj, włączę głośnik w telefonie. – Kliknął ustawienia w komórce. – A teraz powtórz, co mi właśnie powiedziałeś.

– Co jest w tym ościeniu? Dzieciak prawie przeleciał przez ścianę.

Caleb parsknął śmiechem.

– Nie o to mi szło, Virgil. Mów dalej.

– No, dobrze. Poraziłem go i teraz wydziera się niczym mała dziewczynka, która chce do mamy. Mówi, że nie ma pojęcia, jak się tu dostał. Zapytałem go o ugryzienie tamtego dzieciaka, ale on nie ma pojęcia, o czym mówię. I, co najważniejsze, już nie próbuje mnie ugryźć, o czym zapomniałeś mnie uprzedzić, gdy mnie tutaj wysłałeś. Wychodzi na to, że wasz eksperyment się powiódł.

Bubba nie był pewien.

– Można mu zaufać?

– Zdajesz sobie sprawę z tego, że ja cię słyszę, co? – W głosie Virgila słychać było poirytowanie.

– Owszem – odpowiedział przeciągle Bubba. – I ponawiam pytanie: czy można ci ufać?

– A czemu miałbym kłamać, skoro nic mnie ta sprawa nie obchodzi, co? To nie znaczy, że kłamstwo jest mi obce. Każde kłamstwo, które przynosi mi korzyść, jest dobre, ale w tym przypadku mówię prawdę. Chłopak jest już normalny. Sami posłuchajcie...

– Ja chcę do domu. Czemu tu jestem? Nie rozumiem, co się stało...

Caleb wyłączył głośnik.

– Dzięki, Virgil. Płatność później. – Przerwał i spojrzał na Marka oraz Bubbę. – Potrzebny wam ten oścień z powrotem?

– Zdecydowanie – odparł Mark. – Musimy nim potraktować parę osób.

Caleb kiwnął głową i powiedział do słuchawki:

– Bądź tak miły i przynieś nam oścień z powrotem.

Virgil pojawił się, zanim jeszcze Caleb zdążył odłożyć telefon.

Tym razem to Nick aż podskoczył. Bubba wysiadł i schował oścień do bagażnika.

Virgil przyjrzał się uważnie Nickowi, który gapił się na niego przez okno.

– Czy ja cię skądś znam?

Nick pokręcił głową. Przeszył go zimny dreszcz. W Virgilu zdecydowanie było coś niezwykłego.

– Nie wydaje mi się.

Caleb odchrząknął.

Virgil spojrzał na niego i doszło między nimi do jakiejś dziwnej wymiany. Gdy skierował znowu oczy na Nicka, były pełne ostrożności i chłodu.

– Miło mi cię poznać, Nick.

– Skąd wiesz, jak się nazywam?

Virgil nie odpowiedział.

– Lepiej już pójdę. Mam nocną sprawę w sądzie za godzinę i nie chciałbym się spóźnić. Trudny przypadek. Jeden gość na Bourbon Street spuścił drugiemu łomot hot dogiem, a potem próbował dobić ofiarę, topiąc ją w kałuży.

I dosłownie zniknął.

Bubba odwrócił się na fotelu i spojrzał na Caleba.

– Interesującego masz znajomego.

– Nawet nie wiesz, jak bardzo.

Mark podrapał się w ucho.

– Musimy dać znać Tabicie i reszcie, jak z nimi walczyć.

Madaug wyciągnął telefon z kieszeni i błyskawicznie wybrał numer brata.

– Ja to załatwię.

Ruszyli, kierując się z powrotem do sklepu.

– No dobra, połowę równania już znamy. Wiemy, że możemy ich zamienić z powrotem w ludzi. Ale nadal nie wiemy, jakim sposobem tak wielu z nich dotarło do tej gry?

Mark pokręcił głową.

– Ktoś ją musi kolportować.

Nick skrzywił się na dźwięk nieznanego słowa.

– Kolpo-co?

– Kolportować – powtórzył Mark. – Znaczy „rozprowadzać".

– To czemu tak nie mówisz?

Mark spojrzał na Bubbę.

– Przypomnij mi, żebym mu kupił słownik. – Po czym posłał Nickowi oskarżycielskie spojrzenie. – Chłopie, musisz popracować nad swoim słownictwem. Ludzie pomyślą, że jesteś głupi. Musisz rozszerzyć swoje horyzonty. Zresztą, mówię ci, fajnie jest wyzywać ludzi, używając wyrazów, których nie znają, i nie wiedzą nawet, że im nawtykałeś.

Bubba parsknął śmiechem.

– Prawda, dwie pieczenie przy jednym ogniu. Tobie ujdzie na sucho, a oni wściekają się potem jeszcze bardziej, jak się zorientują, że ich nieźle zbluzgałeś. A już szczególnie, jak najpierw wzięli to za komplement i ci za to podziękowali.

– Na tym nie koniec – wtrącił się Caleb. – Za tego rodzaju wyzwiska nie dostaniesz szlabanu od mamy.

Mieli rację pod każdym względem.

– W dodatku przyda ci się to na egzaminach – stwierdził Madaug, odłożywszy telefon. Tylko on by o czymś takim pomyślał. Madaug spojrzał na Marka. – Eric i reszta zoo zmierzają do sklepu po broń. Macie dość paralizatorów?

Bubba aż się zjeżył, jakby Madaug powiedział coś obraźliwego.

– Co to w ogóle za pytanie? Prowadzę największy sklep z bronią w Nowym Orleanie. Oczywiście, że mam pod dostatkiem paralizatorów. Mam ich tyle, że starczyłoby do oświetlenia Nowego Jorku i Bostonu, choćby tylko dla zabawy.

I bardzo dobrze, bo Nick miał przeczucie, że będą ich potrzebować.

Ambrose pchnął półkę z książkami na ziemię. Starożytne księgi, część starannie tworzonej kolekcji, rozsypały się po podłodze jego styksowego gabinetu. Pewnie kilka z nich uszkodził, ale w tym momencie było mu to zupełnie obojętne. Buzowała w nim wściekłość o mocy tysięcy słońc, tak żywa i potężna, że prawie czuł jej smak.

– Dlaczego nie mogę tego powstrzymać? – warknął.

Dlaczego, przy całej swojej mocy, dzięki której panował nad żywiołami, nie potrafił zapobiec głupim zachowaniom czternastoletniego chłopaka? Cokolwiek zrobił, i tak nie dawało to pożądanych rezultatów.

Pragnął krwi.

Na policzku poczuł chłodną, uspokajającą dłoń. Przykryła znak łuku, dar od n i e j. Piękniejsza od wszystkich innych, Artemida, bogini łowów, przy której bladły wszystkie kobiety. Jej długie rude włosy spływały aż do wąskiej talii, którą podkreślała grecka biała tunika.

– Ciii... Po co się aż tak nawijasz?

Jego gniew wzrósł jeszcze.

– Nakręcasz – poprawił ją.

Różnice między angielskim, którego on używał, a jej rodzimą starożytną greką sprawiały, że wiecznie przekręcała idiomy i kolokwializmy.

– Co ty tu robisz, Artemido? – zapytał.

– Próbuję cię uspokoić, ukochany. Po co ty to sobie robisz, co? Nie lubię patrzeć, jak tak cierpisz.

Ciemna moc, kryjąca się w nim, chciała ją uderzyć, zmusić, by błagała go o litość. Coraz trudniej mu było opierać się tej wszechogarniającej sile.

Już niedługo nie będzie miał żadnej możliwości manewru. To go całkowicie pochłonie. Przemieni się w swojego ojca, w bezmyślną maszynę do zabijania, bez krztyny współczucia czy człowieczeństwa. Maszynę chcącą tylko doprowadzić wszystko do końca.

Zabić wszystkich.

Ambrose wbił wzrok w ścianę i zobaczył samego siebie jako dziecko. Nick Gautier nie miał pojęcia, że w wyniku niewielkich, przypadkowych decyzji, które właśnie teraz podejmował, w przyszłości stanie się taką bestią, jaką jest teraz Ambrose.

Muszę ocalić samego siebie.

Co ważniejsze, musiał ocalić tych, których kochał. Zanim będzie za późno.

Tylko jak?

Boże, jak mogłem być taki głupi, nawet gdy miałem czternaście lat? Niełatwo było spojrzeć wstecz i zobaczyć przyjaciół i bliskich, zwłaszcza że wiedział, co się z nimi stanie, jeśli nie uda mu się zmienić biegu zdarzeń. Ból był tak okropny, że już to doprowadzało go prawie do szaleństwa.

Jak mam to powstrzymać?

Ambrose zwrócił się do Artemidy. Nienawidził jej. Podobnie jak Acheron, odegrała kluczową rolę w przemienieniu go w Malachai.

Nie, Nick, sam to zrobiłeś.

Ale łatwiej było winić ich. Ułatwili mu podejmowanie niewłaściwych decyzji. Decyzji, które teraz próbował odkręcić, zanim straci zdolność martwienia się tym wszystkim.

Westchnął sfrustrowany i spojrzał Artemidzie prosto w oczy. Oczy kobiety, która wyrwała go śmierci i uwolniła jego moce. Te same moce, które teraz próbował uwolnić. Gdyby miał nad nimi kontrolę jako dziecko, mógłby uratować tę, która była dla niego najważniejsza.

Mógłby uratować swoją matkę...

Nick aż się wzdrygnął. Odsunął od siebie to wspomnienie i skupił się na czymś, co powiedział wcześniej do siebie samego.

– Kto to jest Nekoda?

Artemida spojrzała na niego pytająco.

– Nigdy o nim nie słyszałam.

– O niej, Artie. To dziewczyna.

Jedna z jej idealnych brwi podskoczyła do góry, a zielone oczy pociemniały z zazdrości.

– Co za dziewczyna?

– Nie wiem. Nick ją zna.

– Nick to ty.

Była rozdrażniona.

– No właśnie, więc jak mogę nie wiedzieć, kto to jest?

Jak to możliwe, że jej nie widział, gdy patrzył wstecz? Z jakiegoś powodu była dla niego jak duch. Bez względu na to, jakiej mocy użył, tego fragmentu swojej przeszłości nie potrafił odszukać. A przecież nawet przy pewnych zmianach powinien być w stanie ją wypatrzeć.

Jednak nie potrafił.

Dlaczego?

Artemida wzruszyła swoimi szczupłymi ramionami.

– Zapomniałeś ją. Zdarza się. Byłeś człowiekiem... kiedyś.

Ale teraz już nie był człowiekiem. Teraz był jedną z istot, które kiedyś razem z Tabithą tropili i wybijali jak wściekłą zwierzynę. Co więcej, dręczył go głód.

Umierał z głodu.

Artemida ryzykowała, towarzysząc mu tu. Za każdym razem, gdy karmił się jej krwią, robił się silniejszy i bardziej zabójczy. Coraz trudniej było mu jej nie zabić przy użyciu swoich mocy i nie wchłonąć jej boskości.

Coraz trudniej mu było powstrzymywać się przed zniszczeniem wszystkich i wszystkiego.

Nie zrobię tego.

Owszem, zrobisz. Wszystko w swoim czasie. Jesteś, kim jesteś. Tego nie potrafisz zmienić. Możesz z tym walczyć, ile ci się żywnie podoba, ale ostatecznie jesteś tym, kim się urodziłeś i nic tego nie zmieni.

Nie chciał w to uwierzyć.

Wbił wzrok w wizerunek na ścianie. Przedstawiał jego samego, młodszego i niewinnego, na tylnym siedzeniu SUV-a Bubby. Zmierzał w stronę przeznaczenia, które miał wypisane krwią w sercu.

No dalej, Nick, nie zawiedź nas. Musisz być silny.

I mądry.

Co najważniejsze, nie mógł popełnić tych samych błędów. Niektóre sprawy już udało mu się zmienić, jak na przykład to, że poznał Simi w młodym wieku.

Ale inne…

Nick zagryzł wargi, gdy zobaczył przed sobą przyszłość z równą wyrazistością, co przeszłość.

Zbliżała się Karnarsas, ostateczna bitwa, w której miał stanąć na czele armii ojca. Jeśli nie uda mu się zmienić swojej przeszłości, to gdy ta bitwa nadejdzie, zniszczy wszystkich, których kochał…

Bez wyjątku.

ROZDZIAŁ 14

Nick wysiadł z SUV-a przed sklepem Bubby i sprawdził godzinę na telefonie komórkowym. Oo, igrał z ogniem. *To by było na tyle w kwestii jedzenia...*

– Hej, chłopaki, muszę lecieć do matki do klubu, bo dostanę szlaban.

Znowu.

Stojący już na chodniku Mark poderwał głowę do góry ruchem, który skojarzył się Nickowi z zachowaniem przerażonego jelenia.

– Ej, Bubba? Czujesz ten smród?

Że co? Czyżby ktoś nabździł w samochodzie?

Nick miał już zrzucić winę na Caleba, gdy Bubba zamarł. Chwilę później rzucił klucze do Nicka.

– Dzieciaki, do sklepu. I to szybko!

Nick chciał zapytać, co się dzieje, gdy zobaczył coś, co wprawiło go w osłupienie.

Zombie.

I to wcale nie takie, jak jego koledzy z klasy. Te były prawdziwe, śmierdziały, ich ciała gniły, członki odpadały, z oczu kapał śluz…

Zombie.

Zbliżały się do nich w tempie, którego mogłaby im pozazdrościć puma. Madaug wrzasnął i rzucił się do drzwi. Nick z Calebem ruszyli za nim, podczas gdy Bubba i Mark wyjęli spod siedzeń SUV-a dwa kije bejsbolowe. Nie wiedzieć czemu, skojarzyło się to Nickowi z Mary Poppins i jej torbą, w której kryje się coś na każdą okoliczność.

Simi wysiadła z samochodu. Chciała chyba ruszyć prosto na zombie, ale Bubba złapał ją za rękę.

– Idź do środka z chłopakami, Simi.

Wydęła wargi. Nick widział, że miała ochotę się postawić, ale ostatecznie tylko kiwnęła głową i dołączyła do reszty.

Bubba zaklął.

– Czemu ja właściwie schowałem miotacz ognia w sklepie? – zapytał Marka.

Mark zarzucił sobie kij na ramię.

– To chyba miało coś w wspólnego z policją.

Bubba zdzielił kijem w głowę pierwsze zombie, które go dopadło.

– Jak kiedyś znowu zrobię coś równie głupiego, to mi przypomnij, że już lepiej trafić do kicia niż do piachu.

– Pośpiesz się, Nick! – poganiał go Madaug, gdy Nick walczył z kluczami i zamkiem.

Zagryzł zęby. To niełatwe zadanie, gdy ma się do dyspozycji tylko jedną rękę.

– Staram się. Cholera, Bubba, ile ty masz kluczy?

Sprawdził już chyba z tuzin, ale żaden nie pasował. Zostało mu jeszcze tylko dziesięć.

– To ten z zieloną, gumową nakładką. – Bubba odrąbał kolejnemu zombie głowę. – Z zieloną... – Drugie uderzenie. – Gumową... – Trzecie uderzenie. – Nakładką.

Caleb wyjął Nickowi klucze z dłoni i pomógł mu otworzyć drzwi.

– Są coraz bliżej. Musimy się pośpieszyć.

– Wiedziałem, że nie trzeba było zmywać z siebie tych kaczych sików! – rzucił Mark. – Następnym razem będę pamiętał, żeby się nie kąpać.

Nick czuł już cuchnący oddech zombie na karku, gdy w końcu drzwi do sklepu stanęły otworem i wpadł do środka. Simi wbiegła za nim. Madaug już miał pójść w ich ślady, gdy nagle krzyknął, bo złapało go zombie i pociągnęło z powrotem na ulicę.

Caleb zmusił się do tego, by nie ujawnić swoich mocy i nie użyć ich przeciwko napastnikom. Walczył z zombie, podczas gdy reszta schowała się w sklepie. Czuł odór czarnej magii. Powietrze, którym oddychał, było od niej gęste. Ktokolwiek kontrolował te zombie, był potężny.

Starożytna siła.

Nie był to ktoś tak stary jak on, jednak ktoś oswojony ze swoją mocą i świetnie nią władający.

Już wcześniej walczył z tą siłą i odparł jej próbę przejęcia kontroli nad uczniami. Tym razem bokor jeszcze się wzmocnił. A ponieważ tym zombie brakowało już życia i własnej woli, były one dużo groźniejsze niż przekształceni w zombie uczniowie.

W przeciwieństwie do nich tych zombie nic już nie łączyło z życiem. Nie było w nich nawet śladów współczucia ani rozumu. To były przesycone złem dusze w ciałach zmarłych.

Magia najczarniejsza z możliwych. Taka, z jaką nigdy wcześniej nie miał do czynienia. Tylko naprawdę mroczny duch, taki jak Malachai, potrafiłby zebrać armię tej wielkości i kontrolować ją.

Tworzyć bezmyślne maszyny do zabijania.

Te zombie były trochę jak demony *charonte*, choć Caleb musiał przyznać, że Simi nie pasowała do tego stereotypu. W odróżnieniu od innych przedstawicieli tego gatunku, z którymi wcześniej się zetknął, dobrze udawała człowieka i nie rzuciła się od razu na zombie, żeby je pożreć. Ktoś ją nieźle wytrenował.

Z gardła wydobył mu się niski warkot i rzucił się do ataku na zombie trzymające Madauga. Głowa potwora odpadła od ciała, a dolna szczęka zadygotała na ścięgnie. Rękę Caleba pokryła zimna zielona maź. Skojarzyło mu się to z dwudniowymi smarkami.

– Co za ohyda! – Caleb wytarł sobie rękę w koszulę. – Gluty zombie.

– Ooo – westchnęła Simi. – Ciekawe, czy smakuje jak kurczak? Jak myślisz?

Caleb spojrzał na nią wilkiem.

– Chyba już nigdy więcej nie wezmę do ust *guacamole**.

Nick nie zwracał na nich uwagi i bił się z kolejnym zombie, aż udało mu się z pomocą Simi wepchnąć Madauga do sklepu.

– Ejże! – krzyknął Caleb, gdy zorientował się, że Nick chce zamknąć drzwi na klucz, zostawiając go na zewnątrz razem z napastnikami. Popchnął drzwi i wbił ciężkie spojrzenie w kolegę. – Nie zostawia się nikogo samego na polu walki.

Nick zmarszczył brwi.

– To nie wojsko, stary. Każdy odpowiada za siebie. Zostaniesz w tyle, to cię zjedzą.

– Będę o tym pamiętał, jak to ty zostaniesz na zewnątrz, a ja będę w środku.

Nick posłał mu złośliwy uśmieszek.

– Wtedy będą obowiązywać inne zasady. – Złapał klamkę, bo do środka próbowało się dostać kolejne zombie. – A niech to!

– Co? – zapytał Caleb.

* guacamole – meksykański sos na bazie awokado, pochodzący jeszcze z czasów Azteków (nazwa z języka nahuatl), często spożywany z tortillą (*przyp. red.*)

– Klucze zostały w zamku na zewnątrz.

Caleb jęknął. Ależ z nich głupki! Pomógł Nickowi przytrzymać drzwi, przy których tłoczyło się coraz więcej zombie.

– Co za idiota nie ma zamka z zasuwką od środka?

Nick spojrzał na niego, jakby gadał bzdury.

– Bubba. Przecież wtedy wystarczy wybić szybę, żeby otworzyć drzwi i wejść do środka. Znasz zasadę Bubby: zamykaj wszystko na klucz.

Właśnie dlatego tyle ich przy sobie nosił.

Caleb zaparł się z całych sił, ciągnąc do siebie drzwi, by powstrzymać zombie, które próbowały je otworzyć.

– Przysięgam, Nick, powinienem rzucić cię im na pożarcie. Ostatecznie nie muszę przegonić zombie, muszę tylko przegonić ciebie.

– Nie bądź świnią.

Caleb pomyślał jednak, że jeśli zombie dostaną się do środka, to poszczuje na nie Simi z jej sosem barbecue. I nieważne, co sobie o tym ludzie pomyślą.

– Odsuńcie się – powiedział Madaug.

Nick obejrzał się przez ramię i zobaczył, że Madaug dzierży wyrzutnię rakietową. No nie, skąd on to wytrzasnął? Tylko czy jest naładowana?

Idiotyczne pytanie. Ostatecznie byli u Bubby w sklepie. Oczywiście, że wyrzutnia była naładowana i gotowa do użycia. Prawdopodobnie została też zmodyfikowana i zniszczy połowę przecznicy, gdy tylko się ją odpali.

Oczy Nicka zrobiły się okrągłe jak spodki.

– To chyba nie jest to, co myślę?

Madaug wzruszył ramionami.

– Nie wiem, ale na twoim miejscu bym się schylił.

Ledwie zdążyli się odsunąć, gdy Maduag strzelił do zombie znajdujących się pod sklepem. Rakieta eksplodowała w drzwiach. Wszędzie posypały się odłamki szkła i skrawki ciała zombie. Zielona i czerwona wydzielina wypełniła mrok nocy.

Simi oblizała wargi, jakby bardzo chciała tego posmakować.

Tymczasem Nick osłupiał, bo ruszyło na nich jeszcze więcej zombie.

– Chłopie, jak na geniusza jesteś prawdziwym idiotą. Myśmy się pozbyli drzwi, a ich nie ubywa.

Ich uszu dobiegły krzyki niedawnych zombie, których zamknęli w ukrytej celi. Błagali, by ich wypuścić. Przynajmniej niektórzy. Inni płakali za matkami.

Tymczasem Bubba i Mark robili potworny hałas na zewnątrz, gdzie odpierali atak nieumarłych. Nick pobiegł na tyły po siekierę.

Naprawdę nie byłoby źle mieć teraz sprawną rękę. A jeszcze lepiej genetyczny implant z piłą łańcuchową w miejsce ręki, jak u Asha z *Armii Ciemności*. Zdecydowanie by mu się coś takiego teraz przydało.

Choć na obie ręce w dobrym stanie też by się nie obruszył.

Przeszył go dreszcz, bo przez głowę przeleciał mu pewien obraz. On, zaatakowany przez...

Nie przez kruka, choć kruk tam też był, miał na niego oko niczym jakiś nawiedzony strażnik. A ramię Nicka było całe i zdrowie... Te wspomnienia kryły mu się gdzieś z tyłu głowy, ale nie był w stanie skoncentrować się na żadnym z nich. Były to tylko przelotne migawki, które znikały tak szybko, jak się pojawiały.

Czy to był sen?

Miał raczej wrażenie, że to się naprawdę wydarzyło.

– Jii ho! – wrzasnął Bubba.

Nick pobiegł z powrotem do Madauga i Caleba, a tymczasem Bubba atakował kolejne zombie ościeniem, po czym walił je kijem bejsbolowym. Chyba nieźle się przy tym bawił, podczas gdy Nick nadal truchlał przed grożącą im śmiercią.

Zombie otaczały ich coraz ciaśniejszym kręgiem.

Nick stłumił strach i zasłonił Simi własnym ciałem.

– Czemu żaden z sąsiadów się nie poskarżył? Gdzie jest policja, gdy jest potrzebna?

Caleb parsknął śmiechem.

– Pewnie poszli na pączki. Jak mówi przysłowie, gdy liczy się każda sekunda, policja jest tylko parę minut stąd.

Ulica przed sklepem wyglądała jak pola śmierci. Nicka ogarnęła panika. Bubba z Markiem walczyli jak jacyś nawiedzeni ninja, ale napastników było tak wielu, że wcześniej czy później musieli wziąć górę.

Nick popatrzył z przerażeniem, jak z cienia wciąż nadchodzą nowi. Miał wrażenie, że ktoś stworzył je i przysłał tutaj...

Nie po to, by kogoś porwać, lecz by zabijać.

Powstrzymał Simi, która wyrywała się, by dołączyć do walki na ulicy. Może i była wysoka, ale nie dałaby rady tym wszystkim zombie. Nadchodziło ich coraz więcej. Madaug próbował tymczasem przeładować wyrzutnię rakietową.

Nie spocznie, aż ich wszystkich nie wystrzela.

Wtem Nick dostrzegł błysk srebra. Przeraził się, że to kolejne posiłki nieumarłych. Odrzucił od siebie zombie kopniakiem, po czym zamarł, bo rozpoznał nowo przybyłych.

Ash i Kyrian.

Gdy tylko dołączyli do walki, zrozumiał coś jeszcze. To oni walczyli jak ninja. Ash za pomocą pałki, a Kyrian miecza. Coś niesamowitego! Podczas gdy Bubba i Mark miotali się wściekle, Kyrian poruszał się z takim wdziękiem, że wyglądało to jak jakiś pełen przemocy balet. Wirował, szatkował jedno zombie za drugim, a potem odwracał się, by złapać następne.

Nick spodziewał się, aż Ash użyje swoich mocy, ale z jakiegoś powodu tego nie zrobił. Tłukł zombie pałką i robił uniki. Nick przypomniał sobie, co Ash powiedział mu wcześniej. Na pewno chciał zachować anonimowość przy świadkach.

A przecież nie miało to sensu, bo Ash był w stanie każdemu wymazać wspomnienia. A może po prostu czerpał przyjemność z walki, tak jak Bubba z Markiem?

Wobec Asha i Kyriana, wspieranych przez Bubbę i Marka, zombie nie miały szans. Wystarczyło kilka minut i całą ulicę zaścieliły obrzydliwe zielone ciała.

Kyrian spojrzał na Asha.

– Szkoda, że nie rozsypują się w proch, co? Muszę powiedzieć, że wolę potwory, które same po sobie sprzątają.

Ash roześmiał się.

Bubba i Mark ocenili straty.

– Ciekawe, czemu nikt nie zadzwonił na policję po odpaleniu wyrzutni rakietowej? Przecież normalnie wystarczy pierdnąć w ogrodzie za domem, a już któryś z sąsiadów dzwoni na skargę.

Ash oparł swoją pałkę o ziemię.

– Dobre pytanie.

Kyrian nacisnął guzik na swoim mieczu. Ostrze schowało się w rękojeści. Wsadził sobie broń do kieszeni.

– Moje jest lepsze. Jak posprzątamy cały ten bałagan?

Nick uśmiechnął się drwiąco.

– A ja mam jeszcze lepsze pytanie. Jak schować piłę łańcuchową w szafce w szkole?

Wszyscy spojrzeli na niego.

Nick wskazał na zombie, których strzępy zaścielały ulicę.

– To chyba jeszcze nie koniec. W szkole obowiązuje zakaz wnoszenia broni, a jakoś nie wierzę, że dałoby się je pokonać za pomocą plastikowych widelców ze stołówki. Muszę mieć jakąś broń. I to porządną. – Przeniósł wzrok na Madauga, który nadal dzierżył wyrzutnię rakietową. – No, może nie aż tak porządną, ale jednak...

Mark otarł pot z czoła.

– To jak jakaś pieprzona apokalipsa zombie. Zawsze wiedziałem, że któregoś dnia nadejdzie. Wszyscy poza Bubbą mi mówili, że mam nierówno pod sufitem. No to sami teraz popatrzcie. I kto tu ma nierówno pod sufitem, co?

Nick musiał się ugryźć w język, żeby nie powiedzieć, że nadal uważa, iż to Mark ma nierówno pod sufitem.

Caleb nie zwracał uwagi na Nicka, bo wyczuł w powietrzu coś osobliwego... Spojrzał na dwóch nowo przybyłych. Nie znał ich, ale wyczuwał ich moc.

Podobnie jak on i Simi, nie byli to ludzie.

Wiedział, że to nie ma sensu, ale mógłby przysiąc, że wyższy z przybyszów jest bogiem. Gdy odwrócił głowę w jego stronę, Caleb jeszcze bardziej się w tym upewnił.

A ten drugi...

Potężny wojownik, sługa bogini Artemidy. Pochodzący z długiej linii starożytnych strażników, którzy zaprzedali swoje dusze, by chronić ludzkość przed stworzeniami takimi jak Caleb.

No tak, w innych okolicznościach ci dwaj rzuciliby się na niego niczym kobiety walczące na wyprzedaży o ostatnią suknię ślubną w swoim rozmiarze.

– Hej – powiedział Nick, rozglądając się dookoła. – Gdzie się podziała Simi? Ktoś widział, dokąd poszła?

Zanim ktokolwiek zdążył odpowiedzieć, z ciemności wyłoniła się kolejna fala zombie. Były jeszcze szybsze i szpetniejsze.

Ash spojrzał na Bubbę.

– Zabierz stąd wszystkich.

– Niby dokąd?

– Do mnie do domu – odparł Kyrian. – Na First Avenue. Nick zna drogę. Ktoś was wpuści do środka.

Rzucili się biegiem do SUV-a. Po drodze Nick zobaczył Simi wychodzącą ze sklepu. Dołączyła do nich i wskoczyła na tylne siedzenie obok niego.

– Gdzie byłaś?

– Simi powiedziałaby ci, ale wtedy musiałaby cię zjeść, ale ponieważ lubi Nicka, wolałaby mu nie robić krzywdy.

Uśmiechnęła się szeroko.

No, w takim razie…

Gdy wszyscy zapinali pasy, Madaug wyciągnął telefon.

– Nie mogę się dodzwonić do Erica. Myślicie, że coś mu się stało?

– Nic mu nie będzie – uspokoił go Bubba. – Tabitha może jest trochę szurnięta... – Przyganiał kocioł garnkowi... – ... ale umie się bić. Poradzą sobie z wszystkim, co mogą im zafundować zombie. Albo wampiry.

– Poczekajcie! – Nick spanikował, bo przypomniał sobie o matce. – Miałem wrócić do mamy do klubu. Powiedziała, że jak się nie zjawię na czas, to po mnie sama przyjdzie.

– I zostanie zakładnikiem zombie – dodał Mark. – Tyle się tego naoglądałem. Niezliczoną ilość razy. Kobieta o dobrych intencjach rusza na ratunek swojemu dziecku i ma pecha. Łapią ją i pożerają.

Bubba zmarszczył czoło.

– To się zdarza tylko w filmach, Mark.

– No tak, ale w prawdziwym życiu też. A teraz zdecydowanie przyszła pora, żeby się coś takiego wydarzyło. Taki już nasz los. Biorą ją w niewolę i wszyscy giniemy, próbując ją uratować, bo zrobiła coś głupiego.

Bubba zawrócił auto.

– No to jedźmy po nią. Mark ma rację.

Nick zerknął na zegarek.

– Ma przed sobą jeszcze cztery godziny pracy.

Mark podniósł pistolet do góry.

– Nie ma sprawy. Wyciągniemy ją stamtąd w ten czy inny sposób.

Nicka przeraziła nawet sugestia użycia broni przeciwko jego matce.

– Mark, nie możesz zastrzelić mojej mamy! Zwariowałeś?

– Upokój się, nie mam zamiaru jej zastrzelić, tylko trochę ją ogłuszę.

Zanim Nick zdążył zaprotestować, Bubba zaparkował.

– Mark, zostajesz z dzieciakami.

Nick pokręcił głową.

– To moja mama. Idę z tobą.

Bubba chciał zaprotestować, ale zmienił zdanie.

– Szkoda czasu. No to chodź, idziemy.

Nick zaprowadził go do tylnego wejścia do klubu i zapukał. Otworzył im John.

Ochroniarz pokręcił głową na jego widok.

– Chłopie, mama cię zabije.

– Gdzie jest?

– Za sceną.

Nick poprowadził Bubbę wąskim korytarzem w stronę garderoby. Zapukał do drzwi i czekał na odpowiedź.

Otworzyła matka. Miała utapirowane włosy i mocny makijaż, była owinięta w szlafrok. Miała taką minę, że aż mu się ścisnął żołądek.

– Co masz na swoją obronę, Nicku Gautier?

– To, że zostałem zaatakowany przez zombie.

Przewróciła oczami.

– Nie wciskaj mi bzdur.

– Nie, mamo, przysięgam. Mówię prawdę!

Nie wierzyła w ani jedno jego słowo.

– Masz pojęcie, która jest godzina?

– Najwyraźniej odpowiednia na to, bym dostał znowu szlaban.

Wyrwało mu się głębokie westchnienie. Czasami naprawdę nie opłacało się być uczciwym.

Posłała mu piorunujące spojrzenie.

– Zgadza się. Będziesz miał szlaban do czasu, gdy twoje wnuki się zestarzeją.

Bubba zrobił krok do przodu i jej przerwał.

– Eee... Proszę pani? Sytuacja jest niewesoła i naprawdę musi pani iść z nami.

Zmarszczyła brwi i popatrzyła na Bubbę, jakby postradał zmysły.

– Nie mogę teraz wyjść. Za kilka minut mam następny występ.

– Z całym szacunkiem, proszę pani, zombie mają to w nosie i nie będą czekać.

– Och, na litość boską, Bubba. Mógłbyś z łaski swojej przestać nabijać mojemu chłopakowi tymi bzdurami? Już go przekonałeś do istnienia wszystkiego poza wróżką zębuszką. Spodziewam się, że któregoś dnia przyjdzie do domu z przyczepionymi skrzydłami i powie mi, że da się na nich latać. – Złapała Nicka za zdrową rękę. – Wchodź do środka i siadaj w kącie. Masz tam zostać, aż ci powiem, jaką masz karę.

– Ale mamo...

– Żadnego „ale mamo".

Nick spojrzał na Bubbę. Czuł się kompletnie bezradny. Jak mógł nawet pomyśleć, że mama go posłucha? Przecież rzadko go słuchała.

Bubba wzruszył ramionami i, zanim Nick zdążył go powstrzymać, strzelił do niej.

– Bubba!

Cherise krzyknęła i zatoczyła się do tyłu.

Bubba złapał ją na ręce nim osunęła się na ziemię.

– A niech mnie, Nick, twoja mama jest taka drobniutka. Dziwne, bo jak jest przytomna, to można łatwo zapomnieć, że tak mało waży.

– To dlatego, że jest taka charakterna.

Potrafiła stanąć twarzą w twarz z jego ojcem, który był wielki jak góra, i nawet nie mrugnęła okiem ani się nie zawahała.

– Ona nas zabije. Zdajesz sobie z tego sprawę, nie?

Bubba zignorował tę uwagę i ruszył w stronę wyjścia, niosąc jego mamę na rękach.

John spojrzał na nich wilkiem, gdy go mijali.

– Co się dzieje?

– Zemdlała – odpowiedzieli jednocześnie Nick i Bubba.

– Zabieramy ją do lekarza – skłamał Nick, przechodząc obok ochroniarza.

Nie podobało mu się, że go okłamał, ale John nigdy by mu nie uwierzył, gdyby powiedział prawdę. No, i mama pewnie straciłaby pracę.

– Szefowi się to nie spodoba. Ani trochę.

Nick wzruszył ramionami.

– Nic nie poradzę na to, że się rozchorowała. To się zdarza.

Pobiegł do przodu i otworzył drzwi do samochodu, by Bubba mógł jak najszybciej umieścić mamę na siedzeniu.

Nick zapiął ją pasem, po czym usiadł obok, podczas gdy Bubba wskoczył za kierownicę.

Simi zmarszczyła brwi.

– Ale sobie wybrała porę na drzemkę. Aż tak jej się chciało spać?

Nick nie zdążył odpowiedzieć, bo nagle zadzwonił telefon Bubby.

Ruszyli i dopiero wtedy Bubba odebrał:

– Halo?

Jego twarz zasnuła ciemna chmura, jakby stało się coś złego.

Nick poczuł jeszcze mocniejszy ucisk w żołądku. Co znowu?

Rany, czy to się nigdy nie skończy?

Przynajmniej mama jest bezpieczna.

Bubba zerknął we wstecznym lusterku na Madauga, który wyraźnie pobladł.

– Co? – chciał wiedzieć Madaug. W jego głosie słychać było to samo przerażenie, które przepełniało Nicka. – Co się stało?

– Tak – ciągnął dalej Bubba, ignorując pytanie Madauga. – Powiem mu. Możemy jakoś pomóc? – Przerwał i słuchał. Wszyscy czekali z zapartym tchem. – Do zobaczenia na miejscu.

Rozłączył się.

Nick opadł na oparcie.

– Co się stało?

Bubba westchnął, nim odpowiedział:

– Mamy kolejny kłopot.

Super, po prostu super. Chyba powinni pobierać opłaty jak w telewizji cyfrowej.

– Madaug, dzwonił Eric – wyjaśnił Bubba.

Madaug przełknął ślinę. Jego niebieskie oczy pociemniały ze strachu.

– Zombie ich zaatakowały?

– Tak, ale sobie z nimi poradzili.

Madaug odetchnął z ulgą.

– No to czemu aż tak się zdenerwowałeś?

– Eric poszedł do was do domu i zastał drzwi frontowe szeroko otwarte.

Nick głośno nabrał powietrza do płuc. To nie brzmiało dobrze.

Rysy Madauga skamieniały. Zbladł jak ściana.

– I...?

– Zastał tam prawdziwą jatkę.

Madaug powiódł wzrokiem dookoła. W oczach stanęły mu łzy.

– Mama i Ian?

– Ani śladu po nich. Eric dzwoni właśnie na policję, żeby to zgłosić.

Żołądek Nicka ścisnął się na widok dotkliwego bólu w oczach Madauga.

– Stary, przykro mi.

Madaug schował głowę w dłoniach.

– To wszystko moja wina. Wszystko. Boże... Chciałem tylko, żeby się ode mnie odczepili. Nic więcej. Nikomu nie miała się stać krzywda. Naprawdę. A teraz moja mama i brat zniknęli... Pewnie zostali zjedzeni. Co ja narobiłem? Co ja narobiłem?!

Nick nie potrafił sobie wyobrazić, jakie to musi być okropne uczucie przyczynić się do śmierci kogoś ukochanego. Wydawało mu się, że nie ma większego bólu na świecie.

Cierpienie Madauga rozdzierało go. Chciało mu się płakać. Chciał coś powiedzieć, ale słowa go zawiodły.

Simi przechyliła się i poklepała Madauga po plecach.

– Przykro mi, człowieczku. Simi też straciła mamę, jak była mała, ale może twojej mamie nic się nie stało. Może cię szuka.

Madaug odwrócił się i przytulił do niej.

Oczy Simi zrobiły się okrągłe jak spodki, po czym przygarnęła go do siebie.

– Już dobrze. Zobaczysz. Czasem się myśli, że już nigdy nie będzie dobrze, ale potem się robi lepiej. Uwierz mi. *Akri* Simi mówi, że tragedia i przeciwności losu to kamienie, na których ostrzymy miecze do walki w nowych bitwach. To była tylko drobna potyczka. Jeszcze wrócisz na pole walki, mówię ci.

Madaug przytaknął, ale gdy się od niej odsunął, Nick zobaczył na jego policzkach łzy, które kolega próbował ukryć. Podsunął sobie okulary na nosie i osuszył oczy.

– Muszę wracać do domu.

Bubba kiwnął głową i pojechał w tamtą stronę.

Siedzieli wszyscy przygaszeni przez całą drogę do domu Madauga położonego w zacisznej, eleganckiej dzielnicy. Na pozór wszystko wydawało się ciche i spokojne.

Noc jak każda inna.

Tylko że to nie była noc jak każda inna. Nick zerknął na sylwetkę swojej nieprzytomnej matki. Jak się obudzi, to się na niego strasznie wścieknie. Ale lepsze to, niż miałoby się jej przydarzyć to, co mamie Madauga. Nie chciał jej stracić. Zabiłby każdego, kto by próbował ją tknąć. I nie była ta czcza pogróżka. Wiedział, że potrafiłby to zrobić.

Ostatecznie był synem swojego ojca.

W pobliżu domu Madauga kręciło się mnóstwo policjantów. Ciemność przecinały błyski świateł. Dom ogrodzony był żółtą taśmą, a ogród przed nim rozświetlały reflektory. Policja ustawiła też barierki, by powstrzymać gapiów, którzy mogliby przeszkadzać w dochodzeniu.

Caleb zagwizdał cicho, gdy wysiedli z auta.

– Rany, wszędzie tyle policji. Mam już tego dość.

Nick tego nie skomentował, ale całkowicie zgadzał się z kolegą.

– Simi? Zostaniesz w samochodzie i popilnujesz mojej mamy?

– Pewnie.

Stanęli za policyjną linią. Po chwili podeszła do nich Tabitha. Z ponurą miną przyciągnęła do siebie Madauga.

– Tak mi przykro, młody.

– Gdzie Eric? – zapytał Madaug.

– W środku, z twoim tatą.

Madaug ją puścił i ruszył, by do nich dołączyć.

Bubba spojrzał na Tabithę.

– Co się wydarzyło?

Przeczesała włosy palcami i powiodła wzrokiem dookoła, po ogrodzie, w którym aż się roiło od policjantów przesłuchujących ludzi.

– W domu doszło do niezłej nawalanki. Pokój Madauga splądrowano, a w kuchni jest pełno krwi. Policja podejrzewa, że ktoś się włamał i zabił ich mamę oraz Iana. Wezwali psy policyjne, żeby szukać zwłok.

Nick skrzywił się na tę myśl. Ogarnęła go fala współczucia. Przez moment bał się nawet, że może zwymiotować.

– Jak Eric to znosi? – chciał wiedzieć Bubba.

Tabitha przełknęła ślinę.

– Jest w strasznym stanie. Wciąż powtarza, że powinniśmy tu być, by ich ochronić. – Westchnęła. – A Madaug?

Mark pokręcił głową.

– Nic nie powiedział, ani słowa. Tak jak Eric, wini samego siebie. Wciąż powtarza, że gdyby nie stworzył tej gry, nie doszłoby do tego wszystkiego.

Nick spojrzał na Caleba.

– Też ci ich żal, tak jak mnie?

Caleb kiwnął głową.

– Nie mogę tego rozgryźć. Skąd się biorą te wszystkie zombie? Skoro Madaug miał tylko jedną kopię gry... Taka liczba potworów nie mogła powstać za jej przyczyną.

Nick podrapał się w kark.

– Bubba ma rację, ktoś musiał ją skopiować.

– No, ale nie wydaje ci się, że to się trochę za szybko rozprzestrzenia?

– Znaczy?

Caleb spojrzał uważnie na gliniarzy.

– Wydaje mi się, że tu dzieje się coś jeszcze. Coś mi się w tym wszystkim mocno nie podoba.

Nicka to rozbawiło.

– Poza martwymi zombie, które parę minut temu próbowały nas zeżreć?

– Owszem, Nick. Tu nie chodzi o grę, która się schrzaniła. Wyczuwam w tym rękę zła. Prawdziwego zła.

Nick już miał powiedzieć coś sarkastycznego na temat jego melodramatycznego tonu oraz nadętego słownictwa, ale powstrzymał się. Nadal uważał, że Caleb ma nierówno pod sufitem, ale w tej konkretnej sprawie niestety mógł mieć rację.

Coś było nie tak. Nawet on to wyczuwał.

Żałował, że nic nie może zrobić dla Madauga i Erica. Zerknął na tłum gapiów zgromadzony pod domem. Jego uwagę przykuł wysoki mężczyzna w czerni, który stał trochę z boku.

Z miejsca go rozpoznał i poczuł się, jakby ktoś uderzył go z całcj siły w grdykę.

Ambrose.

Błyskające światła policyjnych aut oświetlały jego złowrogą twarz. Cienie na policzkach sprawiały, że jego oczy robiły wrażenie nieludzkich. *A ja myślałem, że to mój ojciec wygląda jak wcielenie zła...*

Adarian nawet się nie umywał do Ambrose'a.

Wraz z tą myślą Nicka opętało poczucie, że może to właśnie Ambrose za tym wszystkim stoi. Chciał to sprawdzić, więc ruszył w jego stronę.

Ambrose odwrócił się i spojrzał Nickowi prosto w oczy. Chłopak mógłby przysiąc, że na ułamek sekundy oczy mężczyzny zapłonęły w ciemnościach głęboką, krwistą czerwienią. W jednej sekundzie Ambrose się mu przypatrywał, jakby chciał go zabić, a zaraz potem...

Zniknął.

Nick stanął jak wryty i rozejrzał się dookoła. Nikt poza nim chyba nie zauważył mężczyzny, którego teraz już tu nie było.

– Co, do cholery?

Za jego plecami stanął Caleb.

– Co się dzieje?

– Widziałeś... – Tylko co miał powiedzieć? Zapytać, czy widział jego szalonego wujka, Jasona Voorheesa? Czy myśli, że może to właśnie on zabił czyjąś mamę i brata?

– Co?

Nick pokręcił głową.

– Nieważne. To był pewnie tylko cień.

Caleb spochmurniał.

– Nic ci nie jest? Blady jakiś się zrobiłeś.

Nick nie był pewien. Nagle zakręciło mu się w głowie i poczuł się dziwnie. Przez moment myślał, że zwymiotuje, aż poczuł delikatną dłoń na ramieniu. Obejrzał się i zobaczył Nekodę. Nic nie mogło mu dziś sprawić takiej przyjemności, jak widok jej przepięknej, bladej twarzy.

– Co ty tu robisz, Nick?

W życiu tak się nie ucieszył na czyjś widok. Zanim zdążył się nad tym zastanowić, obrócił się i przygarnął ją do siebie.

Nekoda zamarła, tak ją zaskoczył ten niespodziewany gest. Nigdy w życiu nikt jej tak nie przytulił. Nikt nigdy tak się nie ucieszył na jej widok. Jakieś nieznane uczucie przeszyło jej całe ciało.

Co się dzieje?

I nie chodziło tylko o emocje, chodziło też o jego bliskość. O jego oddech na jej policzku i ciepły zapach jego włosów. Całe ciało Nekody aż się poderwało do życia. Opanowało ją przemożne pragnienie, by zanurzyć palce w jego miękkich włosach. Aż ją od tego przeszył dreszcz.

– Nick?

Nie był w stanie odpowiedzieć. Ciepło promieniujące z jej ciała koiło jego rozszalałe emocje. Jakie to dziwne, że w tę pełną chaosu noc ona dawała mu ukojenie.

– Przepraszam – wyszeptał, po czym ją puścił i cofnął się o krok. – Nie chciałem tak na ciebie napaść. Mam za sobą naprawdę, ale to naprawdę ciężki wieczór i ucieszyłem się na widok przyjaznej twarzy.

Nekoda zadygotała, gdy położył jej dłoń na policzku. *To mój wróg*. Istota, którą przysięgła zabić. Ale w jego niebieskich oczach nie widziała potwora.

Widziała...

Coś, co ją przeraziło i całkowicie zaszokowało. *Nie pozwól mu się oczarować. To wszystko kłamstwo. To jego moce, nic więcej.*

Jest zły do szpiku kości.

Rzecz w tym, że potrzeba bliskości to nie było coś, co promieniowało z niego. Miała poczucie, że ma to swoje źródło gdzieś w głębi jej jestestwa. Jakby coś w niej po prostu chciało być przy nim.

Co za dziwaczna sytuacja.

Nie była w stanie tego znieść, więc odsunęła jego dłoń od swojej twarzy i cofnęła się na tyle, by być w stanie zebrać myśli.

– Nie odpowiedziałeś na moje pytanie.

Wskazał za siebie.

– Przywieźliśmy Madauga do domu. A ty? Co ty tutaj robisz?

– Mieszkam niedaleko stąd – skłamała.

Przyszła tu, bo wyczuła gwałtowną falę magii, jakby moc Nicka zwiększały sterydy. Gdyby to w ogóle było możliwe, pomyślałaby, że osiągnął już pełnię swojej mocy, ale wiedziała, że nadal jest słaby.

Nadal był człowiekiem.

Ale to, co wyczuwała, było dojrzałe i gotowe do zabijania.

– Zobaczyłam policję i przyszłam sprawdzić, co się stało – dodała.

– Nie powinnaś tu być. To niebezpieczne.

Zafrasowała się.

– To znaczy?

Nick zerknął przez ramię na Caleba, który gapił się na nich z dziwną miną.

– Krążą tu różne stworzenia... – *Tylko nie wspominaj o zombie, idioto. Weźmie cię za wariata.* – To niedobra noc. Pełnia księżyca i takie tam. Powinnaś wracać do domu, tam będziesz bezpieczna.

– Czy ty... – Zmrużyła oczy, szukając odpowiedniego słowa. – Czy ty mnie próbujesz przed czymś chronić?

Rany, znał ten ton głosu. Sytuacja zrobiła się niebezpieczna.

– Nie jestem męskim szowinistą. Dobrze wiem, że kobieta potrafi zadbać o siebie równie dobrze, jak mężczyzna, ale tu się kręcą... Rodzice na pewno się o ciebie martwią i...

– Naprawdę próbujesz mnie chronić. – Uśmiechnęła się szeroko, na co on poczuł ucisk w żołądku. – To urocze.

I zamiast go uderzyć, cmoknęła go w policzek.

Całe ciało Nicka zaśpiewało w chwili, gdy poczuł dotknięcie jej warg. Oj, był w niezłych tarapatach.

Po raz pierwszy w życiu nie miał nic przeciwko temu, że ktoś nazwał go uroczym. Nie miał nic przeciwko temu, skoro towarzyszył temu pocałunek. Oczywiście byłoby o niebo lepiej, gdyby pocałowała go w usta, a nie w policzek, ale, tak długo, jak go nie bije ani nie wyzywa, nie zamierzał się spierać o takie drobiazgi.

Gdy się od niego odsunęła, w jej oczach migotało słabe światełko.

– Dziękuję ci za to, że się o mnie troszczysz.

– Cała przyjemność po mojej stronie.

Idiota. Nic głupszego nie mogłeś powiedzieć?

Ale jej to chyba nie przeszkadzało.

– No dobra, to ja już lepiej pójdę. Uważaj na siebie.

– Ty też.

Patrzył za nią, jak odchodziła. Rozkoszował się jej zapachem, który nadal go otaczał. Pachniała kobieco i słodko. Tak bardzo chciał pójść za nią.

Caleb pstryknął mu palcami przed nosem.

– Stary, nie zdajesz sobie sprawy z tego, kim ona jest.

Spojrzał na kolegę.

– O czym ty gadasz?

– Musisz się od niej trzymać z daleka, Nick. Uwierz mi. Dziewczyny to cały ocean kłopotów.

Prawda, ale miał ochotę rzucić się w ten ocean na główkę i zanurzyć się w nim, aż mu się skóra na całym ciele pomarszczy.

Nie zamierzał się jednak do tego przyznać Calebowi z obawy, że kolega mógłby jak przedszkolak wyszydzić go, że się zakochał. Och, co by to było za upokorzenie!

– Ona jest w porządku.

Oczy Caleba zamigotały szczerością.

– Wcale nie. Musisz mnie posłuchać, chłopie. Ta dziewczyna oznacza twoją śmierć.

Nick wzruszył ramionami na te słowa brzmiące jak tekst z filmowego horroru.

– Jesteś idiotą.

Ruszył z powrotem w stronę auta, w którym siedziała jego matka.

Lecz gdy do niego dotarł, w głowie pojawił mu się jak nieproszony obraz Nekody…

Tylko że nie była to dziewczyna, którą znał, która potrafiła go rozśmieszyć i która pocałowała go w policzek. To był ktoś zupełnie inny. W zbroi, z hełmem na głowie i z tarczą w dłoni, wyglądała jak starożytna wojowniczka.

Dzierżyła miecz, który przeszywał jego serce.

ROZDZIAŁ 15

Madaug był sam w swoim pokoju. Przeglądał porozrzucane rzeczy i płakał, bo dotarło do niego, jak okropnie zawalił sprawę. Nie tak miało być. Jak to możliwe, że próba odparcia ataków zmieniła się w taki koszmar? No jak?

Niechcący przyczynił się do śmierci wielu osób...

Jestem śmieciem. Brian trafił za kratki, koledzy z klasy nie żyją, Scott już nigdy nie odzyska pełnej władzy w ręce, a teraz jeszcze wygląda na to, że jego mama i brat również zginęli, pożarci przez istoty, które on stworzył. *Powinienem się rzucić pod koła autobusu.*

Nagle usłyszał szept.

Najpierw pomyślał, że może to policjanci znowu rozmawiają z jego tatą za drzwiami. Ale nie.

Ten głos brzmiał mu w uszach, jakby dochodził z jego głowy. Bzdura!

Uniósł ją, próbując zlokalizować źródło dźwięku, ale nie dostrzegł nic poza błyskaniem policyjnych świateł przez spuszczone żaluzje.

Madaug... To był głos jego matki, wyraźny i przepełniony strachem. Co do tego nie było wątpliwości.

– Mamo?

Nie odpowiedziała.

Super, mam halucynacje. Zupełnie zwariowałem.

Za oknem jego pokoju pojawiła się lekka mgiełka. Przesunęła się w dół, a potem stworzyła cienką smugę, która uniosła się z parapetu. Pełzła wolno po jego biurku, niczym jakaś upiorna gąsienica. W końcu zbiła się w większy twór. Zawirowała i zatańczyła, aż zmieniła się w malutką, paskudną staruszkę, która posłała mu oskarżycielskie spojrzenie i wycelowała w niego palec.

– Twoja matka i brat umierają przez ciebie.

Obok miniaturowego ducha pojawił się ich obraz. Krzyczeli.

Madaug zasłonił sobie uszy rękami.

– Zamknij się! Nie krzywdź ich!

Starucha przysunęła się do niego, a obraz jego matki i brata zbladł.

– Chcesz ich uratować?

Idiotyczne pytanie.

– Oczywiście, że chcę.

– No to musisz przyjść do mnie.

Zawahał się.

– Jesteś u mnie w pokoju. Już jestem z tobą.

Kompletnie jej odbiło?

– Nie tutaj, imbecylu. Musisz przyjść do mnie.

Niby jak? Ma zgadywać, gdzie ona jest? W Nowym Orleanie i okolicach są miliony domów.

– A gdzie ty jesteś?

– Na cmentarzu St. Louis.

Akurat. Jego mózg nadal jeszcze trochę pracował, więc zdawał sobie sprawę, że nie będzie łatwo uratować mamę. Jeśli tam pójdzie, straci możliwość negocjacji i ta stara strzyga zrobi, co będzie chciała i z nim, i z jego mamą.

A nawet z Ianem.

– Zabijesz mnie, jeśli przyjdę.

Malutka starucha zaśmiała się nikczemnie.

– Zabiję ich, jeśli nie przyjdziesz.

Madaug miał ochotę walnąć dłonią w stół i zmiażdżyć ją niczym karalucha. Ale wiedział, że w ten sposób tylko sobie samemu zrobiłby krzywdę. Ona nie była prawdziwą istotą. To tylko cień pozbawiony formy czy ciała.

– Czemu mi to robisz?

– To ty namieszałeś w sprawach, od których powinieneś się trzymać z daleka. Nie wiedziałeś, że gdy się majstruje przy ludzkiej woli, to zaczynają się dziać straszne rzeczy?

– Nie chciałem nikogo skrzywdzić. Nigdy nie miałem takiego zamiaru. Chciałem tylko, żeby zostawili mnie w spokoju.

Kobieta wzruszyła ramionami.

– Intencje nie mają znaczenia. Wszyscy jesteśmy sądzeni na podstawie efektów końcowych. Zło w imię dobra pozostaje złem. A jak się rusza do tańca z diabłem, to trzeba to robić do muzyki, którą ci zagrają.

– Co pani chce przez to powiedzieć?

– Chcę powiedzieć, że rozpoczęło się już odliczanie czasu do ich śmierci i im dłużej będziesz zwlekać, tym większe prawdopodobieństwo, że umrą.

– Proszę im nie robić krzywdy. Już idę.

– Lepiej przyjdź sam, *mon petit**, i przynieś ze sobą tę swoją grę *Łowca Zombie*, bo inaczej... Masz pół godziny, by dotrzeć na miejsce.

I rozwiała się w nicość.

Madaug zagryzł wargę i rozchylił żaluzje. W ogrodzie nadal aż się roiło od policji. Jak ma się wymknąć na cmentarz, by nikt go nie zauważył i za nim nie poszedł?

W tak krótkim czasie nie miał szansy dostać się tam na piechotę.

Co robić?

Zaczął się pocić. Zszedł na dół tylnymi schodami, które prowadziły do kuchni. Zamarł na widok brata i jego ekipy oraz Bubby, Marka, Nicka i Simi.

– Zostawię tu Marka – powiedział Bubba do Erica. – Niech wam trochę pomoże, a ja tymczasem podrzucę Cherise i Nicka do Kyriana. Potem tu wrócę.

---

* mon petit (franc.) – mój mały (*przyp. red.*)

Eric kiwnął głową.

– Tylko uważaj na siebie.

– Tak jest.

Gdy nikt nie patrzył, Madaug wyśliznął się tylnymi drzwiami i przebiegł pod osłoną ciemności do szopki, gdzie jego ojciec trzymał kosiarkę do trawy. Tam też zaparkowany był stary skuter hondy należący do Erica. Madaug zawsze nazywał go nerdomobilem. Teraz będzie musiał się nim przejechać.

Co za koszmar.

Lecz aby ocalić życie mamy, był gotów zrobić z siebie totalnego idiotę. Otworzył drzwi ostrożnie, by nie zaskrzypiały. Nie chciał zwrócić na siebie uwagi. Wśliznął się do środka niewielkiej drewnianej szopki.

Podszedł na palcach do skutera i odkręcił pokrywę baku. Był pusty, jak się zresztą spodziewał.

Cholera! Eric, czy ty niczego nie potrafisz zrobić jak należy?

Spokojnie. Masz IQ na poziomie 160. Coś wymyślisz. Zmusił się do zachowania spokoju. Zastanowił się nad możliwymi rozwiązaniami. Rozglądał się po ciemnym pomieszczeniu i z wolna układał w głowie plan.

Złapał sekator do żywopłotu, odciął kawałek węża ogrodowego i przelał za jego pomocą paliwo z kosiarki do baku skutera.

Gdy tylko go napełnił, złapał kluczyki z wieszaka na ścianie oraz pokryty pajęczynami kask, po czym wypchnął skuter z szopki i poprowadził go jak najdalej od domu. Szedł na palcach, a serce waliło mu jak młotem. W każdej chwili mógł zostać zdemaskowany.

Ale na szczęście nikt go nie zauważył. Policjanci byli zbyt zajęci zdejmowaniem odcisków palców, wypytywaniem ludzi oraz staniem w grupkach i gawędzeniem, żeby zwrócić uwagę na chłopaka pchającego jaskrawoczerwony skuter przez ogród.

Właściwie było to dość niepokojące. Skoro nawet fachowcy potrafią być tak nieuważni... Gdyby nie było mu to na rękę, przeraziłoby go. I później, gdy sobie to przypomni, będzie przerażony. Lecz teraz myślał tylko o mamie i bracie.

Oddaliwszy się od domu o jedną przecznicę, odetchnął z ulgą, wsiadł na skuter i zapalił silnik. Maszyna zaryczała i pomknęła w dół ulicy z prędkością, której pozazdrościłaby jej zardzewiała cysterna. No, ale przynajmniej przemieszczał się trochę szybciej niż na piechotę.

I miał szansę dojechać na cmentarz na czas.

– Jadę, mamo.

Nie pozwoli, by cokolwiek stało się jej albo Ianowi. Może go i wkurza ten smark, ale jego zadaniem jako starszego brata jest chronić Iana.

Przed wyżerającymi mózgi zombie.

Nick zamarł i poczuł dreszcz na plecach. Włosy na karku stanęły mu dęba.

Coś było…

Oczami wyobraźni zobaczył Madauga w śmiesznym, czerwonym kasku z logo „Power Rangers", oddalającego się od domu na czerwonym skuterze. Nie miał pojęcia, skąd wziął się ten obraz, ale był krystalicznie czysty, nie mniej wyraźny niż obraz stojącego obok niego Bubby.

– Coś mi się zdaje, że Madaug zrobił coś głupiego.

Bubba uśmiechnął się drwiąco.

– A to by było coś nowego?

– Policja! Stop!

Nick spojrzał w kierunku dwóch funkcjonariuszy, którzy wyciągnęli broń. Aż mu szczęka opadła, gdy zobaczył, do kogo mierzą.

Wcale nie do Madauga.

Tylko do kolejnej grupy zombie.

Nick zaklął.

Policjanci wystrzelili, dopiero gdy pierwszy z zombie dopadł gliniarza i zatopił swoje przegniłe zęby w jego głowie.

Nickowi aż tchu zabrakło, gdy zobaczył, że zbliża się ich więcej.

– O, Boże…

Armia nieumarłych szła prosto na nich niczym stado szpetnych hien. Czemu nie kołyszą się jak w filmie Romera*?

* George A. Romero – amerykański reżyser, w 1968 r. zasłynął horrorem *Noc żywych trupów*; inne filmy: *Świt żywych trupów, Ziemia żywych trupów* (*przyp. red.*)

No pewnie, pewnie, na nich musiały napaść akurat jakieś superzombie. *Takie już moje szczęście.*

– No, to już po tej dzielnicy – powiedział Caleb.

Nick go szturchnął.

– Mark!

Bubba rzucił się w stronę domu Madauga, ale było już za późno. Kolejna grupa zombie wyszła zza budynku i dostała się do środka, gdzie znajdowali się ludzie. Rozległy się krzyki przerażenia. Zombie szybko zdobyły przewagę i opanowały cały dom.

Nick złapał Bubbę za rękę, by powstrzymać go przed pośpieszeniem Markowi na pomoc.

– Musimy się stąd zmywać.

Rysy Bubby były jak z kamienia.

– Spoko, ten film też widziałem. Wchodzisz do środka, by pomóc koledze i one cię zjadają. Mark ma głowę na karku. Uda mu się uciec. Wierzę w to.

Simi wysiadła z SUV-a.

– Simi po niego pójdzie. Jedźcie, a ja się zajmę tymi wrednymi zombie.

Wyciągnęła butelkę sosu barbecue ze swojej torebki przypominającej kształtem trumnę.

Nick nie był przekonany.

– Simi...

Ale ona była już w połowie drogi do domu. Szła uzbrojona w sos, piszcząc z radości.

Bubba wepchnął Nicka do samochodu.

– Ręka! Uważaj na rękę! – wrzasnął Nick, gdy przeszył go dreszcz bólu.

Caleb zajął miejsce koło niego, a Bubba wskoczył za kierownicę, włączył silnik i zarzucił autem w bok na ulicę. Nawet nie zwolnił, kosząc przy tym tyle zombie, ile się tylko dało.

Potwory warczały i syczały, próbując złapać się auta, żeby ich dopaść, ale gwałtowne skręty samochodu wyrzucały je w powietrze.

– Rany – westchnął Caleb i przeczołgał się na przednie siedzenie. – Od metra tych zombie. Skąd się ich tyle bierze?

Bubba skręcił i rozjechał kolejnego nieumarłego. Nick miał przynajmniej nadzieję, że było to naprawdę zombie, a nie jakiś biedny, niewinny przechodzień.

– W Nowym Orleanie są trupy z jakichś trzystu lat. Przez ostatnie kilka lat Mark i ja zredukowaliśmy tę liczbę o parę tuzinów … Ale i tak zostało jeszcze mnóstwo.

Nick spochmurniał.

– Ale jak to możliwe, że jeden bokor był w stanie wezwać ich aż tyle? Czy nie przypłacają tego utratą energii?

Bubba pokręcił głową.

– Owszem, i krwi też. No chyba że bokor zawarł pakt z kimś dużo potężniejszym.

– Na przykład z jakimś bogiem? – zapytał Caleb.

Bubba kiwnął do niego głową.

– Tak, na przykład z bogiem.

Nick zasyczał z bólu, który przeszył mu czaszkę. Był tak silny, że krew poleciała mu z nosa.

Bubba obejrzał się do tyłu.

– Nic ci nie jest?

Trudno powiedzieć. Nick ścisnął sobie nos palcami, żeby zatamować krew.

– Niedobrze mi. Naprawdę mi niedobrze.

– Przysięgam, że jak mi się tam z tyłu porzygasz, to będziesz musiał wszystko zlizać. Nadal spłacam tę brykę. Smród rzygów niełatwo jest usunąć.

Ale to było coś innego. Nickowi kręciło się w głowie od obrazów, których nie rozumiał. Widział ogień i czuł narastanie niewiarygodnego gniewu.

To był jego gniew, a jednocześnie nie jego.

Bubba zerknął na Caleba.

– Nie przemienia się przypadkiem w zombie?

– Nie – odparł Caleb i zmarszczył czoło. – Ale zrobił się mocno zielony. Masz jakąś torbę, na wypadek gdyby miał pojechać do Rygi?

Nick nie zwracał na nich uwagi.

– Musimy podrzucić moją mamę i znaleźć Madauga. – Spojrzał Bubbie prosto w oczy we wstecznym lusterku. – Zaraz wydarzy się coś złego.

– Stary, na wypadek gdyby uszło to twojej uwagi: dziś dzieją się same złe rzeczy.

Caleb okręcił się na fotelu.

– Może powinniśmy najpierw pojechać poszukać Madauga?

– Nie. – Nick spojrzał na swoją matkę, która i tak nieźle się na niego wścieknie. – Najpierw musimy się zająć mamą. To mój priorytet. Muszę się upewnić, że nic jej nie grozi.

– A potem co? – dopytywał się Caleb.

– Potem pójdziemy skopać tym zombie… tyłki.

ROZDZIAŁ 16

Nick opierał się czołem o szybę i patrzył na drogę migającą za oknem. Walczył z nudnościami. Co się z nim dzieje?

Opierasz mi się. Przestań. Od razu poczujesz się lepiej.

Rozejrzał się po samochodzie, żeby sprawdzić, czy ktoś jeszcze usłyszał głos w jego głowie. Mama była nadal nieprzytomna. Bubba słuchał radia, a Caleb nucił pod nosem piosenkę z *Iron Mana*.

Nagle Caleb przybrał inną postać. Jakby Nick potrafił zajrzeć mu pod skórę. Caleb nie był już człowiekiem. Był...

– *Daevą*, średniej mocy demonem, niekoniecznie złym. Demony *daeva* to żołnierze z dawnych czasów, opiekunowie wysłańców antycznych bogów. Caleb jest groźnym generałem, który nadal jest w stanie wezwać legiony demonów i przewodzić im.

– A tak dla twojej informacji, Nick, nie wszystkie demony są złe. Podobnie jak ludzie, są to skomplikowane formy życiowe o różnorakich osobowościach, ze swoimi dziwactwami, przeżywające złożone emocje. Niektóre są złe, a inne dobre. Jeśli chodzi o Caleba, jest on twoim opiekunem. Aby cię ochronić, oddałby życie.

– Więc zanim osądzisz go za to, że urodził się jako taka, a nie inna istota, na co nie miał wpływu, zresztą tak samo jak ty, powinieneś wiedzieć, że obserwował cię z boku, niczym dyskretny ochroniarz, który nie wtrąca się tak długo, jak nic ci nie grozi.

– Myślisz, że podobało mu się siedzenie w szkole średniej z tobą i resztą dzieciaków, gdy nie musiał?

Nick zobaczył Caleba ze skrzydłami, z długimi, płomieniście rudymi włosami, prowadzącego do walki tysiące demonów. Jego skóra była ciemnoczerwona, a oczy żółte jak u węża. Walczył z siłą tytana.

Nick pokręcił głową. *Odjeżdżam.*

– Nie, zaczyna do ciebie docierać, kim i czym jesteś. Zaczynasz dostrzegać to, co cię otacza, a co zawsze pozostawało w ukryciu. Tak, jak ci obiecałem.

Kim jesteś? zapytał w myślach Nick.

– Ambrose... Jestem tu by cię chronić. Bądź mi posłuszny, Nick, a nauczę cię wszystkiego, co ci potrzebne do walki z istotami, które po ciebie przyjdą. Istotami, które zrujnują ci życie, jeśli nadal nie będziesz umiał ich dostrzec i z nimi walczyć.

Nick się skrzywił. *Nie rozumiem. Dlaczego uciekłeś przede mną u Madauga?*

– Nie przed tobą uciekałem. Próbowałem uratować twojego kolegę, zanim dopadły go mortenty. Ale on, podobnie jak ty, nie chciał słuchać.

Akurat. Ciekawe, czemu ci nie wierzę?

– Mówię prawdę, Nick. Pamiętasz tę dziewczynkę w alejce? Tę, która cię zaatakowała?

No, ba. Długo nie zapomnę tego spotkania rodem z filmu Wesa Cravena.

Choć z drugiej strony te potwory zrobiły mu coś, by o wszystkim zapomniał. Ale teraz pamiętał wszystko ze szczegółami.

Co się dzieje, do cholery?

– Mówiłem ci, że to mortenty. Wylazły ze swojej dziury i dorwały twojego kolegę Madauga oraz jego rodzinę. Chcą wykorzystać jego grę komputerową do zdobycia kontroli nad żywymi. Żywi nadal posiadają dusze i wolną wolę, więc żywe zombie są odporne na słodkie słówka i manipulację. Jeśli mortenty dostaną w swoje łapy grę Madauga, mogą wykorzystać ją do kontrolowania ciebie i do stworzenia armii żywych, dzięki której podbiją świat.

Dlaczego ja? Nie rozumiem, dlaczego to się dzieje i dlaczego chcą zdobyć kontrolę właśnie nade mną. Przecież jestem kompletnym nieudacznikiem.

– Nick, jesteś kluczowym elementem w dążeniu do zdobycia najpotężniejszych i strategicznie najważniejszych mocy w dziejach. Boje o władzę nad tobą pozostawią po sobie blizny, których nawet nie dostrzeżesz, aż będzie za późno. Ale jeśli mnie posłuchasz, to cię uratuję.

Kluczowy? Ja? Stary, poważnie, bierzesz mnie za kogoś innego.

– Wcale nie. Ja, bardziej niż ktokolwiek inny, wiem, jaką masz moc i co potrafisz zrobić. W głębi ducha sam też czujesz te moce. Całe życie się ich wypierałeś, przypisując je Menyarze albo jakiemuś szóstemu zmysłowi. To wcale nie jest głęboko ukryte. Urodziłeś się z tym i musisz to zaakceptować, bo inaczej stracisz wszystko, co się dla ciebie liczy.

A jeśli nie uwierzę w te bzdury?

W głowie błysnęły mu obrazy ciemnej, przerażającej dziury. Zobaczył siebie w przyszłości. Osamotnionego. Opuszczonego przez wszystkich.

Znękanego.

I, co najgorsze, nieludzkiego i okrutnego.

– Przemiana ciebie w kogoś złego oznacza ich wygraną, a twój upadek. A cenę za to zapłacą wszyscy, których kochasz.

– Wszyscy.

Nick potrząsnął głową, chcąc się pozbyć tych koszmarnych obrazów. Dławił się z przerażenia. Bał się, że stanie się takim potworem jak jego ojciec, że przemieni się w istotę, którą właśnie zobaczył.

Nie chcę być zły.

– Nie wystarczy tak powiedzieć, by temu zapobiec. To nie takie proste.

Oczywiście, że nie. Moja mama cały czas mi powtarza, że w kółko wybieramy między dobrem a złem. Tylko od nas samych zależy, jacy jesteśmy.

– Czasem, pod wpływem różnych czynników, podejmujemy decyzje, nad którymi nie mamy kontroli. Tak jak twoja matka. Dobrze wiesz, że nie znosi tańczyć, a jednak robi to co noc, przychodzi tam na czas, bywa, że pracuje na dwie zmiany. Robi to dla pieniędzy. Dla ciebie. Jeszcze nikt cię nie zdradził, Nick. Jeszcze nie wiesz, jak to jest. Co to z człowiekiem robi. Jakie blizny po tym zostają. Blizny, które się nigdy nie goją.

Nieprawda. Alan, Mike i Tyree mnie zdradzili.

– I dlatego pragniesz ich krwi.

Chcę się w niej wykąpać.

– Właśnie o tym mówię. I to jest zło, które cię kusi. Zła moc, która płynie w twoich żyłach, popycha cię, byś wstąpił na tę zdradziecką ścieżkę. Zapłacisz za to wszystkim, co kochasz i co się dla ciebie liczy. Musisz wyzbyć się tego gniewu, zanim będzie za późno. Zemsta zawsze obróci się przeciw tobie. Strawi cię, aż zostanie tylko pusta dziura, której nic nigdy nie wypełni.

Nick aż się zjeżył na wspomnienie tamtej nocy. Ten błysk w oczach Alana, gdy pociągnął za spust. *Oni do mnie strzelali!*

– Zapłacą za to, ale nie z twojej ręki. Uwierz mi: czeka na nich inny plan karmiczny. I będzie to dużo boleśniejsze niż cokolwiek, co ty mógłbyś sobie wymarzyć.

No, nie wiem. Mam bujną wyobraźnię. Nie tak łatwo zapomnieć o tym, co zrobili.

Ambrose zaśmiał mu się w uchu.

– Uwierz mi, wiem co mówię.

Nagle Nick zobaczył Ambrose'a obok siebie w samochodzie. Był przezroczysty i siedział po drugiej stronie jego matki, oparty o drzwi, jakby rzeczywiście był tylko jeszcze jednym pasażerem.

W jego ciemnych oczach kryło się morze cierpienia. Ambrose wyciągnął rękę i dotknął policzka Cherise. Na jego twarzy malowała się taka udręka, jego dotyk był tak czuły, że Nickowi aż się ścisnęło w żołądku. Ambrose dotknął jej, jakby była duchem, który prześladował go od wieków.

Co więcej, dotknął jej tak, jakby była największym skarbem, kimś, kogo nigdy nie spodziewał się już zobaczyć. Ambrose'owi zadrżały wargi, gdy musnął dłonią jej włosy.

Ty ją kochasz. Nick wysłał tę myśl w stronę Ambrose'a.

Ambrose kiwnął głową, a potem podniósł oczy na Nicka. Chłopak zobaczył w nich płomień szczerości.

– Zrobiłbym wszystko, by zapewnić jej bezpieczeństwo. Wszystko, by utrzymać ciebie na właściwej ścieżce.

Nick zrozumiał nagle, że może mu zaufać. Tak głębokich uczuć nie dałoby się odegrać. Ambrose nie kłamał.

Chłopakiem wstrząsnęło to, co zobaczył na twarzy Ambrose'a.

– Zaufasz mi, braciszku?

Chyba tak. Jeśli mnie nie zdradzisz.

Ambrose uśmiechnął się z przekonaniem.

– Nick, jestem ostatnią osobą, która by to zrobiła. Duszę bym sprzedał i oddałbym życie, byś tylko nie stał się taki jak ja.

Nick kiwnął głową.

W takim razie powiedz mi, co muszę wiedzieć.

– Musisz się nauczyć kontrolować zombie.

Nick parsknął śmiechem na głos. Caleb aż podskoczył i wbił w niego pytające spojrzenie.

– Przepraszam – powiedział na głos Nick. – Nie chciałem cię przestraszyć.

Caleb prychnął, po czym się rozluźnił.

– Mnie nie tak łatwo przestraszyć. A w tej twojej głowie musi być zabawnie, Gautier. Tylko pamiętaj, że nikt poza tobą tam nie siedzi.

Zgadza się, wyglądało na to, że to potrafił tylko Ambrose.

Nick skupił się z powrotem na Ambrosie. Światła mijających ich aut prześwietlały jego ciało na wylot, aż migotało w ciemności. *Caleb nie czuje twojej obecności?*

– Tylko, jeśli mu na to pozwolę.

Najwyraźniej teraz jedynie Nickowi pozwalał się dostrzec i usłyszeć.

Kim jesteś? zapytał Ambrose'a.

– Jesteśmy – wskazał na siebie i Nicka – tym, co pozostało z przeklętej rasy. Co nie jest takie złe, bo w naszej naturze leży krzywdzenie innych. Gdy są słabi i cierpią, rzucamy się na nich i zabijamy. Ale mam nadzieję, że w twoich żyłach płynie dość krwi twojej matki, byś nauczył się kontrolować te impulsy i puszczać wiele spraw w niepamięć, czego ja nigdy nie potrafiłem.

Nick też miał taką nadzieję. *Nie chcę być taki jak Adarian.*

W oczach Ambrose'a znowu błysnęła upiorna czerwień. A przecież Nick nie potrzebował przypomnienia, że istota siedząca koło niego nie jest człowiekiem.

– On też tego nie chciał. Zresztą nie jest aż takim dupkiem, za jakiego go bierzesz. Z czasem zrozumiesz go lepiej, niż byś chciał. Jeśli nam się poszczęści, razem powstrzymamy cię przed pójściem w jego ślady. A tymczasem muszę cię nauczyć wszystkiego tak szybko, jak się tylko da.

Po co ten pośpiech?

W jego czerwonych oczach mignęło coś pomarańczowego, niczym tańczące płomienie.

– Mój czas się kończy i wkrótce nie będę...

Umilkł.

Nie będziesz co?

– Nie będę już o to dbał. Nie będę się przejmował nikim i niczym... nawet tobą.

Ambrose wziął Nicka za rękę i pokazał mu ozdobny sztylet ze złota. Na głowicy wyryto zawiły wzór, przypominającym klucz pradawnych ptaków. Jelec ozdobiony był krwistoczerwonym rubinem, który zdawał się promieniować ciepłem.

Nick zmarszczył brwi. *Co to jest?*

– Pieczęć Malachai. Nie ma istoty, której nie mógłbyś zabić tym sztyletem. Bogowie, demony, zombie... Co tylko chcesz. Ugodź je tym nożem i już się nie podniosą.

Po co mi to dajesz?

– Z jednej strony po to, żeby mnie nie kusiło, a z drugiej, żebyś poradził sobie z wszystkimi zombie, które cię dziś zaatakują. – Ujął dłoń Nicka i nakrył nią środową część noża. – Zamknij oczy i wyobraź sobie, że ma rozmiar scyzoryka.

Że co?

– Zaufaj mi, Nick.

Nick zrobił, co mu kazano, i gdy tylko zobaczył to oczami wyobraźni, sztylet się zmniejszył. Aż mu zabrakło tchu, gdy otworzył oczy i zobaczył, że nóż jest teraz nie dłuższy niż jego palec wskazujący.

Ambrose podał mu pochwę, która również przybrała odpowiedni rozmiar.

– Możesz go zabierać ze sobą wszędzie, gdzie idziesz. By go powiększyć, po prostu wyobraź go sobie w takim rozmiarze, jak chcesz. Może być mieczem, sztyletem albo nożem.

Poważnie?

Tamten przytaknął.

– Wniesiesz go nawet na pokład samolotu. Żadna istota ani przyrząd nigdy go nie wykryją.

Jak to możliwe?

Na twarz Ambrose'a znowu powrócił znajomy smutek.

– Pokażę ci rzeczy, których sobie nawet nie wyobrażasz. Pokażę ci świat, którego istnienia się nie domyślasz. I przepraszam cię za to. Tak musi być. I lepiej, żebym to ja ci wszystko pokazał, niż gdybyś się miał wszystkiego dowiedzieć w taki sposób, jak ja się dowiedziałem.

Z tego, co mówił i jak się zachowywał, było jasne, że skończył z wyróżnieniem szkołę obrywania ciosów poniżej pasa. Nick popatrzył, jak Ambrose wpatruje się w jego nieprzytomną matkę. Męczyło go jedno pytanie.

Ile masz lat?

Ambrose westchnął, po czym odpowiedział:

– Żyję już setki lat.

Nick rozdziawił usta ze zdziwienia. Ambrose wyglądał najwyżej na dwadzieścia cztery lata. Czy naprawdę można żyć tak długo?

Ale przecież z drugiej strony tak było w przypadku Asha. Z tą myślą pojawiła się kolejna. Nick bardzo chciał się tego dowiedzieć, choć instynkt już mu podpowiadał odpowiedź na to pytanie.

A mój ojciec? Ile on ma lat? Bo Nick założyłby się teraz, że wcale nie był trzydziestoparolatkiem, na jakiego wyglądał.

Ambrose ujął dłoń jego matki i przyłożył ją sobie do serca.

– Jest dużo, dużo starszy niż ja.

Nick podejrzewał to, ale prawda uderzyła go z siłą strzału z pistoletu. Próbował sobie wyobrazić jak to jest, gdy się żyje całe wieki. Niezła zabawa.

I wyjątkowa samotność.

Ja też będę tak długo żył?

– Przy odrobinie szczęścia tak, i mam nadzieję, że będą to szczęśliwsze lata niż w moim przypadku.

Znaczy?

– To znaczy, że musisz się skoncentrować. Jeśli chcesz uratować Madauga, musisz mnie wysłuchać. Inaczej mortenty zjedzą was obu niczym tosty na śniadanie.

No to słucham.

Ambrose zaklął, bo auto właśnie zwolniło.

– Jesteśmy u Kyriana w domu, to będzie musiało poczekać.

Nick już miał zapytać, o co mu chodzi, ale zrozumiał to, gdy tylko wyjrzał przez okno. Przed domem zebrał się tłumek ludzi. Faceci i dziewczyny, z których połowa dzierżyła kije bejsbolowe i pałki. Ciekawy wybór broni. Zaczął się zastanawiać, co jeszcze mogą mieć przy sobie.

Zerknął na Caleba.

– Czy mi się zdaje, czy jest tu połowa naszej klasy?

– Zgadza się. To chyba jakiś zjazd albo, skoro mówimy o naszej klasie, spęd matołków. Zebrało się tu prawdziwe stado męsi. Czyli matołkowatych gęsi.

Bubba wjechał na podjazd, gdzie stał Tad i wydawał rozkazy kolegom.

Nick wysiadł jako pierwszy, koło niego zmaterializował się Ambrose.

Tad stał do nich tyłem i mówił do grupy, na którą składał się Kyle i Alex Peltierowie, a także Stone i Casey. O dziwo, brakowało Brynny.

– Dziś w nocy w mieście jest tylko czterech Mrocznych Łowców. Robią, co mogą, by poradzić sobie z Daimonami, którzy, wykorzystując sytuację z zombie, wyłażą na ulice, polują i zwalają winę na nie.

Nick zmarszczył brwi i spojrzał na Caleba. Bubba otworzył tymczasem tylne drzwi, żeby wziąć na ręce jego mamę.

– Co to są Daimony? – Nick zapytał Ambrose'a.

– Naprawdę chcesz wiedzieć?

– Oświeć mnie.

W oczach Ambrose'a zamigotało dziwne światło.

– To wampiry pożerające dusze. Piją ludzką krew, ale nie o nią im chodzi. Piją ją tylko po to, żeby cię zabić, a gdy już umrzesz i twoja dusza opuszcza ciało, wysysają ją w swoje ciała i karmią się nią.

Nick aż się cofnął z niedowierzania.

– Jaja sobie ze mnie robisz?

Ambrose pokręcił głową.

– Nic podobnego. Pewnego dnia poznasz bliżej kilka z nich.

– Nie podoba mi się twój ton, Ambrose.

A najbardziej nie podobało mu się to, co Ambrose sugerował.

– Jeszcze mniej ci się to będzie podobało, gdy poznasz Daimona imieniem Stryker. Ale to zupełnie inna historia... – Ambrose poderwał brodę do góry i wskazał na Tada. – Za to tego tam warto mieć za przyjaciela. To gwarantuje dobrą zabawę.

Nick nachmurzył się i słuchał dalej przemówienia Tada. Bubba tymczasem zaniósł jego matkę do środka.

– Mroczni Łowcy są zajęci, więc Eric nas potrzebuje. Dla tych, którzy jeszcze o tym nie słyszeli i zastanawiają się, dlaczego zostali wezwani, mama i brat Erica zniknęli. Myślimy, że zostali porwani przez bokora. Eric nie wie, gdzie oni są. – Spojrzał na Stone'a i Peltierów. – Jesteście nam potrzebni, żeby ich wytropić.

Stone posłał szyderczy uśmieszek w stronę Peltierów.

– Ci tam to dupy wołowe, nie tropiciele.

Alex chciał rzucić się na niego, ale Kyle złapał go i powstrzymał.

– Przecież nie chcesz zabić wilka, Wilki smakują jak zajęcze serca.

Stone aż się zjeżył z wściekłości.

– Niby kogo nazywasz zajęczym sercem, co?

– Kic, kic – odparł Alex z uśmiechem. – Gdybyś miał dłuższe uszy...

Tym razem między nim a Stone'em stanęło kilka osób.

Tad warknął na nich ostro:

– Uspokójcie się, Zwierzo-Łowcy. To nie jest odpowiedni moment na kłótnie. Jesteście nam potrzebni.

Nick zmarszczył czoło. Znowu to słowo. Wbrew zapewnieniom Tada był przekonany, że nie był to termin z gier.

Russel odwrócił się i zauważył jego oraz Caleba.

– Od jak dawna ci śmiertelnicy tam stoją?

Caleb się obruszył.

– Tylko nie śmiertelnicy, koleś. Mamy większe prawo być tutaj od was wszystkich.

Stone posłał Calebowi szyderczy uśmieszek.

– To nie twój żywioł, Malphas.

Caleb otworzył dłoń. Podobnie jak u Ambrose'a wcześniej w alejce, pojawiła się na niej kula ognia. Rzucił nią w Stone'a. Wylądowała mu u stóp i oświetliła całe jego ciało.

– Nie wkurzaj mnie, Scooby-Doo. Nie jestem jakimś staruszkiem w masce, który będzie stał i czekał, aż pokrzyżuje mu plany banda wcinających się we wszystko dzieciaków.

Tad potaknął.

– Gautier pracuje teraz dla Kyriana. I tak się wcześniej czy później dowie, kim jesteśmy.

– A kim jesteście? – zapytał Nick.

Przed grupę wyszedł Carl Samuel, jasnowłosy, niebieskooki kolega Tada.

– Jesteśmy wielopokoleniowymi Giermkami.

– Czyli? – chciał wiedzieć Nick. – Paradujecie w zbrojach z folii aluminiowej i z mieczami z plastiku, udając rycerzy?

Carl roześmiał się, a Russ rzucił obraźliwą uwagę na temat inteligencji i pochodzenia Nicka.

Tad jednak zignorował ich obu i odpowiedział na pytanie:

– Jesteśmy ludźmi, którzy służą bogini Artemidzie. Pomagamy jej i jej wojownikom chronić ludzkość przed złem. St. Richard's to obóz szkoleniowy dla tych z nas, którzy pochodzą z długiej linii Giermków.

– No właśnie – potwierdził Carl. – To dlatego niektórzy z nas nie byli wobec ciebie zbyt przyjaźni. Nie lubimy przebywać ze śmiertelnikami, którzy o nas nie mają pojęcia. Bez urazy.

Bez urazy? Większość z nich traktowała go jak śmiecia.

Carl wskazał Peltierów i Stone'a.

– Oni są zmiennokształtni. Jak większość drużyny futbolowej. – Przeniósł wzrok na Caleba. – Nie wiedzieliśmy o tobie i twoich mocach.

Caleb wzruszył ramionami.

– Nie było takiej potrzeby. Zresztą rano i tak nic z tego nie będziecie pamiętać.

Stone prychnął.

– Na nas to nie działa.

– Owszem, Scooby, działa. Nie raz się już spotkaliśmy. To za moją przyczyną myślisz, że zostałeś wielokrotnie porwany przez kosmitów.

Nick się roześmiał.

– Ha, wiedziałem, że z jakiegoś powodu zawsze cię lubiłem.

Caleb nachylił się między Nickiem a Ambrosem i dodał ściszonym głosem:

– À propos, szefie... Nie jesteś aż tak dobrze ukryty, jak ci się zdaje. Słyszałem wszystko, co powiedziałeś w samochodzie. – Spojrzał prosto na Ambrose'a. – Fajny płaszcz, chociaż wolę tę czarną kreację, którą miałeś na sobie, kiedy spotkaliśmy się ostatnio.

Ambrose wykonał gest przypominający ruchy Dartha Vadera. Wyglądało to tak, jakby złapał Caleba za gardło.

– Nie igraj z ogniem, Malphas.

Ambrose odsunął się od Caleba, a ten wyraźnie odprężył się.

– Wiesz, Nick, zdecydowanie wolę ciebie od tego dupka.

Nie wiedzieć czemu Nick nie był pewien, czy to był komplement.

– No dobra – odezwał się Tad, znowu skupiając na sobie uwagę wszystkich. – Musimy się podzielić na cztery grupy. Zobaczymy, co uda nam się wytropić.

Alex Peltier pokazał kciukiem Nicka.

– Pójdę z Bubbą, Nickiem i ich bandą.

– Dobrze. Jeśli coś znajdziecie, nie zapomnijcie się odezwać, to do was dołączymy. I niech nikt nie zgrywa bohatera. Nie chcę, żeby ktokolwiek dzisiaj odwalił kitę.

Nick nadal nie był pewien, co się właściwie dzieje. Podszedł do nich Alex.

– Czemu nas wybrałeś?

– Lubię pomagać nowicjuszom, a poza tym tamci działają mi na nerwy. A z Bubbą i Markiem zawsze jest ubaw.

Nick poczuł ucisk w żołądku.

– No tak, tylko że Marka chyba pożarły zombie.

– Co? – zapytał zszokowany Alex.

– Zgadza się – potwierdził ze smutkiem Caleb. – Jak byliśmy u Madauga w domu, nieumarli zaatakowali i od tamtej pory nie widzieliśmy Marka ani nie mieliśmy od niego żadnej wiadomości. Kiepsko to wygląda.

Alex bardzo się zmartwił.

– Wielka szkoda. Lubiłem, jak Mark, gdy był wstawiony, przychodził zagrać w karty z moimi wujkami i Erosem. To była świetna rozrywka.

Nick wskazał kciukiem na drzwi.

– Idę sprawdzić, czy z mamą i Bubbą wszystko gra. Zaraz wracam. – Zrobił krok, ale potem zatrzymał się i spojrzał na Alexa. – Naprawdę jesteś zmiennokształtny?

Alex kiwnął głową.

– Znasz klub „Sanctuary" na Ursilines?

– Znam.

– Moja rodzina go prowadzi. Prawie wszyscy jesteśmy zmiennokształtni.

Nick pokręcił głową.

– Zalewasz.

– Nie, poważnie.

Nick wiedział, że Alex nie żartuje, ale i tak nie chciało mu się to pomieścić w głowie.

– To w co się zamieniasz?

– W niedźwiedzia.

Nick parsknął śmiechem, bo w końcu zrozumiał jedną ze starych tradycji klubu „Sanctuary".

– Jesteś tym niedźwiedziem, z którym ludzie się siłują, żeby wygrać darmowe drinki?

– Nie, to mój wujek Quinn.

W końcu Nick poszedł do domu Kyriana poszukać matki. W dużym pokoju znalazł Bubbę rozmawiającego z Philem. Przerwał im na moment, żeby się dowiedzieć, gdzie ona jest, po czym poszedł na górę, do pokoju gościnnego.

Wszedł do środka, podszedł do ogromnego, bordowo-złotego łoża i spojrzał w dół, na swoją pogrążoną we śnie matkę. Wyglądała tak delikatnie na tle ciemnozłotej pościeli.

Opiekuj się matką. W głowie rozbrzmiał mu głos ojca, ale nie musiał go słyszeć, by pamiętać o swoich obowiązkach. Był głową rodziny i jego zadaniem było ją chronić.

Nawet gdy się opierała.

A teraz musiał iść spróbować powstrzymać tę apokalipsę i – miał nadzieję – uratować kolegę. Nie wspominając o całym mieście, które wkrótce zupełnie opanują zombie, jeśli im nie uda się szybko dostać do mortentów i wepchnąć ich z powrotem do ich dziury.

Co za ironia losu. Jeszcze wczoraj największym zmartwieniem Nicka było nadrobienie zaległości w chemii po postrzale. Teraz szło o uratowanie świata.

Jestem na to za młody…

– Niestety nie.

Odwrócił się na dźwięk głosu Ambrose'a.

– Gdzie zniknąłeś?

– Poszedłem po to.

Ambrose podał mu starą, oprawioną w skórę książkę, niewiele większą od cienkiej powieści w miękkiej okładce.

Nick otworzył ją, po czym zmarszczył czoło, gdy zobaczył, że strony są puste.

– Co to? Pamiętnik?

– Twój grymuar*. W miarę, jak będziesz uwalniał swoje moce, na stronicach będą się pojawiały zaklęcia. Dzięki nim będziesz mógł doszlifować swoje umiejętności. W książce pojawią się też nowe karty.

– A nie powinno być odwrotnie? Najpierw instrukcje?

Ambrose pokręcił głową.

– Nie tak to działa. – Wskazał kieszeń Nicka. – Masz sztylet?

– Mam.

– Wyciągnij go i przyłóż do pierwszej strony.

Nick odłożył książkę na komodę, bo wciąż posługiwał się tylko jedną ręką. Wyciągnął sztylet i wykonał polecenie Ambrose'a. Gdy tylko to zrobił, na stronie wykwitł tekst wypisany dziwacznym krwistoczerwonym pismem. Już miał zapytać Ambrose'a, co on oznacza, ale gdy lepiej się mu przyjrzał, zaczął go rozumieć. Jak to możliwe?

Zasłona jest cienka, więc dojrzeć możesz,
co się kryje głęboko pod podłożem.
Nie oszukają cię więc w tym względzie,
lecz uważaj, by nie stać się ich narzędziem.

* grymuar, właść. grimoire (franc.) – dawna księga wiedzy magicznej, zawierająca imiona demonów, wzory zaklęć, wskazówki do wyrobu talizmanów (*przyp. red.*)

Ambrose wyjął mu sztylet z ręki i nakłuł mu nim opuszek palca.

Nick zaklął.

– Co ty wyprawiasz?

Ambrose nic nie odpowiedział. Pozwolił natomiast, by trzy krople krwi spadły na stronę.

– Dredanya eire coulet – wyszeptał.

Krople zawirowały dookoła, po czym wybuchły i ułożyły się w kolejne słowa na stronie.

Dziś księżyc w pełni będzie na niebie
i zło będzie mocno kusić ciebie.
Bądź silny i walcz do końca.
Zachowaj uczciwość, a zostaniesz pogromcą.

Ambrose oddał mu sztylet.

– Gdy potrzebna ci będzie rada albo instrukcje, użyj tego zaklęcia. Z czasem nauczysz się używać tego do przepowiadania przyszłości.

Nickowi aż zabrakło tchu.

– Poważnie?

Ambrose potaknął ruchem głowy.

– Muszę już iść. – Rzeczywiście wyglądał trochę blado, jakby coś wysysało jego energię. – Powodzenia, Nick.

– Dzięki.

Ambrose pochylił głowę i zniknął.

Nick spojrzał jeszcze raz na matkę, a potem na książkę. Wsunął ją sobie do tylnej kieszeni. Podjął decyzję i to go wzmocniło. Opuścił pokój i zszedł na dół, gdzie Phil nadal rozmawiał z Bubbą. Podsłuchał, jak Phil mówi, że Kyrian kazał mu zaopiekować się nim i jego matką.

Nick nie potrafił zrozumieć, jak to możliwe, że Phil jest na każde skinienie Kyriana, ale nie zamierzał o to pytać. Jednego się już zdążył nauczyć: dorośli nie lubią mówić dzieciom tego, czego nie muszą im powiedzieć.

Phil uśmiechnął się do niego.

– Nie martw się, Nick. Zaopiekuję się nią do twojego powrotu.

Bubba posłał Philowi podejrzliwe spojrzenie.

– Niewiele by pan chyba mógł zrobić, gdyby ktoś się tu włamał.

Wargi Phila wykrzywił tajemniczy uśmieszek.

– Tak się tylko wydaje. Daję ci słowo, że jestem dużo większym twardzielem, niż myślisz.

Nick zmarszczył brwi, bo właśnie zobaczył coś bardzo dziwnego... Phil miał na ręce wytatuowaną pajęczynę. Fakt, nie była zbyt wyraźna, ale i tak kłóciła się z eleganckim strojem Phila i jego arystokratycznym obejściem.

– Fajny tatuaż. Zrobił go pan sobie, jak był pan młody?

Phil przykrył tatuaż drugą ręką.

– W rzeczy samej.

– Nick? – Zawołał go Bubba. – Musimy ruszać.

Podziękowawszy Philowi za opiekę nad matką, ruszył za Calebem, Alexem i Bubbą do SUV-a. Westchnął i wsiadł do środka.

– Czy tylko mnie się tak wydaje, czy to jest rzeczywiście najdłuższa noc na świecie?

Bubba parsknął śmiechem.

– Jakbyś się zajmował tym, co ja, młody, to twoje noce byłyby jeszcze dłuższe.

Nick zauważył, że Bubba, który właśnie zapalił silnik, roztacza wokół siebie gęstą aurę smutku.

– Martwisz się o Marka?

Bubba aż się zjeżył, jakby obraziło go to pytanie, ale Nick od razu zorientował się, że to blef. Bubba był zdecydowanie zatroskany i zdenerwowany.

– A czemu niby miałbym się o niego martwić? On sobie nie da w kaszę dmuchać. Żadne zombie mu nie da rady. Jest od nich lepszy.

Lecz Nick wiedział, co kryje się za tym gburowatym tonem. Może i Mark jest twardzielem, ale jeden celny cios wystarczy, by odebrać komuś życie. Wszyscy w aucie o tym myśleli, gdy jechali do kolejnej akcji.

– Alex – zaczął Bubba – no to jak wytropisz te mortenty?

Alex pokazał mu niewielki przyrząd.

– Za pomocą GPS-a.

Odwrócił się i puścił oko do Caleba oraz Nicka.

Bubba nie dał się tak łatwo nabrać.

– A współrzędne skąd masz?

– Komórka Madauga.

– Aha, no dobra, to mów, gdzie mam jechać.

Alex uśmiechnął się przebiegle, jakby coś przed nimi zataił. Po chwili zamknął oczy. Nick domyślił się, że używa swoich mocy nadprzyrodzonych do odszukania Madauga i jego rodziny.

Bubba tymczasem włączył radio, w którym nadawano komunikat ostrzegawczy. Następnie prezenter poinformował, że z powodu epidemii grypy burmistrz ogłosił godzinę policyjną w całym mieście.

– Mówiłem, że zasłonią się jakąś chorobą – powiedział drwiąco Caleb.

Bubba skręcił w lewo i pojechał wzdłuż Canal Street.

– Nie chcą wywoływać paniki. I wcale im się nie dziwię. Im więcej ludzi na ulicach, tym więcej ofiar w kostnicy.

Prezenter radiowy ciągnął dalej:

– Policja pilnuje przestrzegania godziny policyjnej w całym mieście. Mieszkańców uprasza się o pozostanie w domach. Osoby spotkane na ulicach zostaną aresztowane.

– A wszystkie zombie zostaną zastrzelone – dodał Nick ze śmiechem.

– Myślicie, że powinniśmy wracać? – zapytał Alex.

Bubba wzruszył ramionami.

– Tak by nakazywał zdrowy rozsądek. Jak uważacie?

Nick opadł na oparcie fotela.

– Ja tam nigdy nie pozwalam, by zdrowy rozsądek zwyciężył nad moją głupotą. Głosuję za tym, by jechać dalej. Caleb?

Uśmiechnął się od ucha do ucha.

– E, tam, kto by się przejmował aresztowaniem? Zresztą ja, Alex i Nick jesteśmy niepełnoletni.

– No, to aż po nieskończoność.

Słowa Bubby zdziwiły Nicka.

– Nie czaję...

– Mój tata tak mówił, jak byłem mały. To znaczy, że doprowadzisz coś do samego końca.

Nick nadal nie rozumiał.

– Nieskończoność nie ma końca.

– Zgadza się. To oznacza, że przesz do przodu, cokolwiek się nie wydarzy i bez względu na przeszkody. Dołem, górą, z lewej albo z prawej. Zawsze jest jakiś sposób. Jeśli masz coś ścigać aż po nieskończoność, to zakładaj wygodne buty i do roboty.

Nick już miał to skomentować, ale nie zdążył, bo coś uderzyło w ich auto. W jednej sekundzie jechali sobie spokojnie ulicą.

A chwilę potem dachowali.

ROZDZIAŁ 17

Nick uderzył głową w szybę z taką siłą, że zobaczył gwiazdy. Auto przekoziołkowało parę razy, i jeszcze raz, i jeszcze, jakby w ogóle nie zamierzało się zatrzymać. I nie zatrzymało się, aż wpadli na betonową ścianę wiaduktu drogi I-10. Uderzyli w nią z takim impetem, że Nick się zdziwił, iż auto nie zostało sprasowane.

Jęknął z bólu i zobaczył, że Bubba jest nieprzytomny, wciśnięty między kierownicę a swoje siedzenie. Miał rozciętą brew, z której krew spływała mu po twarzy i kapała na koszulę. Alex dyszał jak kobieta w czasie porodu. Próbował otworzyć drzwi. Był cały zakrwawiony, miał rozciętą wargę i zapuchnięte oko. Najbardziej jednak zaszokował go Caleb, który stracił swój ludzki wygląd.

Jego skóra była czerwona i lekko promieniała. Na widok wężowych oczu z podłużnymi źrenicami aż dreszcz przeszedł Nickowi po plecach.

Spróbował poruszyć się, lecz tak go wszystko bolało, że aż mu zaparło dech. Caleb próbował odpiąć jego pas. Jedną rękę miał chyba złamaną, ale nie oglądał się na to.

– Alex? – powiedział Caleb, a w jego głosie zabrzmiał mocny akcent. – Zostaliśmy zaatakowani. Możesz wysiąść?

Alex wydał z siebie dźwięk rozwścieczonego niedźwiedzia grizzly.

– Coś zablokowało moje moce. Nic nie mogę zrobić. Nie jestem w stanie odpiąć sobie pasa. Twoje moce działają?

– Nie. Nie mogę nawet pozostać w ludzkiej postaci.

Nagle Nick poczuł gryzący smród siarki i śmierci.

Caleb zaklął i zaczął kopać boczne okno. Gdy tylko udało mu się wybić szybę, złapał Nicka i wypchnął go na zewnątrz. Nick syknął z bólu, który przeszył jego ramię i bark.

A niech to, nieźle zabolało.

Caleb wyczołgał się z auta i złapał go za zdrową rękę. Ciągnął go za sobą, jednocześnie mówiąc coś w jakimś języku, którego Nick nie rozumiał.

– Stary, po takim wypadku raczej nie powinniśmy się ruszać do przyjazdu karetki. Chyba coś sobie złamałem. Nie chcę sobie uszkodzić kręgosłupa czy czegoś w tym rodzaju.

– Grozi ci złamanie czegoś więcej niż kręgosłupa. – Caleb obrócił się za siebie. Zaklął, złapał Nicka i wepchnął go do studzienki ściekowej. – Nie ruszaj się i oddychaj, tylko jeśli musisz.

Co on za głupoty wygaduje?

Nick już miał się zacząć z nim kłócić, gdy zobaczył to, co tak zaniepokoiło Caleba. To były...

Skrzydlate małpy?

Akurat. Zamiast uroczych, niebieskich stworzonek w dziwacznych ubrankach i nakryciach głowy, ścigały ich ogromnych rozmiarów szkaradzieństwa, na widok których zrobiło mu się niedobrze. Łyse, wyposażone w pazury, ze skórą pomarszczoną jak u psów rasy shar pei*. W życiu nie widział czegoś równie okropnego. Śmierdziały jak gnijące jaja. Nie, raczej jak czterodniowe jajka w proszku, które zostawiono, by popsuły się na słońcu w środku sierpnia.

Albo jak buty Bubby...

Smród był tak silny, że Nick ledwo powstrzymywał wymioty.

Caleb odwrócił się, by stanąć do walki z nimi. Rzuciły się na niego niczym ptaki w starym filmie Hitchcocka**. Powaliły go na ziemię i jego sylwetka zupełnie zniknęła Nickowi z oczu.

---

* shar pei (z chińskiego *shā pí* (沙皮) – piaszczysta skóra) – wyhodowana w XVI w. w Chinach rasa psów o pomarszczonych pyskach (*przyp. red.*)

** Alfred Hitchcock – wybitny brytyjski reżyser filmowy, twórca thrillera jako gatunku; autor nawiązuje tu do jego dzieła *Ptaki* (*przyp. red.*)

Przerażony Nick schował się głębiej w studzience, żeby go nie było widać. Wyciągnął miecz i zaczął szeptem modlić się o boską interwencję.

Trzepot skrzydeł brzmiał w ciemnościach niczym ogłuszające bicie serca. Jego czoło zrosił pot. Zastanawiał się nad swoimi opcjami. Niewiele widział w ciemności. Gdyby chciał stąd wyjść i rzucić się do ucieczki, zobaczą go i zaatakują.

Boniu, co robić?

– Nick?

Zamarł, gdy usłyszał głos swojej matki oraz jej szlochanie. *To jakaś sztuczka.* To niemożliwe, jej tu nie ma. Na pewno.

A co, jeśli to ona?

A jeśli jednak nie?

Położył rękę na telefonie komórkowym. Korciło go, żeby zadzwonić. Ale jeśli to sztuczka, napastnicy go usłyszą.

Co robić?

Nagle odruchowo zacisnął rękę na mieczu, usłyszawszy coś pełznącego po ziemi. Miał wrażenie, że zbliża się do niego. Spojrzał na jasny rubin i zawahał się. To jego jedyna broń. Jeśli ją straci, będzie całkowicie zdany na ich łaskę.

Nie, zaraz...

Miał jeszcze coś, co mogło okazać się pomocne. A przynajmniej taką żywił nadzieję. Wyciągnął grymuar, przykucnął nad nim i oświecił puste strony komórką. Powtórzył to, co pokazał mu Ambrose, nakłuł palec sztyletem i pozwolił krwi kapnąć na kartkę.

– Co mnie ściga? – zapytał szeptem.

Jego krew ułożyła się w wizerunek napastników, jeszcze brzydszych niż mu się wcześniej wydawało. Potem pod obrazkiem pojawiły się słowa, które wyjaśniły, czym są te istoty. *Demony taahiki. Trzecia subkultura, ograniczone moce. Ich pan wysyła je, by znalazły i dostarczyły mu pewne obiekty. W tym przypadku... ciebie.*

– Jak udało im się unieruchomić Caleba i Alexa?

Pod pierwszym pojawił się kolejny obrazek. Przedstawiał mały, bogato zdobiony medalion. Potem znowu pojawiły się słowa. *Gwiazda Isztarynu*[*]*, kryptonit*[**] *demonów. Osłabia i więzi wszystkich przedstawicieli rodzaju demonicznego, w tym tych półkrwi, takich jak ty.*

Na zwierzołaki też działa.

Ta książka przejawiała niekwestionowaną wrogość wobec życia.

– Co mam zrobić? – zapytał Nick.

Krwawe litery pojawiły się na kolejnej stronie.

Gdy już powiedziano wszystko wraz,

zostaje tylko nogi wziąć za pas.

---

* Isztaryn – słowo nieistniejące, ale mogące kojarzyć się z Isztar, mezopotamską boginią miłości, ale i wojny (*przyp. red.*)

** kryptonit – w świecie przygód Supermana: zielony promieniotwórczy minerał z planety Krypton, redukujący moce bohatera (*przyp. red.*)

„Nogi za pas" wypisane było wielkimi, nierównymi literami. Nick zatrzasnął książkę, schował ją do kieszeni i zrobił dokładnie to, co mu polecono. Wyskoczył ze studzienki i zawahał się na widok wraka samochodu Bubby. *Błagam, tylko nie bądźcie martwi.*

Nim zdążył dokończyć tę myśl, demony go wypatrzyły. Z piskiem wykonały obrót niczym wielkie stado ptaków i rzuciły się na niego z trzepotem skrzydeł. Zmniejszył miecz i schował go do kieszeni. Schylił głowę i rzucił się przed siebie ile sił w nogach.

Przez kilka chwil wydawało się, że ma szansę im uciec. Lecz wtedy, gdy już nabrał pewności, że mu się powiedzie, spadły na niego i mocno go popchnęły. Poleciał do przodu. Krzyknął z bólu, gdy uderzył ramieniem w ziemię. Ból był tak silny, że przez moment myślał, że zaraz zemdleje.

Uciekaj! wrzeszczało mu w głowie. Podźwignął się, ale demony zaczęły go znowu szturchać w plecy. Rozdzierały mu skórę szponami. Ból był nie do zniesienia.

Tylko nie zemdlej. Nie waż się zemdleć.

Ale było już za późno. Przed oczami zaczęło mu się robić ciemno. Zobaczył jeszcze, jak samochód Bubby stanął w płomieniach i wybuchł.

A potem wszystko ogarnęła ciemność.

Gdy Nick się obudził, pod czaszką pulsował mu niewyobrażalny ból. Chłopak miał poczucie, że coś próbuje mu wyrwać prawe oko. Nie miał pojęcia, jak można mimo takiego cierpienia nadal żyć.

A potem usłyszał słaby odgłos dziecięcego płaczu. Leżał na brzuchu na zimnym klepisku w niewielkiej celi. Jakiś chłopiec – może dziesięcioletni – siedział w kącie z kolanami podciągniętymi pod samą brodę i płakał. Jego brązowe oczy były pełne łez. Szlochał wprost przeraźliwie.

– Ciii... – wyszeptał Nick.

Przykro mu było patrzeć na taką niedolę dzieciaka. A jeszcze bardziej denerwowało go echo łkania rozchodzące się w jego głowie.

Chłopiec podniósł na niego wzrok i zdusił łzy.

– Zrobisz mi krzywdę?

Nick już miał mu powiedzieć, że jeśli nie przestanie płakać, to rzeczywiście coś mu zrobi, ale na szczęście ugryzł się w język.

– Nie. Jesteś bratem Madauga?

– Znasz Madauga?

– Tak.

– Nic mu się nie stało?

Nick skrzywił się z bólu, który właśnie przeszył jego czaszkę.

– Nie mam pojęcia. Widziałeś go?

Mały przytaknął.

– Przyprowadzili go tutaj, gdy zabrali moją mamę. A potem mnie tu zamknęli i już nie wrócili. Boję się.

– Wszystko będzie dobrze.

Nick miał nadzieję, że nie okłamuje dzieciaka.

– Mnie powiedzieli co innego. Powiedzieli, że wyżrą mi mózg.

– E tam, to robią tylko starsi bracia.

Chłopak parsknął śmiechem.

– Nazywam się Ian. A ty?

– Nick.

– Możesz nas stąd wydostać?

Nick rozejrzał się dookoła. Nigdzie nie widział drzwi, a to oznaczało, że nie, nie będzie w stanie ich wydostać. Nie chciał jednak powiedzieć tego dzieciakowi.

– A jak się tu dostaliśmy?

Ian pokazał na ścianę na lewo.

– Jak chcą tu wejść lub wyjść, to tam pojawiają się drzwi.

Nick wstał i rozejrzał się dokoła, szukając jakiegoś przełącznika, zapadni lub czegoś w tym rodzaju. Widział jednak tylko ścianę.

No tak.

Wyciągnął telefon z kieszeni i spróbował zadzwonić. Tak jak się obawiał, nie było sygnału. Dobrze chociaż, że nadal miał przy sobie książkę i sztylet, dzięki czemu nie byli zupełnie bezbronni.

A jednak poczuł się pokonany, gdy zobaczył sytuację we właściwych proporcjach. Zresztą jak miałoby być inaczej? Wszystko dziś poszło nie tak. Bubba i Alex nie żyją. Tabitha, Eric i Mark pewnie też. Podobnie jak Simi i Caleb.

Nikt nie ma pojęcia, gdzie jest Nick, nie wyłączając jego samego.

Co ja zrobię?

Nie widział żadnego wyjścia.

– Ambrose? – próbował wezwać swojego opiekuna.

Cisza.

– Stary, no weź – zawołał do Ambrose'a. – Przez całą noc wpadałeś co chwilę. Nie mógłbyś wpaść jeszcze raz? Teraz jesteś mi naprawdę potrzebny.

Oczywiście żadnej odpowiedzi od Ambrose'a.

Kto się teraz zaopiekuje moją mamą?

Zalała go fala beznadziei, którą jednak – gdy tylko pomyślał o swojej matce pozostawionej bez opieki – szybko zastąpiła wściekła determinacja. Nie skończy w ten sposób, skomląc na podłodze, jak dzieciak siedzący koło niego. Zbyt wiele przeszedł, by się po prostu położyć i umrzeć jak jakaś laska z taniego horroru.

O nie. Nazywa się Nick Gautier. Przyszedł na ten świat wyszczekany i dumny. Nikt go nigdy nie pokonał i nie miał zamiaru teraz na to pozwolić.

Jeśli Ambrose powiedział mu prawdę, miał w sobie moce. Moce, które powinien być w stanie wykorzystać. Musiał tylko znaleźć sposób, żeby się do nich podłączyć.

Wyciągnął książkę i po raz kolejny wypowiedział zaklęcie krwi.

– Jak się stąd wydostać?

Ian zakradł się bliżej, żeby zobaczyć, co Nick robi. Obserwował go jednak bez słowa. Krew zawirowała na stronie i ułożyła się w odpowiedź na pytanie:

Nigdzie się stąd nie ruszysz,
aż coś lepszego z siebie wydusisz.

– Hej, hemoglobino, może trochę bardziej przejrzyście, co? Więcej szczegółów by się przydało.

Narodzony z czasu. Narodzony z przestrzeni.
Najpierw musisz znaleźć swe miejsce na ziemi.

– A może po prostu „tak" albo „nie", co? Powiesz mi, jak się stąd wydostać czy nie?

„Tak" lub „nie" to nie moje słowa.
Odpowiedź sam musisz zlokalizować.

Nick skrzywił się, bo mierziły go te zagadkowe odpowiedzi.

– Jesteś do dupy.

Mówisz, że jestem do dupy,
ale nie tylko ja trafiłam do ciupy.

Ogarnął go gniew.

– No tak, akurat mnie musiała się przytrafić książka, która pyskuje właścicielowi.

Jęknął z irytacją i zatrzasnął książkę, zanim zdążyła mu odpowiedzieć.

Ian spojrzał na niego ze zmarszczonym czołem.

– Co robisz?

– W tym momencie marzę o tym, by spalić tę książkę. – Nagle rozgrzała się w jego dłoni, aż zaczęła parzyć go w rękę. – Przestań! – wrzasnął.

Książka natychmiast ostygła.

Nick przeczesał sobie włosy palcami. Jak ma użyć swoich mocy?

Zamknął oczy i skupił myśli na nich w ten sam sposób, w jaki sprawiał, że sztylet na przemian rósł i malał.

Nic.

Tyle że ból głowy przybrał na sile. I to bardzo. *To bez sensu.*

– Umrzemy, prawda? – zapytał Ian.

Nick zaprzeczył ruchem głowy.

– Nie, Ian, nie umrzemy. Nic ci się przy mnie nie stanie. Masz moje słowo.

– A jeśli nie dasz rady?

– Stary, miej trochę wiary, dobra?

Chłopak przełknął łzy i pokiwał głową.

Nick często się zastanawiał, jakby to było mieć brata lub siostrę. Teraz sobie uświadomił, że pewnie czasem rodzeństwo by go irytowało, ale z drugiej strony Ian patrzył na niego, jakby był jakimś bohaterem...

Do tego można by się przyzwyczaić. Zapragnął zasłużyć na to spojrzenie.

Nagle w ścianie otworzyły się drzwi. Nick stanął między Ianem a wysoką, groźną postacią, która wkroczyła przez właśnie utworzone wejście.

Postać przechyliła głowę na bok i wbiła wzrok w Nicka i Iana.

– Dar nie przypadł ci do gustu?

Nick osłupiał.

– Co?

Czarna postać wskazała na Iana.

– Nie jesteś z niego zadowolony, panie?

– Zadowolony? Z czego konkretnie?

Do przodu wystąpiła inna postać.

Była to drobna, niska kobieta o ciemnej, śniadej skórze. Jej przepiękna powierzchowność przywodziła na myśl anioła.

– Z twojej ludzkiej ofiary. Myśleliśmy, że już go pożarłeś.

Oczy Iana zrobiły się okrągłe jak spodki. Odsunął się od Nicka.

– Nie mam zamiaru skrzywdzić tego dzieciaka.

Wpadli chyba w nie mniejsze zdumienie niż on. Cóż to za wariactwo?

Powietrze przeszył nagle nikczemny śmiech.

– Cofnijcie się, moje dzieci. On jeszcze nie jest naszym Malachai. Nasz embrion wciąż myśli, że jest człowiekiem. Ale nauczy się. Przyprowadźcie go do mnie.

Ian zaczął płakać.

Nick postanowił, że nie ruszy się z miejsca bez niego.

– Nie zostawię go tutaj samego. On się boi.

Kobieta skrzywiła się z niezadowoleniem.

– A co cię to obchodzi?

– Obchodzi mnie, i to dużo. – Nick wyciągnął dłoń do Iana. Dzieciak wziął go za rękę i mocno ścisnął.

– Pozwólcie mu zabrać ze sobą to małe stworzenie – odezwał się czarny. – Nie zaszkodzi.

– Proszę bardzo. – Kobieta cofnęła się. – Chodźcie ze mną.

Nick posłuchał polecenia, a czarny ustawił się za nimi. Szli wilgotnym korytarzem, który skojarzył mu się ze starą fabryką.

– Gdzie jesteśmy?

– To nieistotne.

Otworzyła drzwi i stanęła z boku, by najpierw wpuścić do środka Nicka i Iana.

Za drzwiami znajdowało się duże pomieszczenie, w którym niewątpliwie znajdował się kiedyś magazyn. Pokryte rdzą zielone ściany pamiętały lepsze czasy. Wszędzie było mnóstwo kurzu, pajęczyn i stłuczonego szkła.

Ale to nie miało znaczenia.

W środku znajdowali się też Madaug, jego matka, Eric, Tabitha i Stone. Wszyscy siedzieli w klatce.

– Mama! – zawołał Ian, podbiegł do matki i uściskał ją przez kraty.

Nick jednak wcale nie poczuł ulgi. Spojrzał na trzy demony, które wydawały się tu rządzić. Rozpoznał kobietę z alejki i dwóch mężczyzn, którzy tam z nią byli. Mieli teraz ludzkie kształty, odziani byli w skórę: mężczyźni w czerni, a kobieta w jaskrawej, krwistej czerwieni.

Jasne włosy miała odgarnięte do tyłu. Zbliżyła się do niego wolno, niczym drapieżnik.

– Ach, ach, ach, co za niespodzianka.

Nie miał pojęcia, co to znaczy, ale był praktycznie pewien, że nic dobrego.

– Co się tu dzieje?

Wskazała na ścianę na prawo, gdzie stał ogromnych rozmiarów ekran z zapauzowaną grą.

– Wiesz, co potrafi ta gra?

– Wiem, co potrafią wszystkie gry. Są hipnotyczne.

Jego matka nazywała je „pochłaniaczami czasu", bo gdy się zaczęło grać, czas pojmowany po ludzku zwalniał. To, co wydawało się pięcioma minutami gry, w rzeczywistości trwało godzinę. Nawet Menyara mówiła, że gry to narzędzie szatana.

I w tym konkretnym przypadku być może miała rację.

Nick zwrócił uwagę na oszołomione miny Tabithy, Madauga i Erica.

– Co im zrobiliście?

– Pograli sobie trochę. – Podała mu dżojstik. – Nie miałbyś ochoty do nich dołączyć? Ciekawe, czy uda ci się osiągnąć lepszy wynik?

Czarny położył Nickowi rękę na ramieniu i popchnął go w stronę kobiety. Chłopaka ogarnęło nagle poczucie usidlenia, stłamszenia.

Nie znosił się tak czuć. To go zirytowało.

Kobieta włączyła grę.

– Popatrz, Nicholas.

Nick próbował się odwrócić, ale czarny go chwycił i popchnął ku ekranowi. Zacisnął powieki. Czarny złapał go od tyłu i zmusił do otwarcia oczu. Nick nie miał wyboru, wpatrywał się w ekran.

Jego oddech się rwał, chłopak opierał się, jak mógł, ale bezskutecznie.

Nim zdążył się zorientować, co się dzieje, patrzył na głównego bohatera – jasnowłosego mężczyznę w długiej, zwiewnej pelerynie – który wybijał armię zombie na starym cmentarzu. Na ekranie wyświetlał się opis gry.

W świecie, w którym uwolniono starożytne zło, ludzkość ma tylko jedną szansę przetrwania.

Jesteś nią ty.

Twoja misja to walka z zombie, czyli ludźmi, których zmieniono w bezmyślnych zabójców. Musisz przebić się przez ich kordon na cmentarzu, żeby dotrzeć do starożytnych katakumb, gdzie dawno, dawno temu piękna księżniczka ukryła eliksir. Po drodze zbieraj przedmioty ochronne i broń, aż staniesz się praktycznie niezniszczalny.

Jedyne rzeczy, których nie można ci odebrać, to twój spryt i męstwo. Ale uważaj. Nawet najbliżsi mogą się zmienić w zombie i zwrócić przeciwko tobie podczas walki. Jedynym sposobem na zwiększenie swojej siły jest zjadanie serc wrogów, a także wybicie jak największej ich liczby. Punkty za doświadczenie poważnie zwiększą siłę twoich ciosów.

Powodzenia, wojowniku.

Niech starożytni bogowie będą z tobą.

Światełka zamigotały kusząco na ekranie. Nick starał się zachować świadomość tego, co go otacza, ale nie był w stanie skupić się na niczym, poza głównym bohaterem gry. Jakby nagle stali się jednym. Jakby stał się Nikodemem Nekromantą walczącym z rosnącą armią zombie.

Każde martwe zombie oznaczało serduszko albo broń do jego kolekcji. Każde martwe zombie przybliżało go do katakumb…

– Jesteś nasz – wyszeptał mu ktoś prosto do ucha.

Nick poczuł, że obsuwa się w mgłę. Grał zupełnie nieświadomy wszystkiego wokół. Jakby stał na krawędzi urwiska i patrzył prosto w nieskończoność. Czas zwolnił i zakręcił, wszechświat szeptał mu swoje sekrety.

Z każdym martwym zombie czuł się coraz potężniejszy.

Niepokonany.

Jesteś Malachai. Te słowa zaszumiały mu w głowie. Atakowały go obrazy, wizje siebie samego zabijającego wrogów. Wszyscy, którzy się nad nim znęcali, wszyscy Stone'owie i panowie Petersowie, jakich spotkał w życiu, dostali dokładnie to, na co zasłużyli. Nie śmierć – ona byłaby zbyt łagodną karą za ich wyjątkową brutalność – czekało ich coś gorszego. Dużo, dużo gorszego.

Stali się nim. Stali się tymi, których ludzie mają za nic, z których się śmieją i nad którymi się znęcają. Teraz czuli się jak ostatnie śmieci.

Wszyscy, co do jednego. Każda obelga. Każdy złośliwy komentarz i spojrzenie. Wszystko zostało im zwrócone, i to z nawiązką.

Błagali o litość, a on płacił im pięknym za nadobne.

Nie było litości.

A macie, śmieci. Odszczekajcie swoje słowa, wstydźcie się swojego okrucieństwa. Niech was to pochłonie, zdechnijcie.

– Jest już nasz – oświadczyła przewodniczka mortentów. – Nie stworzyło go zło, narodził się z ludzkiego okrucieństwa. – Podała Nickowi miecz. – A teraz zemścij się na tych, którzy się z ciebie naśmiewali. Zabij ich i wyżryj im mózgi.

Nick zwrócił się w stronę Stone'a, którego oczy były wielkie jak spodki i pełne przerażenia. Przypomniał sobie każdą wredną uwagę i obelgę, jakie Stone kiedykolwiek mu rzucił. Przypomniał sobie, jak tamten doprowadził do wyrzucenia go z drużyny. Przypomniał sobie, jak chciał, by wydalono go ze szkoły...

Nick ryknął z wściekłością i rzucił się na tę świnię, by ją wypatroszyć raz, a dobrze.

ROZDZIAŁ 18

Stone upadł na podłogę klatki, wrzeszcząc jak czteroletnia dziewczynka, która zgubiła swoją ulubioną zabawkę. Zasłonił się rękami i błagał o życie.

Nick poznał już smak zemsty i szczerze mówiąc...

Była słodka i przyjemna.

Ale choć bardzo o tym marzył, wcale nie dawała mu satysfakcji. Było to puste i zimne uczucie. Powtarzał sobie, że Stone powinien poznać smak poniżeń, jakie zgotował innym, że zasługuje na śmierć. Jednak nie przemawiało mu to do przekonania.

W końcu zrozumiał, co Ambrose próbował mu powiedzieć o Mike'u, Tyree i Alanie.

Nie chcę stać się taki jak Stone i reszta.

Nie chcę nie mieć przyjaciół. Nie mieć przyzwoitości. Nie być w stanie niczym się cieszyć, bo męczy mnie małostkowość i zazdrość o innych.

Stone był żałosny. Słaby.

A, co najważniejsze, nie był wart tego, by Nick skazał się przez niego na potępienie. Ostatecznie nie było nic okrutniejszego, niż pozwolić Stone'owi wieść dalej to jego odstręczające życie, pełne małostkowości, zawiści i fałszywych przyjaciół. Przyjaciół, którzy go tak naprawdę nie lubią, którzy chcą go tylko wykorzystać.

Istne piekło na ziemi. Nick nie chciał sam się tam znaleźć. Potrafił być szczęśliwy, nosząc używane ciuchy i mieszkając w biedzie z matką i Menyarą, podczas gdy Stone nie był szczęśliwy w wielkiej posiadłości, otoczony zabawkami i gadżetami, jakie mógł mieć za pieniądze rodziców.

I Nick miałby mu tego zazdrościć?

On nie zasługuje na to, by żyć. Pomyśl o innych, nad którymi się znęcał. Pomyśl o tych, nad którymi będzie się znęcał w przyszłości, jeśli darujesz mu życie.

Nick przystawił Stone'owi do gardła czubek miecza. Stone zmoczył sobie spodnie i zaczął łkać. Głos w głowie Nicka nie ustępował.

Rozlej krew wroga, a posiądziesz władzę nad armiami... Staniesz się wolny.

Już nikt nigdy nie będzie z ciebie szydził.

Nigdy.

Poczuł zimną rękę złego na karku. Pieściła go. *Zrób to*, nakłaniał go cichy, delikatny głos. *Wszyscy będą cię szanować za twoją siłę. Nikt już nie będzie z ciebie drwić.*

Gdy zabijesz wrogów, zyskasz szacunek i uwolnisz się od przeszłości.

Ten mortent miał rację. Była tylko jedna droga. By stać się wolnym, musiał zabić wrogów i głęboko ich pogrzebać.

Ale zabić można na wiele sposobów. Stone i jemu podobni zawładnęli zbyt dużą częścią przeszłości Nicka. Nie zamierzał im pozwoli zawładnąć także przyszłością.

Nagle sztylet i książka w jego kieszeni zrobiły się gorące. Coś w nim się uwolniło. Stało się to nie przez nienawiść, nie przez żądzę zemsty, lecz przez jego poczucie sprawiedliwości. Nigdy wcześniej nie rozumiał niczego z równą jasnością. Nie zależało mu na szacunku osób, które niewarte były tego, by sobie o nie wytrzeć nos, ludzi, na których szkoda było wyplutej gumy do żucia, przyklejonej do podeszew jego zużytych butów.

Chciał móc sam siebie szanować. Pragnął też szacunku ludzi, którzy naprawdę się liczyli w jego życiu i których kochał.

Miał gdzieś szacunek Stone'a i mortentów, jak również reszty zadzierających nosa snobów ze szkoły oraz dyrektora.

Chciał szacunku matki oraz striptizerek z Bourbon Street, które wychowały go na dobrego człowieka. Chciał szacunku ludzi takich jak Menyara, Liza, Bubba i Kyrian.

A najbardziej chciał szacunku i miłości Nekody.

– Co racja, to racja. – Nick cofnął się i odwrócił do mortentów. – Rzecz w tym, że moimi wrogami nie są zabijaki ze szkoły.

Szczerze mówiąc, dzięki ludziom takim jak Stone stał się tylko silniejszy. Był im za to wdzięczny. W swoim cierpieniu odnalazł siłę. Siłę charakteru i godność. Siłę, by podnieść głowę wysoko bez względu na to, z jakim okrucieństwem potraktował go świat. Tego właśnie brakowało Stone'owi i jemu podobnym.

Jego wrogami nie były żałosne dupki, które się z niego naśmiewały i nienawidziły za rzeczy, na które nie miał wpływu.

Jego wrogami byli ci, którzy go okłamywali, podszywając się pod jego przyjaciół. Ci, którzy chcieli, by stał się taki jak oni. By zrujnował sobie życie i odrzucił wszystko, na co tak ciężko pracował.

Usłyszał szept książki.

– Arrasee-terra. Gitana mortelay dohn. Erra me tihani vassou. Pur mi.

Niech zobaczę prawdę. Niech pochlebstwa i nienawiść mnie nie zaślepią. To moje życie i przeżyję je mądrze. Dla siebie samego.

A nie dla nich.

Nick odrzucił głowę do tyłu, gdy przeszył go elektryczny dreszcz. Czuł się tak, jakby ktoś podłączył rozgrzane kabelki do każdej komórki w jego ciele. Nagle usłyszał oddech kosmosu.

– Zabić go! – wrzasnęła przywódczyni mortentów.

Nick poczuł, że ramię mu się goi. Rzucił w nich ich mieczem, po czym wyciągnął swój własny, powiększył go, a potem odwrócił się i otworzył klatkę.

Stone wypadł na zewnątrz z wrzaskiem, zostawiając innych za sobą.

– Ale z ciebie tchórz.

Nick kopnął pierwszego demona, który do niego dopadł, by nie dopuścić go do Tabithy, Erica, Madauga i jego matki.

Ian znowu płakał. Próbował wyrwać swoją matkę z otępienia.

Nickowi udało się odeprzeć demony, ale nie na długo. Co gorsza, mortenty wykorzystały Tabithę, Erica i Madauga do ataku na niego, bo wiedziały, że nie zrobi im krzywdy. Nie, gdy nie działali z własnej woli.

Muszę ich czymś porazić...

– Skąd wytrzasnąć paralizator, gdy jest człowiekowi potrzebny?

Lecz tu nie było nawet gniazdka elektrycznego. A może chociaż jakieś małe uderzenie piorunem, co? No tak, niebo dziś było bezchmurne, ale może jednak...?

Ciął mieczem czarnego, po czym odwrócił się do demonicy. Nagle poczuł, że ręka mu się rozgrzewa. W głowie błysnął mu obraz Ambrose'a i Caleba z kulami ognia.

Jeśli oni byli w stanie je wyczarować, to może on mógłby zrobić to samo z elektrycznością?

A co tam, czemu by nie spróbować? Najgorsze, co się mogło zdarzyć, to niepowodzenie i śmierć z ręki przyjaciół.

W tym momencie i tak było to najlepszym z możliwych rozwiązań.

Błagam, niech to zadziała.

– Karatei!

Wyrzucił rękę przed siebie i coś, co wyglądało jak uderzenie pioruna, wystrzeliło z jego palców w stronę Madauga.

I zamieniło go w kozę.

A niech to.

Madaug podbiegł do niego i tryknął go w stronę demona. Nick odepchnął mortenta od siebie i złapał równowagę. Spojrzał na kozę, która gapiła się na niego.

– Stary, próbuję ci pomóc.

Lecz kozie było to obojętne. Znowu zaszarżowała.

Nick próbował uchylić się przed uderzeniem w lędźwie. Był otoczony. Tymczasem Ian nadal płakał, bo jego matka nie chciała się ocknąć.

– Szkoda, że nie mogę się obudzić z tego koszmaru.

Nick mruknął pod nosem i spróbował jeszcze raz strzelić swą mocą w Madauga. Koza pisnęła i zadygotała.

Błagam, tylko mi tu nie umieraj.

Nigdy by sobie tego nie wybaczył.

Koza zatrzęsła się i padła na ziemię.

Nickowi zrobiło się słabo. Cholera. Gdy jednak tylko podszedł do kozy bliżej, poderwała się z podłogi i przemieniła z powrotem w nastolatka.

Nicka zalała fala ulgi, że go nie zabił. Ale zaraz o tym zapomniał, bo zombie nie ustępowały.

A Madaug był nadal jednym z nich.

Co gorsza, w pomieszczeniu zrobiło się gęsto od nieumarłych, a Tabitha i Eric próbowali wyłamać mu ramię ze stawu.

Nick wyrwał się im.

Już nie żyję...

Złapał Iana za rękę i schował go za sobą, zanim jego matka zdołała porządnie nadgryźć biedaka.

– Nie płacz, mały. Ja cię ochronię.

Tylko kto ochroni mnie?

Teraz jest idealny moment na ujawnienie tych moich rzekomych mocy. Naprawdę by się przydały.... No, na co one czekają?

Wystosowałby oficjalne zaproszenie, gdyby nie to, że wcześniej zombie by go zjadły. Serce Nicka waliło jak młotem, gdy do niego dotarło, że sytuacja jest beznadziejna. Było ich coraz więcej, a on opadał z sił. Każdy zamach mieczem sporo go kosztował. Cofały się przed nim, ale nie umierały. Właściwie to nawet nie udawało mu się zmniejszyć siły ich ataku.

Był otoczony przez stworzenia głodne tych kilku komórek mózgowych, które mu jeszcze pozostały. Nie miał jednak zamiaru skapitulować. Skoro już miał umrzeć, zrobi to w ten sam sposób, w jaki przyszedł na ten świat.

Walcząc o każdy oddech.

Nikt mnie nie pokona.

Nigdy.

Z gardła wyrwał mu się głośny warkot. Wkładał teraz w walkę z demonami i zombie absolutnie wszystko.

Nagle ściany dookoła zadudniły i zadygotały. Ian schował się za jego plecami, zaciskając swoje małe dłonie na połach jego koszuli. Nick próbował dostać się do jakiegoś okna albo drzwi, żeby przynajmniej dzieciak miał szansę przeżyć tę noc. Ale był już zmęczony. Opadał z sił.

Z prawej rozległ się głośny huk.

Poczuł ucisk w żołądku i wypełniła go zimna zgroza. Spodziewał się, że to kolejna fala zombie. Cofnął się.

Niemal znikąd pojawił się ogromny, szary pick-up z przedłużoną kabiną. Miał przyspawane metalowe tablice, dzięki którym wyglądał jak pług. Wjechał przez ścianę i niewiele brakowało, a rozjechałby Nicka i Iana. Z karkołomną prędkością wbił się w zombie. Kosił je niczym kosiarka tępiąca chwasty.

Nick zamarł, bo taki sposób prowadzenia auta skojarzył mu się z jego ulubionym, błyskotliwym wieśniakiem z południa.

Ale to niemożliwe...

Oni nie żyją...

Jednak w środku zamigotało mu światełko nadziei.

Gdy drzwi auta się otworzyły, rozległo się głośne:

– Jii ho!

Ze środka wyskoczyli Bubba, Mark, Caleb, Nekoda, Simi i Alex, uzbrojeni po zęby, no, może pomijając Simi, która wysiadła, dzierżąc jedynie butelkę sosu barbecue. Oblizywała sobie wargi i, co ciekawe, miała na sobie ogromny, biały śliniak. Mark, wyposażony w miotacz ognia, rzucił się w stronę pierwszej grupki zombie.

Bubba stanął w drzwiach, oparł się o dach auta i ustawił na nim kuszę.

– Głowa w dół, Mark! – zawołał, zanim wypuścił strzałę, która trafiła stojące przed Markiem zombie dokładnie między oczy.

Nekoda podbiegła do Nicka z ościeniem.

– Masz, zamienimy się.

Podała mu go, po czym zabrała od niego Iana i pobiegła z nim z powrotem do samochodu, gdzie oddała go pod opiekę Bubby.

Nick poraził Tabithę, Erica, Madauga i jego matkę. Zatoczyli się do tyłu. Ich mózgi się zrestartowały i znowu stali się ludźmi.

Tabitha doszła do siebie jako pierwsza. Warknęła ze złości, złapała demona stojącego najbliżej i złamała mu kark.

– Zamieniłeś mnie w zombie... Ty świnio!

Wyciągnęła sobie sztylety sai* z cholewek butów i zabrała się za szatkowanie gnijących ciał.

Nick nie miał pojęcia, jak to możliwe, że zapamiętała bycie zombie, ale był zbyt zajęty walką, by sobie tym teraz zawracać głowę. Eric zdjął metalowy pasek, który okazał się biczem z żelaza. Ustawił się za plecami Tabithy, by ją w ten sposób osłaniać, podczas gdy Madaug zabrał matkę do auta Bubby, by została tam z Ianem.

Simi rwała zombie na kawałki i zaśmiewała się przy tym do łez. Skakała wokół nich, prowokując je, by jej dotknęły. Caleb z kolei, teraz już w ludzkiej postaci, walczył z trzema demonami naraz. Miał takie ruchy, że pozazdrościłby mu ich sam Jet Li**.

Nekoda przyniosła sobie z samochodu katanę***, którą posługiwała się jakaś królowa ninja. Nick zamarł na sekundę i się jej przyglądał. Rany, ale ona giętka i zręczna.

Syknął, gdy popchnęło go kolejne zombie. Odwrócił się, potraktował je ościeniem, a potem przeszył mieczem.

Lecz zombie nadal napływały, i to bez względu na ich wysiłki. Tego nowego gatunku nie dawało się zatrzy-

---

* sai – (jap. „róg śmierci") broń biała w kształcie widełek, ok. 0,5 m długości, stosowana przez wojowników ninja, potem także przez policję (*przyp. red.*)

** Jet Li – chiński aktor, mistrz i trener sztuk walki wushu (*przyp. tłum.*)

*** katana – (jap.) miecz samurajski o lekkiej krzywiźnie ostrza (*przyp. red.*)

mać. Nie rąbaniem, paleniem i dźganiem. Do licha, kto je tak wytrenował? Terminator?

Nekoda krzyknęła.

Nick odwrócił się i zobaczył, że dwa zombie rzuciły się na nią niczym psy w schronisku na ostatni kawałek steku.

Serce zamarło mu w piersiach. Zabiją ją.

Zrób coś. Bo jak on nic nie zrobi, to nie przeżyją.

Będziesz miał władzę nad umarłymi...

Może Ambrose nażarł się amfy? A może jakimś cudem mówił prawdę?

Licząc na to ostatnie, Nick rzucił się Nekodzie na pomoc. Pierwsze zombie, którego dopadł, odwróciło się w jego stronę i ugryzło go mocno w ramię.

– Mam już tego dość.

Nick przeszył serce zombie mieczem.

Ono jednak nie przestało walczyć.

– Uciekaj, Kody!

Odmówiła.

– Nie bez ciebie.

Czuł wdzięczność, ale było to szaleństwo.

Stanął między nimi a nią.

– Kiepsko to wygląda. Myślisz, że już za późno, żeby zmienić stronę?

Kody posłała mu taki uśmiech, że aż kolana się pod nim ugięły, za to determinacja wzrosła.

– Wierzę w ciebie, Nick.

Po czym zrobiła coś zupełnie nieoczekiwanego.

Pocałowała go w usta.

Nick osłupiał. Smakował jej wargi. Czas się na moment zatrzymał, gdy jego oddech połączył się z jej oddechem, a jej język musnął jego. To... to było lepsze niż cokolwiek, co mógł sobie wymarzyć. Zalała go fala gorąca.

Super, pierwszy prawdziwy pocałunek na trzy sekundy przed śmiercią z rąk zombie.

Zawsze miał pecha.

Kody krzyknęła, gdy zombie wyrwało ją Nickowi z ramion i rzuciło na ziemię. Natarła na nią cała grupa napastników.

Nick poczuł, że książka w kieszeni robi się gorąca. Wyszeptała do niego:

By zapanować nad umarłych zachowaniem,
musisz przejąć całkowite panowanie.

Że co? Czego ta książka się naćpała?

Lecz gdy tylko ta myśl przemknęła mu przez głowę, zrozumiał, o co chodzi. W zeszłym roku Brynna zrobiła o tym prezentację w szkole. Wtedy wziął to za głupotę, ale teraz w końcu zrozumiał.

Wizualizacja. Żeby coś się wydarzyło, żeby coś zmieniło się w coś innego, człowiek musi to najpierw zobaczyć jasno w myślach. To pierwszy krok do osiągnięcia sukcesu. Niejasne marzenia nigdy do niczego nie prowadzą. Tylko te zobaczone z ogromną wyrazistością mają szansę się zrealizować.

Tak jak ze sztyletem.

Myśli mają moc. Negatywną i pozytywną. Wpływają na wszystko. Mogą dać komuś siłę albo rozerwać go na strzępy.

A dziś, miejmy nadzieję, ocalą ich wszystkich.

Nick zamknął oczy i zobaczył siebie jako bohatera gry „Łowca Zombie".

Nie boję się żadnego zła, bo jestem najgorszą bestią na ziemi. Jestem mocą, której nie są w stanie obalić. Moja wola stanowi prawo.

Postąpią tak, jak im każę. Zmarli nie mają nade mną władzy.

To ja mam władzę nad nimi.

Moc, prawdziwa moc, pochodzi z wnętrza. A nie z zewnątrz.

Roześmiał się, bo przypomniało mu się zawołanie He-Mana. Otworzył oczy.

Wszystko wyglądało inaczej. Ludzi otaczała mgiełka, a zombie przytłumiona poświata.

Co więcej, słyszał zombie w myślach. Nie, nie zombie. To, co słyszał, to były złe dusze, które mortenty wezwały, by zawładnęły martwymi ciałami i wyprowadziły je z grobów.

Ciało to tylko naczynie. Nadszedł czas, by je opróżnić i wysłać z powrotem do domu. Wszystkie.

Zombie pobijesz i odeślesz w nicość
Prostym zaklęciem i dotknięciem w lico.

Nick pokręcił głową na ten bełkot.

– Poważnie, książko, twoje rymy są naprawdę do bani.

Nie ma sprawy, Malachai, w takim razie sam spróbuj układać rymy w języku, którego nie znasz. Masz szczęście, że ci w ogóle pomagam. Co mnie to obchodzi, czy przeżyjesz, czy nie. Mogę sobie znaleźć innego pana, który mnie doceni, ty... człowieku.

Ostatnie słowo wypowiedziała tak, jakby to była najgorsza obelga pod słońcem.

No, naprawdę, ta książka była wiecznie naburmuszona. Lecz przynajmniej wyszeptała słowa, które mu były potrzebne:

Z prochu powstałeś.
Potraktowano cię kindżałem
I w proch się obrócisz,
Do grobu wrócić musisz.

Słowa te brzmiały dużo lepiej w ojczystym języku książki, czyli:

Tirre Tirre.
Grauz sa ton.
Dhani Dhani.
Madabauhn.

Jak to dobrze, że musiał je wypowiedzieć tylko w tej drugiej wersji, by zabić zombie. Ale było coś jeszcze.

Musiał ich również dotknąć. Obrzydliwe, ale skuteczne. Gdy tylko wypowiadał słowa i kładł na nich rękę, padały na ziemię jak zgraja kiepskich statystów.

Bubba i reszta cofnęli się, gdy Nick szedł krok za krokiem przez tłum potworów, aż zostały już tylko trzy demony.

Mortenty gapiły się na niego z wściekłością.

– To jeszcze nie koniec, Malachai – wysyczała demonica, a jej oczy błysnęły mocno w przytłumionym świetle.

Nick zmarszczył czoło.

– Owszem, koniec. Właźcie z powrotem do swoich cuchnących dziur, z których wypełzliście. Nie macie nade mną władzy i nigdy jej nie będziecie mieć.

W uszach zadzwonił mu złowrogi śmiech.

– Tak mówisz dzisiaj, ale gdy nadejdzie jutro… Zło jest dużo łatwiejsze od dobra. Jeszcze wygramy, sam zobaczysz. Nim padną wszystkie słowa i dokonają się czyny, będziesz po naszej stronie. Mogę ci to obiecać.

Nick nie uwierzył w ani jedno jej słowo.

– Nie doceniasz uporu cajuńskiego ulicznika. Jesteśmy mistrzami w sztuce odmrażania sobie uszu na złość mamie.

Wbił w nie ciężkie spojrzenie i odesłał je, skąd przyszły, przy pomocy swoich nowoodkrytych mocy.

Tabitha wytarła krew ze sztyletów sai w spodnie.

– I bardzo dobrze. Zejdź mi z oczu, świnio. Szkoda mi na ciebie czasu. Ha!

Nick pokręcił głową.

– Dobrze, że występujesz tylko w jednym egzemplarzu...

Eric parsknął śmiechem.

– Ona ma siostrę bliźniaczkę, wiesz?

Nick wolał nawet nie myśleć o genomje. Teraz liczyło się tylko to, że demony zniknęły, a jego życiu nie zagrażało niebezpieczeństwo.

Przynajmniej, miejmy nadzieję, przez godzinę czy dwie.

Podbiegła do niego Kody.

– Nic ci się nie stało?

Zanim Nick zdążył się powstrzymać, złapał ją w objęcia i mocno do siebie przytulił. Chciał poczuć czyjąś bliskość, bliskość kogoś, kto nie próbował mu wyżreć mózgu ani go zabić.

Boże, jak wspaniale było mieć ją w ramionach.

– Tak, nic mi nie jest. Skąd ty się tutaj wzięłaś?

Odsunęła się i wskazała Marka.

– Zombie mnie otoczyły. A wtedy zjawił się on w swoim specjalnym aucie i je rozjechał. Kazał mi wsiadać, więc nie dyskutowałam.

Nick roześmiał się.

– Ja też się w to wszystko wmieszałem niechcący.

Ale to wcale nie wyjaśniało sprawy.

Podszedł do Bubby, który pakował kuszę i strzały z powrotem do samochodu Marka. Jak dobrze było widzieć go żywego, nawet jeśli miał rozcięte i posiniaczone czoło. Nick czuł taką ulgę, że chętnie też by go objął, ale wiedział, że Bubba mógłby go za to zastrzelić.

– Widziałem, jak twój samochód wybuchł. Myślałem, że zginąłeś.

Bubba wskazał na Alexa.

– Mówiłem ci przecież o zmiennokształtnych i o tym, co potrafią.

Alex uniósł obie ręce do góry.

– Masz szczęście, że się udało. W moim wieku rzadko udaje się zapanować nad mocami. To przez nie samochód eksplodował, gdy wyciągałem nas wszystkich ze środka.

Nick odwrócił się do Caleba, który stał z rękami skrzyżowanymi na piersi i arogancko uniesioną brwią.

– No, nieźle mi dokopali. Pewnie będę kulał przez parę tygodni. Ale jestem twardszy, niż się wydaje. Może i udało im się zwalić mnie z nóg, ale to były za słabe demony, żebym się więcej nie podniósł.

Nick podskoczył, bo usłyszał jakieś gruchotanie za plecami. Odwrócił się i zobaczył Madauga przy konsoli do gry. Miażdżył ją rurą, którą pewnie znalazł gdzieś na ziemi. Tak długo ją tłukł, aż konsola oraz sam dysk były nie do uratowania.

Następnie rzucił je na ziemię i z impetem je podeptał, a na koniec jeszcze parę razy na nich podskoczył.

Gdy już się wyszalał, podszedł do swojej matki i przytulił się do niej.

– Przepraszam za wszystko. – Spojrzał na Iana i też go objął. – Tak się cieszę, że nic wam się nie stało. Nie wiem, co bym zrobił, gdyby coś wam się przydarzyło. Tak bardzo was kocham.

Ian się rozpromienił.

– Czy to znaczy, że mogę przychodzić do ciebie do pokoju, kiedy tylko chcę?

Madaug odepchnął go od siebie.

– Nie przesadzaj, I. Aż tak się nie cieszę.

Dołączyli do nich Eric z Tabithą.

– Dzięki, Nick – oświadczyła Tabitha. – Jesteśmy twoimi dłużnikami.

Nick uścisnął Ericowi dłoń.

– Powiedziałbym, że jestem do dyspozycji, ale, tak na poważnie, jak was znowu zombie zaatakują, to zadzwońcie do Bubby. On wam uwierzy. Nauczcie się numeru na pamięć: 1-888-ca-Bubba. Poradzi sobie z waszymi kłopotami...

Jak nie jednym sposobem, to innym. W tym sloganie nie ma słowa o Nicku. Nick teraz ochoczo wróci do pracy u Kyriana w charakterze chłopca do wszystkiego. O tym teraz marzę. Nie chcę więcej słyszeć o walce z zombie, kaczych sikach czy o czymkolwiek paranormalnym. Nigdy, przenigdy.

Była jeszcze jedna osoba, z którą Nick nie zamienił słowa.

Mark.

– Jak ci się udało przeżyć? – zapytał, gdy Mark odszedł na bok od oblizującej sobie palce Simi.

Mark uśmiechnął się od ucha do ucha.

– Że co? Zapomniałeś o pierwszej zasadzie, jakiej cię nauczyłem, młody?

Nick się skrzywił, próbując sobie przypomnieć różne zasady surwiwalu serwowane przez Marka.

– Że kacze siki odstraszają wszystkie żywe i nieżywe istoty?

– Nie, to zasada numer sześć. Zasada numer jeden: nie muszę przegonić zombie, muszę tylko przegonić ciebie. Jak myślisz, jak im się udało pojmać Erica i Tabithę?

Tabitha parsknęła śmiechem.

– Och, litości. Ten tam inspektor Gadżet zrobił sobie palnik z pokostu Erica i zapalniczki. Nie jestem pewna, czy dom nadal stoi, ale udało mu się nas stamtąd wyciągnąć. Simi obstawiała tyły. Zdołalibyśmy wszyscy uciec, gdyby nie to, że Eric się potknął, a ja, w swojej głupocie, po niego wróciłam, gdy Mark próbował odpalić samochód sąsiadów bez kluczyków.

Mark westchnął.

– Gdy zdałem sobie sprawę z tego, że nie ma ich za moimi plecami, zdążyli już zniknąć. Strasznie się zdenerwowałem. Naprawdę myślałem, że zostali pożarci. Na szczęście zauważyłem, jak zaatakowali twoją dziewczynę i, z pomocą Simi, udało nam się ją uratować.

Nick przytaknął, gdy sobie to wszystko układał w głowie. Zostało mu jeszcze tylko jedno pytanie bez odpowiedzi.

– A jak dorwali Stone'a?

– Stone tu był? – zdziwiła się Tabitha.

– Owszem. Ten tchórz dał nogę przy pierwszej nadarzającej się okazji.

Alex się skrzywił.

– Właśnie przez takich jak on wilkołaki cieszą się złą opinią.

Matka Madauga westchnęła głęboko.

– Wiecie co, dość już miałam atrakcji jak na jedną noc. Bubba, odwieziesz mnie do domu? Ian musi iść spać. Madaug i Eric pewnie powinni dostać szlaban, ale ja chcę po prostu zapomnieć o tym, że w ogóle słyszałam o czymkolwiek nadprzyrodzonym.

– Oczywiście.

Alex uśmiechnął się do niej promiennie.

– Czy to znaczy, że rezygnuje pani ze swojego statusu Giermka, pani K.?

– Za nic w świecie. To tylko znaczy, że muszę odpocząć. – Podniosła Iana i upchnęła go do samochodu, po czym sama wsiadła do środka. – Eric, Madaug... No, chodźcie.

Eric cmoknął Tabithę.

– Zadzwonię później.

Bubba otworzył drzwi od strony kierowcy i wsiadł do środka, podczas gdy Tabitha z Markiem zajęli miejsca z drugiej strony.

– Odwiozę ich do domu, a potem przyjadę z powrotem po was.

Nick kiwnął głową. Nekoda wzięła go za rękę i uścisnęła mocno.

Wraz z Calebem, Simi i Alexem oboje zostali na miejscu.

Nick podszedł do ekranu i do strzaskanej gry i westchnął.

– Wiecie co? To była całkiem fajna gra. Gdyby nie ta cała sprawa z zamienianiem ludzi w zombie, Madaug zarobiłby na niej miliony.

Nagle wszyscy zamarli. W ciemnościach usłyszeli jakieś szuranie. Nick schował Nekodę za sobą, a Alex zbliżył się tam, skąd dochodził ten dźwięk.

Po kilku sekundach wypchnął z mroku Stone'a.

Nick spojrzał na niego ponuro.

– Ty mięczaku i palancie.

– Ach, zamknij się, Gautier. Jesteś śmieciem.

Nick uśmiechnął się od ucha do ucha.

– No tak, ale ten śmieć ma poważnie zmodyfikowany oścień.

Przystawił końcówkę paralizatora Stone'owi do biodra i wysłał go w powietrze.

Zdarzyło się coś jeszcze, czego Nick się nie spodziewał. Nie tylko poraził Stone'a, ale zmienił go z człowieka w wilka, a potem z powrotem w człowieka.

– Co, do...?

Alex cofnął się, gdy Nick na niego popatrzył.

– Na tym polega problem ze zmiennokształtnymi. Potraktujesz nas prądem i tracimy kontrolę nad swoimi formami.

Nick osłupiał. Spojrzał znowu na Stone'a, który próbował obrzucić go przekleństwami w ciągu tych kilku sekund, gdy był człowiekiem.

– Długo to potrwa?

– Dałeś mu sporą dawkę. Pewnie z godzinę.

Nick parsknął śmiechem.

– Taki bonusik.

Alex pokręcił głową.

– A skoro o tym mowa, muszę lecieć do domu. Nie chcę dostać szlabanu. Do zobaczenia jutro w szkole.

I zniknął.

Nick spojrzał na Nekodę.

– Całkiem gładko łykasz te wszystkie dziwactwa. Powinienem się martwić?

– Nick, dzisiaj omal mnie nie zjadły zombie. I jechałam samochodem, za którego kierownicą siedział Bubba. Teleportacja jakiegoś gościa oraz zamiana innego w psa to nie są najstraszniejsze rzeczy, jakie w ciągu ostatnich kilku godzin widziałam.

Podeszła do nich Simi i wtuliła się w ramię Kody.

– Och, Simi myśli, że widziałaś dużo, ale to dużo straszniejsze rzeczy.

Nekoda pobladła, ale nic nie powiedziała.

Nick odciągnął ją na bok, żeby porozmawiać z nią na osobności. Boziu, co za niezręczna sytuacja. Chciał jej tyle powiedzieć, ale w głębi ducha nadal bał się, że, nawet po tym, co razem przeszli, ona go wyśmieje.

– Eee… Kody… Tak sobie myślałem…

Przerwał, bo sparaliżował go strach.

No, zaproś ją w końcu.

Dobry Boże, Nick, przecież ona cię pocałowała.

No tak, ale myślała wtedy, że zaraz umrą. A teraz, gdy nie umarli, być może tego żałuje. Może wolałaby zaoszczędzić ten pocałunek dla kogoś przystojniejszego. Inteligentniejszego.

Kogoś, kto nie nosi wieśniackich koszul.

– Co? – zapytała.

Weź się w garść, chłopie. Stanąłeś do walki z demonami, a teraz się cykasz?

No, ale walka z demonami była dużo łatwiejsza niż zaproszenie na randkę dziewczyny, która mu się naprawdę podoba. Demony nie potrafią urazić twoich uczuć.

A ona mogła go zmiażdżyć, i to jednym słowem.

Po prostu to zrób!

Wziął głęboki oddech, odwrócił wzrok i wyrzucił z siebie szybko, nie czekając, aż znowu opanuje go trema:

– Poszłabyś ze mną jutro po szkole do Cafe Du Monde na pączki? Znaczy, jeśli nie dostanę od matki szlabanu za to, że pozwoliłem Bubbie ją ogłuszyć...

Wydawało się, że czas stanął w miejscu. W końcu odpowiedziała:

– Pewnie. Bardzo chętnie. Ale żadnych zombie, dobra?

Nick poczuł się tak, jakby dostał skrzydeł.

– Dobra, dobra, żadnych zombie.

W głowie zabrzmiał mu jednak głos Ambrose'a. *Dzisiaj nauczyłeś się tylko części pierwszej lekcji, młody. Masz jeszcze dziewięć przed sobą. Naprawdę myślisz, że powinieneś marnować czas na dziewczyny?*

Szczerze? A i owszem. Bo gdy patrzył w oczy Kody, widział przyszłość. Było w niej coś, od czego robiło mu się ciepło. A po dzisiejszej nocy zdecydowanie było mu to potrzebne.

Zwłaszcza biorąc pod uwagę wyzwania, które czekały na niego w przyszłości.

Wyluzuj, wapniaku. To moje życie, a nie twoje. Zamierzam korzystać z niego garściami.

Ambrose aż się skrzywił, gdy usłyszał głos Nicka w głowie. Jego słowa sprawiły, że przeszył go zimny dreszcz. Ale wycofał się i zostawił dzieciaka w spokoju, by mógł nacieszyć się swoim zwycięstwem.

– Niestety, Nick, to również moje życie. I, niech nam Bóg pomoże, popełniamy nowe błędy.

Miał tylko nadzieję, że tym razem nie zabiją wszystkich, których kochają.

A co do Nekody…

Ambrose dawno temu nauczył się strachu przed wszystkimi, których dopuścił blisko do siebie, a których przeszłości i przyszłości nie potrafił odczytać. Za każdym razem, gdy popełniał ten błąd, ta osoba próbowała go zniszczyć.

Instynktownie czuł, że Nekoda nie będzie wyjątkiem.

Nowa twarz. Nowa szansa.

Lecz czy to wystarczy… To się dopiero okaże.

EPILOG

Był już prawie świt, gdy Bubba podrzucił Nicka do domu Kyriana. Musieli najpierw wpaść do sklepu, żeby wypuścić Biffa i resztę z celi, zanim Nick stawi czoła smokowi znanemu jako jego matka.

Stał teraz z Calebem na podjeździe i patrzył na posiadłość Kyriana. Aż się skręcał z przerażenia.

– Zrobiłeś kiedyś coś, co cię napawało totalną zgrozą? – zapytał go Nick.

– Tak. Zwykle zaczyna się z samego rana, gdy dzwoni budzik i wiem, że muszę iść do szkoły uczyć się rzeczy, które już wiem.

– Jak ty to znosisz? – Nick rozumiał jego ból.

Caleb wzruszył ramionami.

– Moje zadanie to ty, Nick. Robi się, co się musi, albo większy demon wyżera ci wątrobę i używa twojego kręgosłupa w charakterze wykałaczki.

Nick pomyślał ze smutkiem, że to pewnie wcale nie jest żart.

– No cóż. Chciałem ci podziękować za wszystko, co dla mnie zrobiłeś. Przykro mi, że ci się dzisiaj nieźle oberwało. Naprawdę to doceniam.

Caleb kompletnie osłupiał, słysząc te płynące z głębi serca słowa. Przez całe wieki nigdy się nie zdarzyło, by ktoś mu podziękował. Nawet gdy przelał za niego swoją krew.

Nick wyciągnął do niego rękę.

Caleb już miał powiedzieć coś drwiącego, ale się powstrzymał. Nie miał zamiaru kpić z kogoś, kto był dla niego miły. Rzadko tego doświadczał.

– Cała przyjemność po mojej stronie, Nick. – Uścisnął mu dłoń. – À propos, może powinieneś jeszcze trochę nosić ten temblak. Twoja mama może się zdziwić, że tak nagle ozdrowiałeś.

Nick umieścił sobie rękę z powrotem na temblaku.

– Racja. – Zrobił krok w stronę drzwi, a potem się zatrzymał. – Do zobaczenia jutro?

– Tak. Na ciebie zawsze czyha zło, młody.

Caleb uśmiechnął się, po czym zamienił się w kruka i odleciał.

Nick patrzył za nim, jak znikał w ciemnościach.

Co za pokręcony dzień. No, ale przynajmniej przeżył. O dziwo, był teraz spokojniejszy o siebie i swoją przyszłość.

Mam nie po kolei w głowie.

Roześmiał się, podszedł do drzwi i zadzwonił do nich. Strach powrócił z tysiąckrotną siłą, bo zbliżało się nieuniknione.

Kilka sekund później w drzwiach stanął Kyrian.

Odetchnął z ulgą.

– Dzięki bogom, że wróciłeś do domu. Twoja matka doprowadza mnie do szaleństwa, odkąd odzyskała przytomność. Rany, chyba nikt tak nie zrzędzi, jak ona.

– Co ty powiesz? Gdyby to była dyscyplina olimpijska, rekord świata należałby do niej.

Kyrian wpuścił go do środka, a potem zamknął drzwi na klucz i ustawił alarm.

Z dużego pokoju wybiegła matka Nicka i kurczowo go objęła.

– O, Boże, jesteś cały we krwi! Co ci się stało? Gdzieś ty był? Przysięgam, że jutro zabiję Bubbę i Marka! A pan, panie Gautier, ma szlaban na wieczność.

Nick już miał zapytać o randkę z Kody, ale uznał, że lepiej będzie poczekać, aż matka się uspokoi. Teraz była taka wściekła, że na pewno powiedziałaby „nie".

– Mamo, przepraszam cię. To była szalona noc. Nie chciałem, żeby coś ci się stało.

– Stało? Chłopcze, to będzie cud, jeśli nie stracę pracy.

Kyrian skrzyżował ręce na piersi.

– No cóż, jeśli straci pani pracę, pani Gautier, to ja pani coś znajdę.

Spojrzała podejrzliwie na Kyriana.

– A co?

– Moi znajomi prowadzą bar „Sanctuary". Wiem, że szukają kucharki i kelnerki. Mogę to załatwić od ręki.

Od razu się uspokoiła.

– Poważnie? Słyszałam, że ich kelnerzy dostają najlepsze napiwki w Nowym Orleanie.

– Tak jest, proszę pani.

Znowu odwróciła się do Nicka i wrócił jej gniew, który zelżał na moment, gdy skupiła się na czymś innym.

– Ale jeśli stracę pracę przez twoje krętactwa, to zobaczysz... A teraz idź prosto do łóżka.

Nick osłupiał.

– Zostajemy tutaj?

Kyrian kiwnął głową.

– Muszę się teraz położyć spać, a twoja mama nie umie prowadzić auta z manualną skrzynią biegów, więc nie mogę jej pożyczyć samochodu. Za kilka godzin przyjdzie Rosa, więc jeśli coś będzie wam rano potrzebne, to ją poproście.

– No chodź, Nick.

Matka ruszyła w stronę schodów. Nick poszedł za nią. W połowie schodów zatrzymał się i odwrócił, by podziękować Kyrianowi, który właśnie szeroko ziewał.

To ziewnięcie odsłoniło długie, ostre kły.